ETHNICITÉ
ET ENJEUX SOCIAUX

Micheline Labelle et Joseph J. Lévy

ETHNICITÉ ET ENJEUX SOCIAUX

Le Québec vu par les leaders
de groupes ethnoculturels

Liber

Maquette de la couverture : Yvon Lachance

Éditions Liber
C. P. 1475, succursale B
Montréal, Québec
H3B 3L2
Tél. : (514) 522-3227

Diffusion Dimedia
539, boul. Lebeau
Saint-Laurent, Québec
H4N 1S2
Tél. : (514) 336-3941

Dépôt légal : 1ᵉʳ trimestre 1995
Bibliothèque nationale du Québec

ISBN 2-921569-17-5

INTRODUCTION

La pluriethnicité est au centre des débats sur les rapports sociaux, culturels et politiques dans la plupart des démocraties occidentales. Selon leur histoire, leurs traditions politiques, leur conception de la citoyenneté, la place qu'elles accordent à la pluralité ethnoculturelle, nos sociétés adopteront, dans leur rapport à l'« autre », des attitudes variables allant de l'assimilation, comme dans le cas français, au respect presque obséquieux de la diversité et du multiculturalisme, comme dans le cas canadien.

La pluriethnicité, sans en être une caractéristique nouvelle, devient un enjeu majeur de notre espace sociopolitique parcouru par des tensions entre les régions et le centre, entre le désir du Québec d'être reconnu comme société distincte ou comme nation et l'affirmation de l'égalité des provinces, entre la notion des deux peuples fondateurs et les revendications des peuples autochtones ou des autres groupes qui se définissent en termes ethniques. Ces tensions sont reproduites et amplifiées au Québec à cause des problèmes linguistiques et de la question nationale qui placent les nouveaux immigrants et les membres des groupes ethniques ou de groupes racisés d'ancienne implantation dans des situations ambiguës rendues encore plus complexes par les transformations dans les vagues migratoires, le contexte économique et les décisions politiques. D'ailleurs, les descendants de minorités d'ancienne souche s'offusquent d'être identifiés comme d'éternels immigrants.

Certes, au plan sociodémographique, la population née à l'extérieur du Canada ne représente en 1991 que 9 % de l'ensemble du Québec, et la population de souche autre que britannique ou française, 16 %, mais l'origine nationale ou ethnique de l'immigration n'a cessé de se diversifier au cours des années soixante-dix et quatre-vingt, à la suite de la suppression des mesures discriminatoires inscrites dans la politique d'immigration fédérale, de la politique de réunification des familles et de la montée du mouvement des réfugiés dans le monde. Entre 1946 et 1961, plus de trois quarts des immigrants provenaient d'Europe. Entre 1987 et 1993, ils n'étaient plus qu'environ 18 %. Le reste provenaient d'Afrique (12 %), d'Amérique (21 %) et d'Asie (50 %).

Avec les modifications de la loi canadienne, les proportions des catégories d'admission se sont transformées comparativement aux années soixante et soixante-dix. Les réfugiés et les personnes admises en fonction de programmes spéciaux comptaient pour 12 % en 1987, près de 30 % en 1990 et 23 % en 1992, et le nombre de demandeurs de l'asile politique au Québec est passé d'environ trois mille en 1984 à quelque sept mille quatre cents en 1993. En 1988, année record, il y en a eu quatorze mille, et cela n'inclut pas ceux qui venaient des autres provinces. Ces groupes récents de même que l'ensemble des groupes ethnoculturels présentent des profils socio-économiques et des formes de complétude ou d'autonomie institutionnelle (*institutional completeness*) fort variables, reflet des caractéristiques historiques des pays d'origine, des conditions prémigratoires, de la période d'immigration, ainsi que des changements dans les politiques du gouvernement québécois en ce qui concerne l'insertion des immigrés dans la société d'accueil[1].

Les politiques d'immigration et la gestion de la diversité ethnoculturelle constituent un double défi pour le Québec. En matière de politique, à partir des années soixante, sur la lancée de la révolution tranquille, il tentera d'arracher graduellement des pouvoirs de sélection, de recrutement et d'intégration des immigrants. La création du ministère de l'Immigration, en 1960, est le premier jalon de cette offensive. Entrée en vigueur en avril 1991, l'entente conclue en décembre 1990 entre Monique Gagnon-Tremblay et Barbara McDougall s'inscrit « dans la foulée des trois ententes précédentes (Cloutier-Lang 1971, Bienvenue-Andras 1975 et Couture-Cullen 1978) et dans la même logique de récupération, par le gouvernement du Québec, des pouvoirs essentiels à son développement en fonction de ses objectifs propres [et] dans la tradition de coopération Ottawa-Québec en matière d'immigration[2] ». Cet accord consacre néanmoins l'autorité d'Ottawa en matière d'immigration. S'il reconnaît le caractère distinct de la société québécoise, il rappelle en même temps la nature fédérale et bilingue du Canada.

La gestion étatique de la diversité ethnoculturelle est aussi marquée par des contradictions. Associée à la politique du bilinguisme adoptée en 1968, la politique fédérale du multi-

---

1. M. Labelle, « Nation, ethnicité et racisation. Perspectives théoriques à propos du Québec », *Entre tradition et universalisme*, actes du colloque de l'ACSALF, Montréal, Institut québécois de recherche sur la culture, 1994 ; D. Helly, « Politiques québécoises face au "pluralisme culturel" et pistes de recherche : 1977-1990 », dans J. Berry, J. A. Laponce (dir.), *Ethnicity and Culture in Canada. The Research Landscape*, Toronto, University of Toronto Press, 1994.

2. Gouvernement du Québec, communiqué nº 911-06-A de madame le ministre des Communautés culturelles et de l'Immigration et vice-présidente du Conseil du trésor.

culturalisme décrète, en 1971, le pluralisme culturel et l'égalité des cultures sur le plan politique et réduit les Québécois d'origine canadienne-française au statut de groupe ethnique parmi d'autres. Les gouvernements qui se sont succédé au Québec depuis 1971 s'y sont opposés parce qu'elle niait le caractère distinct — selon les uns — ou national — selon les autres — du Québec. Élu en 1976, le Parti québécois promulgue l'année suivante la loi 101 sur l'obligation de la scolarisation en français des enfants d'immigrants, et, dans la foulée de l'article 10 de la Charte des droits et libertés de la personne (1975), on assiste à la reconnaissance officielle du pluralisme culturel. Le PQ définit en 1978 la politique de convergence culturelle qui affirme le caractère français et national du Québec et la nécessité d'une convergence vers la culture francophone de la part des immigrants. La politique de convergence insiste sur le respect des groupes ethniques (reconnaissance du droit à la sauvegarde et au développement des cultures d'origine, au progrès socioéconomique des groupes ethnoculturels) et leur entière participation à la vie nationale (reconnaissance de leur contribution au patrimoine québécois, des droits de la minorité anglophone et celle des dix nations autochtones du Québec, programmes d'accès à l'égalité en emploi, ouverture des institutions publiques aux membres des groupes ethnoculturels afin de corriger leur sous-représentation).

Le gouvernement libéral inscrit ses politiques, à partir de 1985, dans la mouvance de ces orientations (volonté de pouvoirs accrus sur l'immigration et l'intégration, affirmation du fait français, mesures de redressement des inégalités, lutte contre le racisme). En 1990, il propose un projet d'intégration axé sur l'idée de contrat social entre la majorité et les minorités, sur le respect du caractère distinct (mais non national) du Québec et le rapprochement intercommunautaire sous l'idéal de l'interculturalisme.

Aux deux paliers de gouvernement, la mobilisation des groupes racisés provoquera, au cours des années quatre-vingt et quatre-vingt-dix, des interventions plus serrées en ce qui concerne les droits de la personne, la réduction des inégalités économiques et la lutte contre la discrimination et le racisme. Ces politiques sont souvent élaborées en concertation avec les instances fédérales, ce qui explique que dans les institutions publiques et dans diverses municipalités, les discours et les politiques provenant des deux paliers se chevauchent et dans certains cas se contredisent. De là résulte le désordre qui caractérise actuellement la notion de l'intégration.

Tous ces changements ne sont pas sans rendre perplexes les groupes d'immigrants et les minorités ethniques qui se retrouvent devant des complications bureaucratiques et des discours ésotériques dont les objectifs n'aident pas toujours à résoudre leurs problèmes.

Par-delà la gestion étatique de la pluriethnicité, les transformations idéologiques du nationalisme québécois ouvrent de nouvelles perspectives sur la question. Jusque-là plutôt défensif et fondé sur les particularités ethnoculturelles et linguistiques de la majorité francophone, le nationalisme emprunte depuis quelque temps une forme plus universaliste, axée sur l'idée d'une citoyenneté territoriale qui dépasse les différences et les particularismes. Cette tendance n'est pas sans avoir des répercussions profondes sur les stratégies d'intégration des groupes ethnoculturels et le statut de la pluriethnicité.

Les institutions publiques et parapubliques de même que les associations à caractère ethnique seront traversées par des représentations ou des conceptions de l'intégration polarisées autour de deux logiques. À une logique d'intégration différencialiste, visant surtout le maintien de l'identité et des particularismes liés aux sociétés d'origine ainsi que la défense des intérêts communautaires, vient s'opposer une logique plus universaliste qui insiste sur la participation à la société d'accueil, la promotion des relations structurelles entre ses diverses composantes et la défense d'intérêts communs axés davantage sur les mouvements sociaux (projet de société, lutte contre le racisme, ouverture des débats politiques) que sur les mouvements communautaires aux objectifs plus limités.

Dans les études consacrées à ces questions sociopolitiques nouvelles, on constate une absence presque totale de références au leadership fondé sur l'ethnicité, tout comme aux idéologies et aux opinions des leaders de la scène sociopolitique contemporaine. Malgré l'intérêt porté à l'évaluation de la complétude institutionnelle et aux réseaux des associations communautaires, les leaders d'associations à identité ethnique ou racisée ont peu retenu l'attention de la sociologie québécoise des relations interethniques. Cette absence semble traduire l'occultation des rapports politiques qui sous-tendent la question de la pluriethnicité.

Cette lacune est d'autant plus remarquable que le sujet est au cœur des débats actuels sur l'intégration des groupes ethnoculturels dans une société québécoise en quête d'un nouveau projet de société où les particularismes ethniques céderaient devant la participation démocratique de tous les citoyens. Par leur implication sociale dans leurs associations, qu'elles soient monoethniques ou pluriethniques, les leaders interviennent dans ces débats. Leurs témoignages sur les questions qui agitent la société québécoise tout comme leur manière de formuler les problèmes actuels pourraient ouvrir des pistes de réflexion importantes pour les responsables politiques.

Précisons que cette étude ne porte ni sur la nature du leadership ethnique au Québec et ses conditions d'émergence, ni sur les styles du leadership ethnique ou sur les rôles et les stratégies des leaders. Elle vise plutôt à dégager l'idée qu'ils se font des mouvements associatifs, des enjeux liés à l'intégration économique, politique et socioculturelle de leur groupe, du rôle et des limites de l'ethnicité dans la société québécoise, ainsi que de la question nationale.

Dans les termes de Martiniello, on définira ici un leader comme un « membre d'une communauté ethnique [...] qui a la capacité d'exercer intentionnellement un degré variable d'influence sur les comportements et/ou les préférences des membres de la communauté ethnique, dans le sens de la satisfaction de leurs intérêts objectifs tels qu'il les perçoit. Cette influence, lorsqu'elle est exercée, l'est à travers l'activité du leader dans une ou plusieurs des institutions qui forment la communauté ethnique, à la faveur de laquelle se développent les relations avec les suiveurs, c'est-à-dire les autres membres de la communauté ethnique. Par ailleurs, le leader jouit d'un certain degré de reconnaissance de la part des membres de la communauté ethnique, reconnaissance qui est à la base de sa légitimité[3]. »

En écoutant les quatre-vingt-quatre leaders des quatre groupes retenus, haïtien, italien, juif et libanais, nous verrons comment, porteurs d'une certaine ethnicité ou de la marque de la visibilité racisée, ils définissent et interprètent cette ethnicité, évaluent son impact en référence aux expériences sociales de leur groupe d'origine et de celles de l'ensemble des groupes ethnoculturels dans la société québécoise.

Que pensent les leaders de l'ethnicité et du processus de racisation dans le contexte québécois ? Comment les définissent-ils ? Comment voient-ils l'intégration et le pluralisme de même que le rapport des groupes ethnoculturels au Canada et au Québec ? Telles sont les principales questions auxquelles nous avons essayé de répondre.

---

3. M. Martiniello, *Leadership et pouvoir dans les communautés d'origine immigrée*, Paris, CIEMI L'Harmattan, 1992, p. 98.

13

Ajoutons que la présente recherche ne vise pas à démontrer le caractère représentatif des opinions recueillies parmi un ensemble d'opinions qu'on pourrait entendre sur l'expérience immigrée et minoritaire et les questions qui y sont reliées. De la même manière, les leaders rencontrés ne sont pas représentatifs, sur le plan statistique, du leadership de leur communauté. Ils n'ont pas non plus été interviewés à titre de porte-parole de leur groupe. Afin de préserver leur anonymat, nous ne les identifierons, dans le texte, que par leur sexe, leur âge et leur origine ethnique. Le lecteur trouvera en annexe plus de détails sur la méthodologie de la recherche, le profil des leaders et leurs groupes ethnoculturels.

Un mot enfin sur la terminologie employée ici. Les termes courants du lexique ethnoculturel québécois et canadien ne sont pas sans ambiguïté, chargés de connotations politiques. Ainsi, Québécois demeure malheureusement encore trop souvent synonyme de Canadien français. Comment éviter les termes de « communautés culturelles », « minorités visibles », « allophones » ? Ne risquent-ils pas d'être discriminants, stigmatisants ? L'entreprise n'est pas facile et nous partageons largement le regard critique de plusieurs des personnes interviewées sur cette terminologie. Néanmoins, dans la mesure où certains termes se sont massivement imposés, il n'est pas toujours possible d'en faire l'économie.

* * *

Le terrain de cette recherche a été réalisé en 1990 et 1991 grâce au soutien financier du programme d'aide à la recherche et à la création de l'université du Québec à Montréal, du Conseil canadien de recherche en sciences humaines, de la fondation Thérèse-Casgrain, du ministère du Patrimoine et de la Citoyenneté, du Fonds québécois pour la formation de chercheurs et l'aide à la recherche. Nous exprimons également notre gratitude aux personnes ressources, universitaires, gens de terrain, fonctionnaires, pour leurs conseils lors de la constitution de l'échantillon des interviewés, et aux leaders interviewés dont la collaboration a été exemplaire.

Nous remercions les assistants de recherche qui ont travaillé à l'analyse des données, à la rédaction ou à la révision des rapports de recherche à partir desquels ce livre a été rédigé : Gaétan Beaudet, Carolyne Cianci, Élise Desjardins, Martin Goyette, Martine Paquin, Anne-Lise Polo, Francine Tardif et Marthe Therrien. Nathalie Lavoie et Azzedine Marhraoui ont apporté de nombreux commentaires critiques à la lecture du manuscrit.

Nous remercions enfin Jennifer Beeman, Hélène Brien, Laura Bush, Irène Cartier, Denyse Therrien pour la transcription des entrevues.

1

LEADERSHIP
ET MOUVEMENTS ASSOCIATIFS

La constitution des mouvements associatifs s'inscrit pour certains groupes de migrants dans le prolongement du mode d'organisation sociale existant dans le pays d'origine, où il repose sur les rapports de parenté, de voisinage, de proximité géographique et de convivialité. Ces formes d'organisation faciliteraient l'adaptation à court terme des immigrants et des réfugiés[1]. La force de la complétude institutionnelle de

---

1. J. Rex, D. Joly, C. Wilpert, *Immigrant Associations in Europe*, Gower, 1987 ; D. Indra, « Bureaucratic Constraints, Middlemen and Community Organization : Aspects of the Political Incorporation of Southeast Asians in Canada », dans K. B. Chan, D. Indra (dir.), *Uprooting, Loss and Adaptation. The Resettlement of Indochinese Refugees in Canada*, Ottawa, Canadian Public Health Association, 1987 ; L. J. Dorais, « Refugee Adaptation and Community Structure : the Indochinese in Quebec City, Canada », *International Migration Review*, vol. 25, n° 3, 1991 ; *id., Les associations vietnamiennes à Montréal*, Québec, université Laval, département d'anthropologie, 1990 ; L. J. Dorais, K. B. Chan, D. Indra, *Ten Years Later : Indochinese Communities in Canada*, Ottawa, Association canadienne des études asiatiques, 1988 ;

chaque groupe signalerait la vigueur des réseaux secondaires fondés sur l'appartenance ethnique (dans le domaine professionnel, religieux, culturel, politique et éducatif) et ces associations pourraient agir dans certains cas comme des groupes de pression dans le champ politique[2], comme on le constate dans l'espace canadien et québécois.

De ce point de vue, on peut dégager deux grandes orientations qui sous-tendent à la fois le mouvement associatif à vocation ethnique et la gestion étatique de la diversité ethnoculturelle. La première repose sur une logique universaliste d'intégration à la société globale, la seconde sur une logique différencialiste[3]. Ces modèles adoptent bien sûr des formes plus complexes dans la réalité sociale, mais c'est à leur aune qu'on juge le rôle des associations à identité ethnique : selon les uns, parce qu'elles sont des institutions intermédiaires susceptibles de créer un équilibre entre des intérêts multiples, les associations ethniques favoriseraient l'assimilation ou l'intégration ; selon les autres, au contraire, parce que chaque groupe est isolé sur le plan institutionnel, ces mêmes associations alimen-

---

J. Lévy, L. Ouaknine, « Les institutions communautaires des Juifs marocains à Montréal », dans J. C. Lasry, C. Tapia, *Les Juifs du Maghreb. Diasporas contemporaines*, Montréal et Paris, Presses de l'université de Montréal et L'Harmattan, 1989.

2. R. Breton, W. Isajiw, W. E. Kalbach, J. Reitz, *Ethnic Identity and Equality*, University of Toronto Press, 1990.

3. A. Finkielkraut, *La défaite de la pensée*, Paris, Gallimard, 1987 ; D. Schnapper, *La France de l'intégration. Sociologie de la nation en 1990*, Paris, Gallimard, 1991 ; *id.*, « Communautés, minorités ethniques et citoyens musulmans », dans B. Lewis, D. Schnapper, *Musulmans en Europe*, Arles, Actes Sud, 1992 ; G. Delanoi, P.A. Taguieff, *Théories du nationalisme. Nation, nationalité, ethnicité*, Paris, Kimé, 1991 ; P. R. Brass, *Ethnicity and Nationalism*, Londres, Sage Publications, 1991 ; M. Wieviorka, *La France raciste*, Paris, Seuil, 1992 ; *id.*, *Ethnicity as Action*, Conference on Ethnic Mobilization in Europe in the 1990s, University of Warwick, Center for Research in Ethnic Relations, 1992 ; *id.*, *L'espace du racisme*, Paris, Seuil, 1991.

teraient la ségrégation. Fonctionnant de façon parallèle, elles réduiraient les contacts interpersonnels et institutionnels avec la majorité[4], freinant ainsi l'intégration sociale et politique. La majorité des associations ethniques au Canada ne chercheraient pas à faciliter l'insertion de leurs membres dans la société globale, mais travailleraient plutôt à maintenir l'identité ethnique et nationale de leurs membres et à assurer la spécificité culturelle du groupe[5].

Un autre débat touche à l'efficacité de la mobilisation ethnique ou minoritaire face à l'État. Pour certains groupes minoritaires en particulier[6], l'association pourrait être un lieu privilégié de production culturelle et politique de l'ethnicité, un lieu important de mobilisation en vue d'affronter la concurrence individuelle et collective et de se défendre contre les formes d'exclusion et de discrimination. Certains soulignent que cette perspective tend à sous-évaluer le rôle de l'État dans la gestion des revendications des groupes ethniques[7], comme

---

4. U. Schoenberg, « Participation in Ethnic Associations : the Case of Immigrants in West Germany », *International Migration Review*, vol. 19, 1985.

5. H. Radecki, « Ethnic Voluntary Organizational Dynamics in Canada ; a Report », *International Journal of Comparative Sociology*, vol. 17, n°s 3-4, 1976.

6. U. Schoenberg, article cité ; D. J. Elazar, H. M. Waller, *Maintaining Consensus. The Canadian Jewish Polity in the Postwar World*, The Jerusalem Center for Public Affairs, University Press of America, 1990 ; B. Drury, *Ethnic Mobilization : Some Theoretical Considerations*, Conference on Ethnic Mobilization in Europe in the 1990s, University of Warwick, Center for Research in Ethnic Relations, 1992.

7. P. R. Brass, *op. cit.* ; R. Miles, A. Phizaclea, « Class, Race, Ethnicity and Political Action », *Political Studies*, vol. 25, n° 4, 1977 ; C. Painchau, R. Poulin, *Les Italiens au Québec*, Hull, Critiques et Asticou, 1988 ; D. Stasiulis, « Minority Resistance in the Local State : Toronto in the 1970s and 1980s », *Ethnic and Racial Studies*, vol. 12, n° 1, 1989 ; H. Goulbourne, « Varieties of Pluralism : the Notion of a Pluralist Post-Imperial Britain », *New Community*, vol. 17, n° 2, 1991 ; R. Miles, *Class, Culture and Politics : Migrant Origin*

c'est le cas au Canada où, à travers les politiques du multiculturalisme, on constate notamment la réduction de l'autonomie
des organisations communautaires et un impact significatif
sur la catégorisation ethnique et racisée que subissent certains
groupes[8].

On a pu récemment mettre en évidence les liens que les
migrants et les groupes ethniques continuent d'entretenir avec
leur pays d'origine ou de référence et le rôle du mouvement
associatif dans la mise en place de pratiques de solidarité
transnationale[9]. Ces liens entre société d'accueil et pays d'origine, qui s'expriment à travers les réseaux migratoires (familiaux, villageois, régionaux, etc.) et les organisations politiques

---

Youth in Britain, Conference on Ethnic Mobilization in Europe in the 1990s,
University of Warwick, Center for Research in Ethnic Relations, 1992 ; J.
Solomos, *Black Youth, Racism and the State*, New York, Cambridge University
Press, 1988 ; *id., Race and Racism in Contemporary Britain*, Londres,
Macmillan, 1989.

8. F. Anthias, N. Yuval-Davis, *Racialized Boundaries*, Londres et New
York, Routledge, 1993 ; D. Stasiulis, « Symbolic Representation and the
Number Games : Tory Policies on "Race" and Visible Minorities », dans
F. Abele, (dir.), *The Politics of Fragmentation : How Ottawa Spends 1991-
1992*, Ottawa, Carleton University Press, 1991 ; *id.*, « Minority Resistance... », article cité ; A. B. Anderson, J. Frideres, *Ethnicity in Canada. Theoretical Perspectives*, Toronto, Butterworths, 1981 ; K. Moodley, « The Predi-
cament of Racial Affirmative Action », dans L. Driedger (dir.), *Ethnic
Canada*, Toronto, Copp Clark Pitman, 1987 ; R. Ng, J. Muller, G. Walker,
Community Organization and the Canadian State, Toronto, Garamond Press,
1990 ; R. Ng, *The Politics of Community Services. Immigrant Women, Class
and State*, Toronto, Garamond Press, 1988 ; B. Aboud, *Community
Associations and their Relations with the State. The Case of the Arab Associative
Network of Montreal*, Montréal, université du Québec à Montréal, département de sociologie, 1992 ; M. Martiniello, *Leadership et pouvoir dans les
communautés d'origine immigrée*, Paris, CIEMI L'Harmattan, 1992.

9. C. R. Sutton, E. M. Chaney (dir.), *Carribean Life in New York City :
Sociocultural Dimensions*, New York, Center for Migration Studies, 1987.

des migrants, fondent les nombreuses références identitaires qui mobilisent le mouvement associatif. Le transnationalisme semble faire la preuve que de nouvelles formes d'articulation des appartenances dans le système mondial sont en train de se mettre en place[10].

Les grandes conceptions du mouvement associatif que nous venons de rappeler se réfèrent surtout aux cas d'États unitaires. Pourtant la réalité n'est pas toujours celle-là. Au Québec, par exemple, les groupes ethniques sont soumis à la fois aux instances fédérales et aux instances provinciales qui orientent les associations ethnoculturelles dans des directions parfois opposées. La spécificité linguistique et politique du Québec joue sur cette dynamique complexe fondée sur des modalités originales. Dans la formation sociale québécoise, en effet, la complétude institutionnelle est plus accentuée qu'ailleurs au Canada[11] et elle structure fortement le mouvement associatif et ses idéologies, ce qui se répercute sur le plan politique. La prégnance de la question nationale et des conflits qui en découlent, tout comme les particularités de certains flux migratoires à l'origine de la formation et du développement des groupes ethniques au

---

10. L. Bash, N. Glick Schiller, C. Szanton Blanc, *Nations Unbound,* Gordon and Breach Science, 1994 ; G. Campani, *Pluralisme culturel en Europe. Cultures européennes et cultures des diasporas. L'exemple de la diaspora italienne,* Paris, texte ronéotypé, 1991 ; *id., Les réseaux familiaux, villageois et régionaux des immigrés italiens en France,* Paris, texte ronéotypé, 1991. Voir aussi en particulier dans le cas des études européennes, M. Catani, S. Palidda, *Le rôle du mouvement associatif dans l'évolution des communautés immigrées,* Paris, FAS, DPM, ministère des Affaires sociales, 1987.

11. P. Anctil, « Double majorité et multiplicité ethnoculturelle à Montréal », *Recherches sociographiques,* vol. 25, n° 3, 1984 ; M. Paillé, « Choix linguistiques des immigrants dans les trois provinces canadiennes les plus populeuses », *International Journal of Canadian Studies, Revue internationale d'études canadiennes,* n° 3, 1991 ; J. Langlais, P. Laplante, J. Lévy, *Le Québec de demain et les communautés culturelles,* Montréal, Méridien, 1989.

21

Québec, jouent aussi sur les multiples contradictions qui agitent les associations communautaires.

Nous verrons dans ce chapitre comment les leaders des groupes ethnoculturels perçoivent ces associations. Leurs témoignages révèlent des tensions, de multiples lignes de clivage (phases d'immigration, sexe, hétérogénéité religieuse, culturelle et linguistique, rapports de domination) qui orientent le développement et les fonctions des mouvements associatifs.

Formes et motifs de l'engagement

Dans trois groupes étudiés sur quatre — l'exception étant le groupe libanais —, la plupart des leaders sont membres des organismes les plus importants de leur communauté ethnoculturelle, mais plusieurs participent à des organismes pluriethniques ou à des organismes du secteur public ou parapublic canadien et québécois.

La majorité font partie d'organismes et d'associations dont l'orientation dominante est l'entraide[12], mais ils sont également présents dans des organismes à caractère politique ou humanitaire et au sein de comités consultatifs ou d'organismes publics et parapublics. La motivation des leaders qui militent à l'extérieur des réseaux de leur communauté est très variable : conviction idéologique liée, par exemple, au rapprochement interculturel, à la lutte antiraciste ou au besoin d'intégration, visées politiques (députés, conseillers municipaux ou scolaires, etc.), moyen d'échapper au contrôle social exercé par la famille ou la communauté (cas de leaders des communautés juive et libanaise) ou au paternalisme « machiste » (certaines femmes leaders d'origine haïtienne et italienne).

---

12. L. J. Dorais, *Les associations vietnamiennes à Montréal*, *op. cit.*

Les caractéristiques socioéconomiques et politiques du milieu social d'origine et les motifs qui ont suscité l'engagement communautaire révèlent des expériences variées qui s'entrelacent aux itinéraires personnels.

Pour certains leaders d'origine haïtienne, libanaise et, à un moindre degré, juive, l'engagement communautaire prend sa source dans la réalité politique et sociale du pays d'origine, marqué par la guerre ou la répression — dictature duvaliériste, guerre du Liban, holocauste (pour une très petite minorité). Leur engagement sociopolitique en a été stimulé et, en situation d'immigration, les a poussés à organiser des activités de solidarité ou de coopération en faveur des camarades restés sur place :

> J'étais membre d'un parti politique qui travaillait pour le renversement du régime de Duvalier. J'ai eu des problèmes. J'ai été souvent arrêté, parce qu'on avait des activités vraiment clandestines et aussi des activités socioculturelles au sens large pour sensibiliser les jeunes surtout. Ainsi, à un certain moment, je ne pouvais plus rester. Duvalier lui-même, le père, a demandé ma tête. Je suis entré en clandestinité. Avec des amis, de l'aide, je suis sorti du pays (homme d'origine haïtienne, 56 ans).

De même, la guerre civile dans leur pays et le sentiment que les médias faisaient de la désinformation ont poussé des leaders d'origine libanaise à l'action communautaire :

> Quand mon pays a été menacé, j'ai rencontré Pierre Gemayel, qui était une sorte d'idéal pour moi. C'était un homme d'une pureté extraordinaire, il avait un idéal très haut placé et il adorait son pays. Il m'a galvanisée. Il m'a donné le sens de mon appartenance, de ce que j'étais, de ce que je devais défendre. Et j'étais une des premières femmes, je pense, si jeune, qui aient participé à la résistance (femme d'origine libanaise, 54 ans) ;

> Je me suis intéressé à la question libanaise d'une façon très active en 1975, quand la guerre a éclaté. J'avais toujours des attaches, ma

famille était là-bas, et évidemment la guerre civile, avec ses atrocités, ne pouvait nous laisser indifférents (homme d'origine libanaise, 54 ans).

Pour de rares leaders juifs, c'est l'holocauste qui a servi de déclencheur essentiel :

> J'ai quitté Bratislava, en Tchécoslovaquie, le 15 septembre 1939, à cause de la persécution contre les Juifs par le nouvel État indépendant de la Slovaquie. Grâce à une intervention du président Benes, nous avons pu obtenir l'autorisation de venir au Canada, en novembre 1941, pour la durée de la guerre. Mon implication deviendra structurée, en 1956, après avoir été réfugié. À cause de l'antisémitisme, j'ai voulu jouer un rôle affirmatif et non défensif (homme ashkénaze, 61 ans).

La tradition familiale a aussi exercé une influence marquante. Les parents et les grands-parents servent souvent à définir des vocations, en fournissant des modèles de conduite qui s'inspirent de leur engagement professionnel (éducateurs, pasteurs, travailleurs communautaires), de leur position sociale (chefs religieux, grands propriétaires fonciers régionaux et patriarches villageois, familles proches du gouvernement, dans le cas libanais) ou du bénévolat dans des organismes à caractère social ou religieux auxquels ils participent ou qu'ils aident à créer après l'immigration. Ils ont ainsi souvent contribué à fonder des associations communautaires d'aide aux immigrés, des associations régionales (regroupant les gens originaires d'une même région, comme c'est le cas surtout chez les interviewés d'origine italienne), des institutions religieuses (synagogues, églises, etc.), des organismes à vocation politique, des journaux ou d'autres médias. Dans le milieu libanais, les responsabilités communautaires familiales pouvaient prendre diverses formes : constitution d'une dot pour une fille du village, aide aux familles démunies, création d'une banque pour les paysans, médiation dans des conflits, etc., pratiques qui se sont prolongées parfois dans le contexte québécois :

Mes parents étaient très considérés. S'il y avait des conflits entre deux personnes, elles ne recouraient pas au tribunal. On venait voir mon père et il jugeait : « Toi, tu dois faire ceci, et toi, tu dois faire cela ! » Et tout le monde en parlait et commentait ce qu'il décidait (femme d'origine libanaise, 58 ans) ;

Nous n'avons jamais été inféodés aux politiques gouvernementales. Mais même du temps de mon grand-père, nous étions très engagés en tant que famille dans le travail communautaire. Dans le cas de mon grand-père, son engagement a toujours été associé à la communauté moyen-orientale. Son église, son centre communautaire constituaient ses terrains d'action les plus importants. Pour la génération de mon père, c'étaient l'église, la communauté moyen-orientale, le travail communautaire, les clubs et le YMCA anglophone. Naturellement, nous ne limitons pas notre engagement à la communauté. Mais nous sommes plus portés sur le travail communautaire que sur la prise de décision politique (homme d'origine libanaise, 51 ans).

L'engagement politique ou syndical est également important. Ainsi, les familles haïtiennes sont très souvent anti-duvaliéristes. Chez les leaders d'origine italienne, les parents ont milité dans les mouvements socialistes, communistes, anarchistes et fascistes, ou ont même fait de la prison pour défendre leurs idées : « Je viens d'une famille qui a toujours été très impliquée, que ce soit au niveau social, culturel ou politique. D'une famille pour qui la politique était ou est monnaie courante », rapporte un jeune leader d'origine italienne. Dans le milieu juif, le passé associatif des parents s'inscrit dans le mouvement ouvrier (partis politiques de gauche, mouvements sionistes de droite et de gauche). De même, chez les leaders d'origine libanaise, le milieu familial est fortement influencé par la politique :

Mon grand-père nous disait toujours : vous êtes arabes. Le père de ma mère était très impliqué dans la politique. Parmi ses amis, on comptait le président du Liban, le président de la république d'un

25

autre pays, etc. C'était là ses fréquentations. Ma mère comme ses frères et ses sœurs ont grandi en voyant régulièrement ces gens-là chez eux (femme d'origine libanaise, 41 ans) ;

Ma grand-mère maternelle faisait des discours politiques. Personne n'allait voter avant qu'elle ne dise du haut de son balcon pour qui il fallait voter (femme d'origine libanaise, 54 ans).

Dans certains cas, c'est le père qui sert de modèle principal. La moitié des leaders d'origine libanaise témoignent de l'engagement de leur père dans des associations d'entraide à base religieuse ou laïque et dans des mouvements politiques arabes ou libanais, mais la même tendance se retrouve dans les autres groupes :

J'ai été très influencée par mon père. Je l'aimais énormément. Il avait le sens de l'honneur, de la parole, il était très chevaleresque. Et ça passait beaucoup en moi, ces choses-là. Mon père m'avait donné le sens du pays, de l'appartenance au pays et tout ce qu'il m'avait dit a resurgi quand mon pays a été menacé (femme d'origine libanaise, 54 ans) ;

Mon père était un éternel contestataire qui a été arrêté plusieurs fois. Il était toujours dans l'opposition. Un soir, les duvaliéristes sont venus le chercher. On n'en a plus entendu parler (femme d'origine haïtienne, 51 ans) ;

Mon père jouait un certain rôle de leadership à l'intérieur du groupe régional, du groupe des gens venant du village, de la région. Il a été membre de cette association pendant vingt-cinq, trente ans. Il était actif, il était présent. C'est une personne qui était écoutée dans ce milieu. Il suivait avec intérêt ce qui se passait au Québec, mais on ne peut pas dire qu'il était militant d'un parti politique (homme d'origine italienne, 41 ans) ;

Mon père était très engagé. Ma mère aussi jusqu'à un certain point. Ils ont toujours pris un grand intérêt à la religion juive, à l'État d'Israël et aux aspects politiques des choses. C'étaient des sionistes ardents (femme ashkénaze, 50 ans) ;

Plusieurs mentionnent l'influence de la mère ou de la grand-mère, dont l'engagement apparaît exceptionnel aux leaders d'origine italienne car les femmes ont longtemps été exclues des responsabilités dans plusieurs associations, en particulier dans les associations régionales. Des mères des interviewés de la nouvelle immigration libanaise ont fait partie d'associations de bienfaisance ou de partis politiques. De même, des mères juives ont agi ou agissent encore comme bénévoles, entre autres lors des collectes de fonds pour la communauté et l'aide à Israël, au sein de la communauté locale ou dans des organisations internationales :

> Ma mère m'a beaucoup marqué. J'ai suivi son exemple. L'optique de mes parents a toujours été beaucoup plus large que chez d'autres Juifs à cette époque-là, étant donné qu'ils fréquentaient des francophones. On habitait Outremont, un quartier assez mixte sur ce plan-là. J'ai rencontré beaucoup de francophones. Ma mère m'encourageait à voyager, à rencontrer beaucoup de gens en dehors du cercle juif (homme ashkénaze, 41 ans).

Dans tous les groupes, les premières expériences communautaires ont souvent eu lieu dans des mouvements de jeunesse (louveteaux, scouts, guides, Jeunesse étudiante catholique). Plusieurs ont eu des responsabilités scolaires ou ont participé à des activités sportives ou culturelles. Après l'immigration, ces expériences se sont enrichies à la suite de l'adhésion à des associations étudiantes de cégep ou d'université, ou par la fréquentation de milieux féministes, communautaires, politiques, aux États-Unis et au Québec.

L'insertion dans la société québécoise a également poussé vers le travail communautaire. Dans certains cas, il est survenu à la suite d'un questionnement sur sa propre identité provoqué par l'immigration, un choc émotionnel ou des désaccords avec les enfants. Le maintien du contact avec les compatriotes dans le contexte migratoire a alors servi à sauvegarder des liens qui, une fois la période de transition terminée, se prolongeront en engagement dans les institutions communautaires. Dans d'autres cas, c'est le désir d'émancipation sociale vis-à-vis d'un milieu jugé conservateur qui éveillera l'intérêt pour ce genre d'engagement :

> J'ai commencé il y a un an. Je n'avais jamais travaillé de ma vie. Au Liban, j'avais un père traditionaliste dont les filles ne pouvaient pas travailler. Quand je me suis mariée, mon mari était aussi difficile que mon père. Mais il y avait une dame ici qui était membre d'une autre association. Elle m'a demandé si je voulais bien m'y associer et travailler avec elle. Et j'ai dit : pourquoi on n'en ferait pas une nous-mêmes ? Elle a dit : non, nous n'avons pas d'expérience, et c'est un travail ardu, c'est un travail à plein temps, il faut vraiment être dévouée et tout ça. Et j'ai dit : moi je voudrais essayer (femme d'origine libanaise, 41 ans).

Par l'engagement dans le réseau de la communauté ou dans les associations pluriethniques, on espère aussi contribuer à résoudre les questions d'intégration et de discrimination. Ainsi, pour les leaders d'origine haïtienne, la lutte contre la déportation a fortement contribué à la mise sur pied d'associations comme le Bureau de la communauté chrétienne des Haïtiens de Montréal, né de la nécessité d'assurer la défense des immigrants illégaux, et de lutter contre la discrimination dans le travail et le logement, ou contre la délinquance :

> Il y a eu une nouvelle loi relative à l'immigration. On a décidé de monter le Bureau de la communauté chrétienne des Haïtiens de Montréal. On travaillait d'après les besoins des gens, mais aussi d'après nos compétences et nos sentiments face à ces besoins. Nous avions une équipe. Il y avait des personnalités assez branchées sur la situation des Haïtiens, en Haïti ou à Montréal (femme d'origine haïtienne, 54 ans) ;

> Ce qui m'a amenée à travailler à l'intégration des jeunes, c'est que nos jeunes constituent un potentiel pour le Québec et pour notre communauté aussi. La Maison des jeunes est née du désir de leur

donner un lieu d'appartenance. Récemment, nous avons fêté le cinquième anniversaire, et nous avons invité les personnalités qui ont vu nos jeunes évoluer. Ça donne une autre image de la communauté (femme d'origine haïtienne, 49 ans) ;

L'élément déclencheur qui m'a portée à m'impliquer, c'est quand effectivement je me suis rendu compte que j'étais discriminée racialement sur le campus. Je me suis fait dire trois fois qu'il n'y avait pas de chambres à louer dans les maisons, et quand j'ai demandé à une secrétaire d'y aller, il y avait trois chambres à louer. Et quand je suis sortie davantage dans la ville, je me suis rendu compte que le racisme existait (femme d'origine haïtienne, 38 ans).

Les problèmes d'intégration et de discrimination se sont également posés au groupe d'origine italienne incitant les leaders à se lancer dans l'action pour changer une situation jugée intolérable :

Il y a eu un cas vraiment exceptionnel, on l'appelait en ce temps-là, en 1972, le cas Hertel. Il avait comparé les Italiens aux chiens. C'était dans *Montréal-Matin*. On est allés en cour. Il a fait amende honorable. C'est pour ça qu'on a eu l'idée de former cette association pour parler au nom des Italiens, pour avoir une voix commune. Quand il s'agissait de problèmes qui intéressaient la communauté italienne, on intervenait (homme d'origine italienne, 60 ans) ;

Je trouvais que la communauté italienne n'avait pas la place qui lui revenait. C'était aussi parce que je savais que mes compatriotes émigrés manquaient d'instruction, en général. On sait très bien que quand il y a de l'émigration, ce sont toujours les plus démunis qui partent les premiers. C'étaient les ouvriers, les *contadini*, de sacrées bonnes personnes. Leur seul défaut était de n'avoir pas pu s'instruire. Et les mépriser et m'en aller ailleurs aurait été dans mon esprit une trahison (homme d'origine italienne, 53 ans).

Les difficultés de communication avec le milieu d'accueil, faute d'en connaître la langue, ont incité à mettre sur pied des mécanismes d'intervention auprès des femmes, des jeunes et de leurs parents :

> C'était en 1976. On était des jeunes, on sentait un besoin de se regrouper pour discuter de certaines questions importantes pour la communauté italienne. Le fait d'avoir changé de pays quand j'avais neuf ans, d'être exposée à certains problèmes de langue, parce que mes parents ne pouvaient pas communiquer... Il y a eu des moments difficiles dans l'intégration. Ces problèmes, que j'ai vécus, m'ont fait réfléchir et c'est ça qui m'a fait participer à certains groupes (femme d'origine italienne, 34 ans).

L'absence de structures d'accueil a motivé les leaders juifs séfarades ou libanais à mettre en place des associations communautaires ou religieuses :

> Quand je suis venu ici, dans les années soixante, il n'y avait rien à la paroisse. Alors j'ai dû former un conseil de l'église, j'ai dû former le conseil des dames et des jeunes surtout. Le comité des jeunes était fréquenté par de jeunes adolescents, et aussi des adultes d'âge moyen. Et c'était là pour tous les Proche-Orientaux (homme d'origine libanaise, 58 ans).

La prise de conscience des préjugés et des stéréotypes qui entourent la culture arabe au Québec et qui se répercutent sur la définition de l'identité ethnique a entraîné la fondation d'associations libanaises en vue de défendre l'image du monde arabe.

Il arrive d'ailleurs que la participation dépasse le cadre communautaire et s'inscrive dans un contexte multiethnique, dans des organisations québécoises, pancanadiennes ou dans des partis politiques :

> À un certain moment, je me suis rendu compte qu'il y avait de plus en plus de gens de différentes ethnies, surtout à la Commission des écoles protestantes. Puis, il y a eu la loi 101. La décision prise par la commission d'accepter des enfants francophones et d'agrandir le secteur français était politique. Évidem-

ment, j'ai été parmi les premiers à y travailler. On était en plein contexte multiethnique et multiculturel (homme d'origine haïtienne, 42 ans) ;

Quelqu'un m'a dit : je te vois bien à Centraide, c'est le temps que ça change un petit peu de mentalité. J'ai accepté d'y aller parce que j'ai le souci de bien représenter ma communauté, et ça allait donner une autre image des Haïtiens. Peut-être que ces gens-là n'ont jamais rencontré d'Haïtiens dans leur parcours. Ils vont en rencontrer, se faire une idée et voir que les Haïtiens sont vraiment des personnes capables de transiger au même niveau qu'eux (femme d'origine haïtienne, 49 ans) ;

Depuis sept ans, je suis très impliqué dans la politique fédérale. J'ai même failli être candidat du Parti québécois en 1981. Ils étaient venus me chercher à cause des gens que je connaissais surtout dans les communautés ethniques latino-américaines et haïtienne. Le PQ était aussi très intéressé à ce qu'il y ait un membre des minorités ethniques qui soit très connu et qui soit accepté partout. J'ai fait beaucoup de prosélytisme en faveur du Parti conservateur, mais aussi en faveur de l'intégration et de l'implication des Haïtiens dans la politique canadienne et québécoise (homme d'origine haïtienne, 52 ans).

À l'inverse, l'engagement communautaire suit parfois l'expérience dans des secteurs de la société québécoise, canadienne ou dans le pays d'origine :

J'étais reconnu comme un sympathisant nationaliste. D'ailleurs, je le suis encore. Mes intérêts n'étaient pas des intérêts tellement communautaires. C'est un peu par hasard au début des années quatre-vingt — ce n'est pas que j'aie redécouvert mes racines, car je me suis toujours considéré comme Italien — que j'ai commencé à m'impliquer dans un groupe s'occupant surtout de relations culturelles avec l'Italie (homme d'origine italienne, 41 ans) ;

J'ai commencé un peu par hasard, je dirais quand cet avocat que j'avais rencontré a découvert que j'étais un enfant d'immigration italienne en France, que j'avais immigré ici. Il m'a dit : mais pourquoi tu ne viens pas travailler avec nous (homme d'origine italienne, 43 ans) ;

Le fait d'être dans les études juives, ça vous met directement dans le feu de l'action. Vous avez affaire à tout le monde. Formellement, je ne fais partie d'aucune association. Mais dans les faits, je suis impliqué dans tous les dossiers de la communauté, je suis tenu au courant, consulté, j'interviens. Je connais tout le monde. Vous avez affaire à tous les organismes juifs communautaires en dehors de la communauté séfarade, puisque vous êtes au centre de l'éducation (homme séfarade, 55 ans).

Dans certains cas, l'adhésion à des mouvements associatifs suit les revendications féministes, les femmes étant souvent exclues de la scène politique communautaire :

Au moment où on a créé ce mouvement, dans les années soixante-dix, on était écartées de la vie sociale et politique de la communauté haïtienne. Chaque fois qu'on allait dans les organisations d'hommes haïtiens, si on osait prendre la parole, on se faisait regarder. On dénigrait littéralement la femme haïtienne. Et là, on s'est regroupées. Du côté des femmes, il peut se faire des choses. Et c'est pourquoi nous, les femmes haïtiennes, nous pouvons, nous devons nous rencontrer (femme d'origine haïtienne, 51 ans).

Les spécificités culturelles, l'image des femmes véhiculée par le groupe, de même qu'une certaine crainte de la part des organisations féministes de la majorité, hésitantes à appuyer les groupes de femmes immigrantes, ont entraîné la création d'organismes distincts :

Je crois que les associations de femmes noires, c'est important. Je continue à penser que nous n'avons pas été acceptées dans des associations de femmes blanches, de femmes italiennes, ou autres. Il y a aussi des spécificités culturelles. Il faut que nous ayons un lieu commun, comme l'organisation des femmes immigrantes et des minorités visibles, parce que nous vivons des problèmes tout à fait différents, et nous ne sommes pas originaires du pays (femme d'origine haïtienne, 38 ans).

La situation familiale, l'éducation, la violence conjugale, la discrimination sont autant de motifs d'engagement pour les femmes leaders d'origine haïtienne, italienne et juive. Pour quelques femmes leaders d'origine italienne, les groupes de femmes ont toujours constitué un milieu d'intervention prioritaire qu'elles ont aidé à se structurer en créant par exemple l'Association féminine italienne ou le Centre des femmes italiennes. D'autres ont participé à la fondation du Collectif des femmes immigrantes du Québec ou poursuivent leur action dans des regroupements de femmes immigrantes à l'échelle du Canada :

> En Haïti, les femmes sont les piliers de la famille et de l'économie. Mais elles vont vous dire qu'elles ne faisaient rien, parce qu'en Haïti on n'accordait pas assez de valeur à ce qu'elles faisaient. C'est pourquoi elles ont de la difficulté à transposer leur expérience, quand elles arrivent ici. On était des exécutantes, on n'avait pas de postes, on ne pouvait pas décider. Ces femmes arrivaient avec tout un bagage culturel. C'est vrai, elles sont très vulnérables, mais elles ne sont pas désorientées. À Montréal, il y en a beaucoup qui sont chef de famille. Elles sont aussi en butte à beaucoup de difficultés : harcèlement sexuel au travail, racisme, violence conjugale (femme d'origine haïtienne, 41 ans) ;

> Il faudra répondre aux besoins des femmes, comme les femmes battues, les femmes violées. On parle de la contraception, de la planification familiale, des enfants, de l'avortement, du sida, de la vie sexuelle, de l'égalité en emploi, de l'égalité de la femme. On n'a jamais eu de féminisme. Ça commence avec des femmes comme moi. Mais on n'a pas nécessairement l'appui de nos propres communautés là-dessus (femme d'origine italienne, 38 ans) ;

> Une fois que j'ai eu fini mes études, il y a eu un vide. Alors j'ai commencé à travailler pour la Fédération des femmes du Québec. Là aussi, j'étais bénévole. C'étaient les droits des femmes sur lesquels je voulais travailler, que ce soit politique, économique, ou social (femme séfarade, 43 ans).

Les motivations sous-jacentes à la participation aux associations ethniques, pluriethniques ou nationales dépendent donc, malgré la variété des itinéraires personnels, de plusieurs facteurs qui dérivent des conditions sociopolitiques propres au pays d'origine, des traditions familiales ou des expériences vécues dans le milieu d'intégration, en particulier les problèmes de racisme, de sexisme et de discrimination.

Associations monoethniques

Les associations monoethniques remplissent, d'un point de vue émique, quatre fonctions qui s'expriment dans des activités très variables (de nature politique, culturelle, éducative, sociale, etc.) : faciliter l'intégration des membres du groupe à la société d'accueil, définir et transmettre l'identité ethnoculturelle ou religieuse, représenter les intérêts politiques du groupe et maintenir la solidarité avec la société d'origine, globale ou régionale.

L'intégration à la société d'accueil constitue un thème important des témoignages recueillis. De ce point de vue, les associations auraient comme objectif principal l'adaptation de certaines catégories nouvelles de population — nouveaux arrivants, réfugiés — ou de certaines populations — jeunes, femmes, personnes âgées, travailleurs — qui ont des besoins particuliers en termes de services ou de droits sociaux, politiques ou humanitaires.

C'est dans cet esprit que travaillent les associations haïtiennes, qui mettent l'accent sur l'aide aux personnes présentant des difficultés d'intégration auxquelles correspondent des programmes particuliers : alphabétisation, formation professionnelle, orientation professionnelle et aide en matière d'immigration, prévention en santé, intervention auprès des familles, action auprès des jeunes en milieu scolaire, auprès des adolescents, des jeunes adultes et des personnes âgées, aide aux nouveaux arrivants, etc. La lutte contre toutes les formes de discrimination, notamment dans le logement, l'emploi et les institutions publiques, est un autre volet important de ces associations du point de vue de l'intégration. Elles jouent aussi un rôle de médiation qui permet de sensibiliser les nouveaux arrivants aux modes de fonctionnement de la société d'acueil :

> Les associations ethniques ont un rôle très important à jouer au niveau de l'intégration. Quand je parle d'intégration, ça signifie faire le relais entre ce que les immigrants, les réfugiés, ont connu dans leur pays et ce qu'est la société. Elles ont un rôle de décodage à faire : ce que sont les lois, ce que sont les coutumes, ce que sont les valeurs de la société, comment consommer ici, comment aller au magasin. Il y a toute la question d'adaptation fonctionnelle à voir (femme, 40 ans) ;

> Le rôle des associations ethniques, c'est d'essayer autant que possible de faire le pont avec la société d'accueil et de désenclaver leur propre communauté (homme, 42 ans).

Pour quelques leaders, ces associations ne devraient avoir qu'une existence temporaire et s'effacer une fois les objectifs principaux atteints :

> Il faudrait que ces associations existent jusqu'au moment où, avec la deuxième génération, ce ne soit plus nécessaire. Il faut garder ça à court ou à moyen terme, parce qu'à long terme, si on vit dans une société, il faudrait utiliser les services de cette société, de façon que ce soit plus rentable, même pour les gens qui font du bénévolat. À un moment donné, il ne s'agit pas de faire du bénévolat juste pour faire du bénévolat, il s'agit d'être aussi efficace au niveau social (homme, 48 ans).

L'intégration des nouveaux arrivants n'est plus un problème majeur dans le groupe italien, les flux migratoires en provenance d'Italie ayant pratiquement cessé. Les principales inquiétudes portent plutôt sur les droits des travailleurs en matière de sécurité sociale et d'égalité en emploi, questions auxquelles s'intéressent notamment l'Association italienne des travailleurs immigrés et de leur famille (FILEF) et les organisations syndicales italiennes. Plusieurs associations, comme celles qui ont une origine régionale, n'ont plus qu'une valeur symbolique, mais d'autres comme l'Association des gens d'affaires et professionnels italo-canadiens (CIBPA), le Patronage italocanadien pour l'assistance aux immigrants (PICAI) et la Fondation communautaire canadienne italienne jouent un rôle plus fondamental :

> Les associations sont venues au monde parce qu'il y avait beaucoup de problèmes de discrimination. Mais elles ont maintenant seulement une valeur folklorique, sauf quelques-unes. On reprend les usages, les fonctions du village et certaines choses comme ça (homme, 60 ans).

La nouvelle immigration de falachas d'Éthiopie, de Juifs de Russie, d'Israël, etc., donne une nouvelle importance à l'accueil et à l'intégration des Juifs, d'abord dans leur propre communauté puis dans la société globale. L'intégration au sein de la communauté juive permet d'assurer un enracinement dans un noyau social significatif, facilitant l'adaptation ultérieure :

> Il faut savoir d'où on vient. C'est quand on a une connaissance relativement claire de son identité qu'on peut partager avec d'autres. Il faut connaître son histoire, sa culture, et ensuite, avec une certaine sécurité, sortir et rencontrer les autres. Les associations sont très importantes, parce que c'est ton premier foyer, tu arrives quelque part, tu en as besoin. C'est primordial en ce qui concerne même ta capacité d'être intégré à la société plus large, parce qu'il faut que tu sois sécurisé pour faire le pas suivant. Ça peut te retenir d'un côté, mais ça peut aussi t'aider à t'intégrer tout en gardant une certaine identité culturelle et à t'épanouir du point de vue culturel (femme ashkénaze, 41 ans).

La fonction d'intégration des associations libanaises semble problématique aux leaders dans la mesure où la structuration communautaire est faible. Plusieurs raisons expliquent cette situation. Au début, en raison de l'homogénéité confessionnelle (grecque orthodoxe) de la petite communauté libanaise de Montréal, l'église et son club social ont servi de lieux de regroupement, remplissant adéquatement cette fonction. À partir des années soixante-dix, l'immigration rapide et diversifiée tant sur le plan social et professionnel que religieux n'a pas donné lieu à la mise en place d'institutions suffisamment fortes et viables :

> La communauté n'a pas eu le temps de vraiment se structurer. Tout le monde est venu souffrant de quelque chose. On essaie maintenant de trouver du travail pour ceux qui ne travaillent pas, on essaie d'aider les gens là-bas qui n'ont pas suffisamment ce dont ils ont besoin. C'est pourquoi on ne s'est pas encore adonnés à la politique. Et, quoiqu'il faille des leaders qui parlent au nom de chaque communauté, vous n'en trouvez pas dans la communauté libanaise. Vous ne pouvez pas dire : celui-là serait le leader, c'est celui-là qu'on voudrait suivre (femme, 58 ans).

Les tensions intracommunautaires liées aux clivages religieux et politiques contribuent d'ailleurs à des divisions qui empêchent l'action concertée :

> Plusieurs raisons expliquent la faiblesse des institutions de la communauté libanaise. D'abord la communauté est petite. Nous ne pouvions par concurrencer la communauté italienne. Mais c'est aussi lié aux caractéristiques de la culture libanaise. Le peuple libanais est profondément divisé religieusement. Ce sont des chrétiens et des musulmans. Ils n'ont pas un fond religieux commun. Au Moyen-Orient la religion est très importante. Nous sommes tous arabes mais le facteur religieux est essentiel. C'est pour cela que nous devons être conscients des référents historiques. Il existe une rivalité, une tension entre chrétiens et musulmans depuis mille ans. Au Liban, même les communautés chrétiennes et musulmanes sont éclatées en différentes sectes (homme, 37 ans) ;

> Il y a des gens qui arrivent ici avec leur mentalité : moi je suis maronite, je m'intègre à... donc, j'amène tous les problèmes des

maronites ici. Je suis phalangiste, j'amène le parti avec moi. Je suis hezbollah, j'amène le parti avec moi. Je suis un communiste, j'amène le PC avec moi. Il n'y a pas de porte-parole dans la communauté libanaise, et même dans la communauté arabe. On est profondément divisé, ce qui n'aide pas la communauté et ce qui n'aide pas l'intégration non plus (homme, 44 ans).

Les facilités d'intégration, surtout au plan linguistique, renforcées par un ethos individualiste, joueraient, selon certains leaders, contre la structuration communautaire :

Spontanément, je dirais qu'ils se sentent bien, ils n'ont pas à se défendre, ils n'ont pas beaucoup de problèmes. Ils font leur propre chemin, et peut-être que ça marche pour eux, plus que pour d'autres. Alors ils ne sentent pas ce besoin de militer, de faire un groupe de pression ou du lobbying. Ou alors, c'est par besoin de se démarquer, parce que, même dans les services de santé, je vois des médecins libanais qui s'intègrent facilement dans le système. Ils n'ont pas ce problème (femme, 33 ans).

Les associations religieuses auraient par contre un rôle communautaire essentiel, ce qui s'expliquerait par les conditions historiques propres au Liban où, à cause de la multi-confessionnalité, le pouvoir des églises ou des mosquées dépasse le simple cadre des fonctions religieuses :

L'empire ottoman, qui a duré cinq siècles, était immense, et pour gérer les divers groupements humains, les Ottomans ont eu recours aux chefs religieux. Les chefs religieux avaient la gérance, non seulement religieuse, mais aussi sociale et juridique. Ils étaient les tenants du statut personnel, du droit civil en somme, et à cause de cela, ils jouaient un rôle politique. À cause de cela, ils étaient des pôles de référence, à trop de titres. Il y en a trop qui en réfèrent encore aux prêtres, à l'évêque. Et puis chez les musulmans, c'est la même chose, c'est encore plus fort (femme, 61 ans).

Cette importance du leadership religieux se serait maintenue après l'effondrement de l'empire sous le mandat français et après l'indépendance du Liban. La constitution libanaise institutionnalise cet état de fait qui accentue la centralité des organismes religieux : « La loi libanaise est aussi confessionnelle », dit un leader. Cette centralité s'est prolongée dans le contexte québécois, chez les chrétiens comme chez les musulmans. Le réseau d'entraide passe donc essentiellement par les organismes religieux, à travers les nombreux comités qu'ils chapeautent : aide aux personnes malades, aux personnes âgées, aux immigrants et aux réfugiés libanais :

> Quand il y a des Grecs orthodoxes qui arrivent du Liban, et qui n'ont pas le sou, qui n'ont nulle part où dormir, où aller, où manger, l'Église grecque orthodoxe va les recevoir, parce que l'église n'est pas seulement un endroit où on va prier, c'est surtout pour aider les gens dans le besoin. Chaque église recevra sa propre communauté et lancera tranquillement les gens dans le marché du travail ou bien les aidera à se placer, leur trouvera une maison. Et toutes ces petites associations qui travaillent, indépendantes, ont toujours recours à ces leaders religieux pour entrer en contact avec ces immigrants qui rentrent ici, pour connaître leurs besoins, comment aider d'une façon ou d'une autre. Donc, il y a un lien, ça travaille ensemble (femme, 41 ans).

La mosquée et son imam jouent un rôle similaire dans l'accueil des immigrants et la résolution des problèmes, même conjugaux (la reconnaissance d'un tribunal religieux musulman est d'ailleurs à l'ordre du jour dans les milieux concernés) :

> On essaie de régler les problèmes, mais si ça ne se règle pas, on accorde le divorce. Ordinairement, quand il y a des enfants, le rôle de l'homme religieux est d'essayer de préserver l'unité familiale pour le bien des enfants. C'est moi qui essaie de régler ces problèmes. L'islam impose que le divorce soit prononcé par la religion musulmane, parce que si les gens sont mariés selon des lois musulmanes, le divorce ne peut pas avoir lieu autrement que selon ces mêmes lois (homme, 53 ans).

Quant aux associations et organismes mis en place au début du siècle par la première vague d'immigration en provenance du Liban et de la Syrie, ils ont des activités surtout tournées vers le monde des affaires et visent à l'intégration des nouveaux immigrants économiquement nantis :

> Nos adhérents sont aujourd'hui deux cent vingt. Nous avons récemment formé un groupe d'hommes d'affaires pour rapprocher les professionnels et les hommes d'affaires des vagues plus anciennes de la génération des nouveaux immigrants. Ce sont des professionnels qui travaillaient dans la région du Golfe ou au Moyen-Orient et qui ont immigré au Canada avec leur compte de banque. Ils s'intègrent à la société canadienne et à son mode de vie et, je l'espère, deviendront des investisseurs dans l'économie canadienne (homme, 51 ans).

Pour ce qui est de la fonction de définition et de transmission de l'identité ethnoculturelle, les leaders d'origine haïtienne attestent de son importance. L'un d'eux, par exemple, préconise une intégration progressive afin de permettre une « certaine maîtrise » de soi :

> Plus les gens s'intègrent par étape, moins c'est agressant pour eux et plus ils ont de force pour pouvoir conserver une certaine identité culturelle, une certaine maîtrise de ce qu'ils sont. Parfois, c'est en étant dans un autre pays qu'on se redécouvre. Ensuite on peut participer pleinement à la société d'accueil (homme, 42 ans).

Les associations fondées sur les relations avec des personnes originaires d'une même région d'Haïti sont aussi très importantes. La préservation des valeurs culturelles du pays d'origine n'exclut cependant pas l'évolution de certaines d'entre elles en fonction de l'expérience migratoire.

À des degrés divers, la définition et la transmission de l'identité ethnoculturelle est un objectif de la majorité des associations italiennes. Certains organismes s'y consacrent tout particulièrement, comme les cercles culturels, le PICAI ou les associations régionales. Les cours d'italien du samedi organisés par le PICAI sont financés à la fois par le ministère italien de l'Éducation et les gouvernements fédéral et provincial. Ce dernier offre aussi des cours d'italien aux enfants dans les écoles dans le cadre du Programme d'enseignement des langues d'origine (PELO). Les associations régionales, qui regroupent des familles originaires d'un village ou d'une région particulière d'Italie, poursuivent des fins culturelles et récréatives, et cherchent à transmettre la culture régionale ou villageoise, ce qui peut être renforcé par la concentration résidentielle.

> Il y a peut-être une centaine d'associations qui portent le nom de cent villages de la Calabre, de la Molise, etc. Pourquoi ? Premièrement, à cause de la politique de l'immigration parrainée. Des villages se sont vidés et l'immigrant a eu besoin de retrouver sa communauté d'origine pour vivre le moins possible la solitude, pendant une période de temps qui peut varier d'un individu à l'autre. Mais il y a un autre fait historique qui explique ça. Avant son unification, l'Italie n'était pas un État unitaire, c'était très morcelé, les villages étaient très isolés les uns des autres, autonomes. Il s'est développé une cohésion vraiment extraordinaire dans ces communautés. Ensuite, il y a des fédérations selon les régions (homme, 45 ans).

D'ailleurs ces associations sont considérées par certains leaders comme des groupes folkloriques qui ne se maintiennent que pour des motifs de prestige politique :

> Une bonne partie des associations ne jouent aucun rôle. Sauf celui d'organiser quelques festins, durant l'année, la fête du saint patron, de permettre des jeux de pouvoir, de petites luttes de prestige pour celui qui devient président et qui dira : moi, je suis président de l'association de la Sicile, ou de la Calabre, ou de la Sardaigne. Mais je n'ai pas l'impression qu'elles jouent un rôle culturel vraiment dans la société globale du Québec (homme, 57 ans).

41

La transmission de l'identité juive, de sa culture, de ses droits, s'appuie également sur un ensemble d'associations communautaires, ce qui s'inscrit dans une longue tradition où l'engagement social est une des composantes essentielles du maintien de la solidarité interne[13] ;

> C'est une vieille tradition. Pour les Juifs de la diaspora, il fallait qu'il y ait un support interne, autrement ils n'auraient pas pu survivre. Et il y avait des associations pour les enterrements, les malades, les vieux, les orphelins, il y avait toujours des associations d'entraide. Les Juifs ne pouvaient pas faire partie des guildes professionnelles, alors il fallait bien qu'ils s'organisent. Le sens de la communauté, de l'organisation des associations, ça fait partie intégrante de la communauté juive. On rigole parmi nous, Juifs : il y a cinq Juifs, il y a dix associations, il y a deux Juifs, il y a trois présidents (femme ashkénaze, 64 ans).

Cette fonction a été renforcée par la segmentation confessionnelle du système d'éducation, de la santé et des affaires sociales. Le statut des Juifs au sein de la société québécoise — minorité ethnique associée par la langue à la minorité anglophone — les ont amenés à créer leurs propres institutions dans tous les domaines, depuis les organismes sociaux jusqu'aux hôpitaux et aux écoles, renforçant ainsi leur cohésion. On note également le renouveau religieux que connaît le groupe juif, dans le segment séfarade en particulier, où le courant hassidique joue un rôle important de prosélytisme. Plusieurs leaders

---

13. D. J. Elazar, H. M. Waller, *op. cit.* ; A. Rodal, « L'identité juive », dans P. Anctil, G. Caldwell (dir.), *Juifs et réalités juives au Québec*, Montréal, Institut québécois de recherche sur la culture, 1983 ; R. Breton, *The Governance of Ethnic Communities*, New York, Greenwood Press, 1991 ; M. Elbaz, « D'immigrants à ethniques : analyse comparée des pratiques sociales et identitaires des Sépharades et Ashkénazes à Montréal », dans J. C. Lasry, C. Tapia, *Les Juifs du Maghreb. Diasporas contemporaines*, Montréal et Paris, Presses de l'université de Montréal et L'Harmattan, 1989 ; M. Berdugo, Y. Cohen, J. Lévy, *Juifs marocains à Montréal*, Montréal, VLB, 1987.

témoignent de l'orthodoxie dominante, les courants réformistes ou conservateurs étant nettement mois présents qu'aux États-Unis, par exemple, compte tenu du caractère plus récent de l'implantation juive au Québec.

Pour les leaders d'origine libanaise, ce sont surtout les institutions religieuses qui ont pour fonction de définir l'identité. Le pouvoir de l'Église orthodoxe serait prégnant au sein de la communauté libanaise. Il en irait de même chez les musulmans :

> Notre rôle c'est de les aider à sauvegarder leur patrimoine culturel, à côté de ce qu'ils vont acquérir comme nouvelle culture canadienne. Qu'ils n'oublient pas leur culture, leur itinéraire, leur histoire, mais aussi que les gens eux-mêmes aient un certain équilibre. Deux yeux et non pas un seul œil : un œil pour leur patrie d'origine et un œil pour leur nouvelle patrie (homme, 53 ans).

La tradition religieuse intervient aussi dans le maintien de valeurs et de codes de comportement. Le hidjab, par exemple, est considéré en ce sens soit comme une obligation imposée par le mari ou par la famille, soit comme un choix personnel destiné à marquer sa différence et gagner le respect de sa communauté, soit encore comme un moyen d'avoir l'assentiment de sa famille pour pouvoir étudier, sortir ou travailler.

La troisième fonction des associations concerne la représentation politique et la défense de ses membres. Ici, la mobilisation repose sur l'ethnicité, considérée comme un élément stratégique des revendications sur le plan national et international. Elle suppose par ailleurs des stratégies de concertation entre les leaders de même origine dispersés dans divers pays[14]. Les grandes organisations comme le Congrès national des Italo-Canadiens ou le Congrès juif canadien ont pour vocation la représentation de la communauté, la défense des droits de ses

---

14. voir L. Bash *et al., op. cit.*

membres, la lutte contre la discrimination, le maintien des services ou leur amélioration, l'accès à l'égalité dans l'emploi. Les questions constitutionnelles, de politique intérieure ou de relations internationales sont aussi des éléments importants de leur programme. Les congrès sont en somme des interlocuteurs des gouvernements et des groupes de pression, mais toutes les communautés ne possèdent pas de structures de représentation aussi bien organisées.

La défense des intérêts propres à leur groupe apparaît essentielle aux leaders d'origine haïtienne qui sont soumis à des tensions socioculturelles très fortes, liées aux problèmes de discrimination, de racisation et d'intégration des jeunes, ce qui demande une intervention concertée, notamment avec des leaders d'origine caraïbéenne ou afro-québécoise :

> Si on n'essaye pas de faire avancer les choses, ce n'est pas évident que ça va se faire tout seul ! Certaines communautés sont souvent très ciblées, soit dans le discours officiel, soit dans l'opinion publique : question de gangs, etc. Ça prend du monde pour les défendre (homme, 44 ans).

Les lacunes dans l'organisation communautaire et le manque de coordination entre associations nuisent cependant à l'efficacité de l'action :

> Ce sont des associations qui ne voient pas plus loin que leurs petits objectifs immédiats. Je donne un exemple : au niveau de l'alphabétisation, on a un émiettement, dix, quinze groupes qui font de l'alphabétisation. Dès qu'on a une fédération, on représente une force. Mais il manque de leaders. La majorité haïtienne ne fait pas confiance facilement. Elle a tellement été trompée dans le passé (homme, 56 ans).

Un projet de fédération des associations haïtiennes au Québec, lancé et rejeté au début des années quatre-vingt, s'est concrétisé en décembre 1991 par la création d'une organisation « parapluie » représentant toutes les associations haïtiennes du

Canada, le Conseil national des citoyens et citoyennes d'origine haïtienne du Canada (KONACOH). Les dirigeants reconnaissent en effet aujourd'hui que les rapports avec le pays d'origine ont changé. Le retour massif en Haïti étant de moins en moins probable, l'enracinement en sol québécois et la coordination de l'action de manière plus globale doivent être pris au sérieux. Avec l'élection du président Aristide, la concertation entre les organismes est apparue encore plus nécessaire.

La représentation politique du groupe italien est assurée, selon ses leaders, par le Congrès des Italo-Canadiens de la région du Québec qui est l'interlocuteur reconnu par les gouvernements et qui agit comme organe de pression :

> Peut-être que plusieurs ne seront pas d'accord, mais la réalité c'est que quand les paliers gouvernementaux veulent entreprendre quelque chose ou obtenir une rétroaction ou promouvoir quoi que ce soit au niveau de la communauté italienne, le groupe de lobbying officiellement reconnu c'est le Congrès. Quand la ville de Montréal décide d'organiser une journée spécifiquement pour la communauté italienne, il est évident que le Congrès est directement impliqué (homme, 41 ans).

D'autres lui contestent ce rôle dominant, partagé en particulier par la FILEF, qui représente les travailleurs. Sur certaines questions importantes pour l'ensemble des citoyens d'origine italienne, celle sur l'avenir politique du Québec, par exemple, ces deux organismes ont présenté un mémoire conjoint. Quant à l'Association des gens d'affaires et professionnels italo-canadiens (CIBPA), elle prend souvent position aux côtés du Congrès, mais elle intervient aussi en son propre nom. En fait, d'après plusieurs, tous ces organismes représentent des courants importants au sein du groupe italien, mais aucun n'aurait de base suffisamment large pour refléter toutes les tendances et défendre les intérêts, contradictoires, de tous les groupes socio-économiques. En dépit des divergences qui semblent exister entre les leaders provenant de ces organismes, aucun ne remet toutefois en question la nécessité d'un certain mécanisme de coordination entre les associations afin de conférer plus de force à leur action.

Les leaders juifs insistent également sur la défense des droits de leur groupe. Ils mettent l'accent sur le rôle du Congrès juif en ce qui concerne la représentation de la communauté et la défense de ses droits, mais c'est la fonction de groupe de pression des associations de la communauté juive qu'on souligne surtout, ce qui nécessite une très forte cohésion dans la communauté. Exercer des pressions politiques sans consensus est impossible, notent des leaders[15].

Le Conseil des leaders religieux chrétiens et musulmans de Montréal a vu le jour, lui, en 1990 pour intervenir sur la question de l'immigration et des réfugiés en provenance du Moyen-Orient et représenter les intérêts des citoyens d'origine libanaise :

> Nous avons mis sur pied ce comité composé de représentants de toutes les Églises et les institutions religieuses libanaises pour discuter de la question de l'immigration. Son objectif est la coopération. Résoudre les questions liées à l'immigration, tenter de faire changer les politiques du gouvernement canadien afin d'augmenter le nombre d'immigrants, réunir les familles séparées, en finir avec le retard dans le traitement des dossiers des réfugiés, au nombre de quarante mille, qui sont déjà au Canada ou qui attendent à Chypre ou en Syrie, leur fournit une assistance sociale, tels sont les objectifs de ce comité (homme, 37 ans).

Il y a cependant beaucoup de réticences à l'égard de ce conseil à l'efficacité et à la représentativité douteuses. Il se révélerait notamment incapable de régler les problèmes internes à cause des préjugés persistants entre segments religieux, alimentés par les leaders religieux :

---

15. D. J. Elazar, H. M. Waller, *op. cit.*

Mais ce conseil est nouveau. Il ne fait rien, qu'est-ce qu'il peut faire ? Parmi ceux qui sont maintenant intégrés, chacun a son parti politique et sa pensée politique. Et, étant donné le conflit actuel au Liban, on ne peut pas se regrouper. Peut-être font-ils quelque chose pour le gouvernement, comme écrire des papiers et émettre des idées, mais pour la communauté libanaise, soyez sûr qu'ils ne font rien (homme, 41 ans).

Reliée à la précédente, la quatrième fonction des associations monoethniques renvoie à la solidarité ou aux liens avec le pays d'origine — fonds d'aide en cas de catastrophe naturelle, développement économique des villages, commerce, tourisme, liaison syndicale, éducation, etc.

Les associations des Québécois d'origine haïtienne ont presque toutes un volet consacré à Haïti et les associations régionales, regroupées pour la plupart au sein de la Confédération des associations régionales haïtiennes du Québec (vingt-sept au total), ont essentiellement servi (avant le coup d'État de 1991) à canaliser l'aide vers des projets de développement économique et social à portée régionale. Les opinions ne sont pas unanimes quant à l'utilité de ces associations. Certains pensent qu'il faut travailler à résoudre le problème haïtien dans son ensemble plutôt que de se préoccuper seulement de sa région d'origine. Une partie de l'aide matérielle et financière destinée à des projets provient notamment du fonds délégué AQOCI-Haïti, c'est-à-dire de subventions reçues de l'ACDI spécialement pour des projets soutenus par les Canadiens ou Québécois d'origine haïtienne. D'autres associations recueillent des fonds auprès des membres de la communauté haïtienne à des fins de solidarité avec Haïti : les Amis du père Aristide à Montréal, Voyé Aïti Monté (VOYAM) et le Comité initiative urgence solidarité (CIUS).

Les leaders d'origine italienne mettent en évidence l'importance des liens régionaux et des fédérations régionales dans le domaine commercial, ces organismes devenant de véritables « ambassadeurs » pour l'importation des produits italiens.

La FILEF, par exemple, entretient des liens avec la mère patrie et avec la diaspora italienne dans le monde pour prêter assistance aux travailleurs italiens au Québec. Les trois centrales syndicales italiennes sont présentes entre autres par le biais d'organisations comme la Inca-CISL dont l'objectif est l'assistance à tous les niveaux (juridico-social, caisse de retraite, accidents du travail, etc.) aux immigrants de la diaspora. Des accords bilatéraux ont été signés entre les gouvernements italien et canadien en matière de sécurité sociale, grâce aux pressions d'organisations comme la FILEF, l'ACLI et d'organisations comme l'Inca-CISL et d'autres du même type. Les associations régionales ont un programme d'activités plus élaboré que d'autres, mais elles peuvent aussi camoufler des intérêts plus commerciaux :

> Par exemple, si j'ai une salle de banquet, je fonde une association qui porte le nom de mon village et c'est un instrument de démagogie pour attirer des gens. Ensuite, j'organise deux ou trois banquets par année et bien entendu c'est moi qui fais la bouffe et c'est moi qui fais le profit. L'association de mon village a surgi de cette façon-là, a été fondée pour cette raison-là (homme, 45 ans).

L'avenir de ces associations régionales apparaît peu prometteur si l'on en croit certains. Les jeunes auraient plutôt tendance à s'en éloigner parce qu'ils n'en comprennent pas très bien la raison d'être d'autant plus qu'elles ne correspondent pas à leur conception des loisirs.

Du côté du pays d'origine, il existe aussi des programmes visant à maintenir les liens avec la diaspora. Chaque région d'Italie élabore et administre en effet ses propres programmes de développement et de promotion culturelle et fournit une assistance financière aux fédérations d'associations d'une région particulière, ainsi que des voyages aux enfants de ces immigrés.

Les gouvernements régionaux italiens semblent de cette manière chercher à stimuler le commerce avec le Canada, estime une interviewée, qui note, non sans amertume, que les immigrés deviennent en quelque sorte des représentants des produits italiens en jouant sur leurs sentiments d'affection pour le pays et la région d'origine.

Dans le groupe juif, il existe de nombreuses associations ou organismes d'aide à Israël, qu'elle soit financière, à travers l'Appel juif unifié, l'organisme de collecte de fonds de la communauté juive de Montréal, ou politique, à travers les groupes de pression et d'information tant au plan provincial que national. Cette solidarité s'exprime aussi par le biais d'associations plus petites qui assurent les liens avec des institutions éducatives, sociales ou culturelles israéliennes. De plus, de nombreuses actions sont entreprises en faveur des communautés juives en situation politique critique, comme c'est le cas dans l'ex-Union soviétique, l'Éthiopie ou la Syrie. Le Congrès juif canadien, par son affiliation au Congrès juif mondial, participe à la définition et à l'opérationnalisation des politiques globales face à l'antisémitisme, par exemple. Quelques associations maintiennent la communication avec les pays d'origine des immigrants, à travers des échanges touristiques, culturels et religieux. La solidarité se traduit par le fait qu'une part importante des fonds recueillis par l'Appel juif unifié est acheminée vers Israël.

Les associations libanaises interviennent surtout sur le plan de la solidarité avec le Liban. Cela prend différentes formes : soutien financier individuel et communautaire, assistance humanitaire, diffusion au Canada de l'information sur la guerre au Liban (le Carrefour des cèdres, etc.). Il existe en outre des projets de développement, financés à l'aide de fonds obtenus surtout de l'ACDI, et de coopération en matière d'éducation et de santé entre le Québec et le Liban.

Ces actions prennent place dans chacune des associations, étant donné l'échec à ce jour des tentatives de coordination des efforts d'aide au Liban en raison des divisions confessionnelles et politiques. Il est vrai que le Conseil des leaders libanais avait pour vocation de « coordonner les efforts des leaders religieux pour assister le peuple libanais » autour du problème crucial de l'immigration et des réfugiés, qu'il s'agisse des demandeurs d'asile libanais au Canada, ou des Libanais qui cherchent à quitter Chypre ou la Syrie, et d'influencer la politique canadienne d'immigration. Mais si la solidarité est relativement importante sur le plan humanitaire, de nombreux leaders évoquent la faiblesse de l'organisation et de la concertation politiques dans leur communauté et l'incapacité à se constituer en groupe de pression au Canada.

Les tentatives de mettre sur pied un organisme regroupant l'ensemble des leaders d'origine libanaise, religieux et laïques, et une caisse pour recueillir les cotisations et les redistribuer aux associations ont échoué à cause des dissensions entre les leaders. Tout en soulignant la segmentation confessionnelle, identitaire (libanais ou arabes) et politique de leur groupe, les leaders dénoncent les préjugés politiques du gouvernement canadien, favorable à Israël, ce qui se répercute dans ses rapports avec les groupes arabes et leurs positions sur la situation au Moyen-Orient[16].

Le groupe libanais, multiconfessionnel et divisé, éprouve beaucoup de difficultés à définir une position cohérente auprès des autorités canadiennes ou québécoises vis-à-vis du Liban, et a du mal à contrer les préjugés antiarabes et l'information erronée qui circulent sur le Liban :

> Les problèmes qui se posent, qui se sont posés au Liban ont dépassé les capacités de gestion des problèmes de la communauté libanaise qui se trouve ici, qui se trouve partout dans le monde.

---

16. B. Aboud, *op. cit.*

Pour gérer des tensions, des problèmes de cette envergure, il faut vraiment être bien équipé. Malgré les divergences qu'il peut y avoir à l'intérieur de certaines communautés, elles ne sont pas du même ordre que celles qui existent à l'intérieur de la société libanaise. La société libanaise est pluraliste et multiconfessionnelle, elle est à la fois très riche et très intéressante à cause de ça, mais en même temps elle porte les germes de sa faiblesse. La solidarité s'est exprimée par des actions politiques désordonnées, des interventions très contradictoires auprès des autorités (homme, 54 ans).

Si on cite souvent le modèle du lobby de la communauté juive, ce type de groupe de pression est aussi parfois fortement contesté :

Il faut que ce soit organisé, mais pas pour créer un lobby sur le modèle juif. Nous avons besoin d'un organisme seulement pour dire aux gens d'ici : écoutez, ce ne sont pas les musulmans et les chrétiens qui se tuent au Liban, et pour montrer aux Québécois que ce n'est pas comme ça. À la télé, c'est ce qu'on dit, mais regardez-nous, chrétiens et musulmans ici, on est ensemble, on travaille, on boit ensemble. Avoir un organisme comme celui-là, j'en suis convaincu, ce n'est pas pour faire du lobbying et s'intégrer politiquement davantage. Je suis contre l'idée de diriger des Libanais pour entrer dans un parti politique et tenter de l'influencer, comme les Juifs l'ont fait. Je suis contre ça. Et puis on n'est pas capable de le faire (homme, 30 ans).

Associations pluriethniques et à identité racisée

Une quinzaine de dirigeants des quatre groupes soulignent l'importance des associations pluriethniques dans lesquelles ils militent. Des leaders d'origine haïtienne y voient la possibilité de soutenir les groupes ethnoculturels numériquement faibles :

Une association multiethnique peut servir tout le monde, parce qu'il y a des groupes ici qui ne pourront jamais avoir d'association. Ils n'ont pas la capacité, l'organisation, le temps, les moyens, ils n'ont pas les personnes voulues pour le faire. Il y a des communautés de mille, deux mille personnes qui ne peuvent pas avoir d'association (homme, 44 ans).

Elles permettraient aussi d'éviter la ghettoïsation qui guette les associations dont l'action se limite à leur seul groupe d'appartenance :

> Les organismes monoethniques et les organismes multiethniques ont leur rôle à jouer. Au début, l'immigrant se sent mieux dans les organismes monoethniques. Ça lui donne un peu de temps pour se refaire des forces, comprendre un peu mieux la nouvelle société. Mais je reproche parfois à certains organismes monoethniques leur tendance à pérenniser cet état de choses. Pour moi, ce n'est qu'une étape, ça ne peut pas être une fin. Bien vite il faudrait au moins qu'il y ait un certain rapprochement avec d'autres groupes ethniques. On a beaucoup plus de caution morale quand on ne fait pas partie de telle ou telle association précise. Ça me donne beaucoup plus de latitude pour pouvoir discuter avec tout le monde (homme, 42 ans).

Un leader qui travaille surtout en milieu multiethnique et qui ne reconnaît aux associations monoethniques qu'une fonction de dépannage de base pour les nouveaux immigrants ne voit rien de positif dans les associations ethniques. Il en explique le « foisonnement » par le besoin de sortir de l'isolement, de l'anonymat des grandes villes et d'être écouté :

> Dans une société comme le Québec, on va avoir beaucoup d'associations de ce genre et leur fonction c'est de regrouper les gens frustrés dans les différents quartiers. C'est pour ça qu'il y a un foisonnement, parce qu'on se sent isolé et puis on recrée les petits quartiers, comme disait Toffler, les petites Églises. Il y en a même qui créent des Églises protestantes qui leur permettent de se retrouver dans la grande ville et de pouvoir exprimer leurs frustrations et se consoler ensemble. Mais je ne pense pas qu'elles rendent beaucoup de services que la société ne puisse pas rendre, sinon ce premier besoin de se faire écouter. D'ailleurs, c'est pour

ça qu'il y a beaucoup de petites Églises qui naissent dans la communauté haïtienne (homme, 48 ans).

On y voit la possibilité de former des coalitions politiques sur des problèmes communs à l'ensemble des groupes ethnoculturels :

> C'est très intéressant que ce soit multiethnique, parce qu'on voit très clairement les problèmes et ça peut conduire les gens à se parler plus, à interagir, à avoir plus de force au plan du lobbying et des revendications. C'est ridicule si on se tient dans des ghettos. La division ne fait pas la force (femme d'origine italienne, 34 ans) ;

> À part certaines particularités linguistiques ou culturelles, les problèmes sont les mêmes. Pour qu'une association puisse avoir une valeur et se justifier, elle devrait faciliter l'intégration en même temps qu'elle aide la personne à conserver son identité (femme d'origine italienne, 50 ans).

Elles peuvent encore jouer un rôle de rapprochement interculturel entre les diverses composantes du Québec, y compris le groupe francophone majoritaire, et permettre de développer ainsi une solidarité plus forte dans la lutte contre le racisme :

> Les communautés doivent s'entraider. Comme résultat, elles seront plus fortes. Vous ne pouvez pas vivre en isolement, parce que ce qui affecte les uns finira par toucher les autres. Ceux qui s'en prennent aux Juifs, s'en prendront aussi aux Noirs, aux catholiques, aux Pakistanais, etc. (femme ashkénaze, 50 ans).

Elles constituent enfin un outil de concertation pour l'intervention sociale et culturelle (par exemple, la table de concertation des organismes de Montréal au service des réfugiés ou le centre Monchanin — devenu l'Institut interculturel de Montréal —, etc.), de médiation entre minorités et majorité et de reconnaissance sociale et politique des groupes ethnoculturels :

> Travailler dans ces organismes multiethniques, c'est aussi être capable d'apporter une contribution à la reconnaissance des

groupes non fondateurs. Ce qui est important dans la question de l'intégration des immigrants, c'est qu'on a affaire à des discours qui sont fortement chargés idéologiquement, de part et d'autre. Et on n'a peut-être pas pris assez le temps et les moyens de réfléchir sur ces questions et surtout sur les enjeux. Il me semble, peut-être à tort, que les institutions multiethniques jouent quelque part ce rôle, non pas tant de tampon, mais de lieu de réflexion et de médiation pour éviter que les discours trop chargés idéologiquement arrivent à des conflits (homme séfarade, 36 ans).

Ces arguments se fondent sur une critique des associations juives qui, selon certains, ont un rôle de médiation qui n'est pas toujours assumé :

> L'idéal est de s'impliquer dans le cadre monoethnique de sa communauté. Mais s'intégrer, c'est aussi faire partie d'un ensemble beaucoup plus large, sinon il y a une ghettoïsation, et ce n'est pas une façon de s'intégrer que de rester ou de se limiter à sa propre communauté. Il est important de commencer par une implication au niveau de notre communauté, un peu comme un stade intermédiaire. Le temps de se rassurer, le temps de se retrouver, d'établir un certain nombre de contacts et de retrouver ses racines. Mais par la suite, il faut s'ouvrir aux autres (femme séfarade, 29 ans).

Pusieurs leaders juifs constatent des tendances autarciques dans la communauté, surtout ashkénaze, « lieu de régression qui consolide le ghetto, qui le recrée, qui consolide et institue la hiérarchie », dit une femme leader, ce qui peut s'expliquer par des raisons d'ordre historique. Le groupe juif de Montréal s'est vu, en effet, refuser, à différents moments, l'accès aux institutions québécoises catholiques et protestantes. Le système confessionnel et l'intervention tardive de l'État dans le système d'éducation ont beaucoup contribué au repli de la communauté juive sur elle-même, à son conservatisme comparativement aux autres communautés juives d'Amérique du Nord et à l'édification de structures propres et indépendantes. Cette attitude, qui s'expliquait jusqu'aux années soixante-dix, est devenue aujourd'hui un obstacle à son épanouissement :

> Dans les années soixante ou soixante-dix, c'était important pour la communauté de se protéger, de se construire, de se fortifier et de subvenir à ses besoins. La communauté de Montréal, et vraiment c'est un modèle pour toutes les communautés à travers l'Amérique du Nord et même à travers le monde, est donc très bien organisée, structurée, etc. Le problème, aujourd'hui, c'est une communauté qui ne s'épanouit plus au Québec. Chez les anglophones, c'est une communauté très vieille. Je crois que le nombre de personnes âgées y est beaucoup plus important que dans la société québécoise ; il y aurait trois fois plus de gens au-dessus de soixante-cinq ou soixante-dix ans (homme ashkénaze, 41 ans) ;

> La communauté séfarade du Québec est probablement jeune comparativement à d'autres, mais à mon avis, après trente ans, elle aurait dû et elle devrait occuper une place beaucoup plus importante que celle qu'elle occupe, avec une ouverture aux autres groupes ethniques et culturels. Ce n'est pas le cas, à mon avis. Je sens comme une fermeture, et c'est peut-être dangereux à la longue. Et c'est peut-être pour ça aussi que cette communauté n'a pas pris l'expansion et la place finalement qu'elle devrait occuper. Mais c'est peut-être le fait aussi de plusieurs communautés (homme séfarade, 48 ans).

Ce sentiment de l'importance des associations pluriethniques ne fait cependant pas l'unanimité. Plusieurs leaders d'origine italienne se montrent d'ailleurs critiques et sceptiques à leur égard et se prononcent carrément contre la politique du ministère des Affaires internationales, de l'Immigration et des Communautés culturelles mise sur pied par les libéraux axée sur le rapprochement interculturel et l'intégration. Selon l'un d'eux, on aurait tendance à forcer la formation de regroupements pluriethniques, en les subventionnant de préférence aux autres dans le but d'affaiblir les organisations monoethniques bien implantées et d'en « noyer » les revendications. Ces associations « melting pot » auraient pour conséquences objectives de semer la confusion et la division, les membres des communautés plus anciennes (italienne, grecque, portugaise, juive, etc.) n'ayant pas les mêmes besoins que les nouveaux arrivants du tiers monde (réfugiés, investisseurs, etc.). En outre, les associations pluriethniques seraient inefficaces et assimilées à une tour de Babel où « on mélange tout et où souvent les gens ne s'y retrouvent pas ».

Les associations pluriethniques ne disposeraient d'ailleurs pas du même pouvoir et de la même légitimité que les associations monoethniques, comme le Congrès des Italo-Canadiens, dans la mesure où le conseil d'administration de ces dernières n'est pas élu et leur mandat imprécis :

> Parmi les associations monoethniques, il y en a qui ont une force réelle, un pouvoir réel, un pouvoir politique et un pouvoir de représentation. Il y a quelques congrès, comme le Congrès juif, le Congrès national des Italo-Canadiens, le Congrès grec. Ces groupes ont un rôle de lobbying, un rôle politique. Les associations multiethniques ont des caractéristiques très différentes. J'aimerais savoir comment on en devient membre, où se tient l'assemblée annuelle de l'association, comment les gens sont élus et surtout quel en est le programme. Je me pose des questions sur la rentabilité sociale des subventions qu'elles reçoivent. J'ai l'impression que les associations multiethniques croissent comme des champignons. Et je le comprends parce que par certains côtés si elles sont efficaces, elles sauvent de l'argent à l'appareil officiel. La problématique des « minorités visibles » est une problématique qui est particulièrement complexe. Il existe une discrimination systémique à l'égard des membres de certaines « minorités visibles ». Là où ça m'embête, c'est que ça devient facile de tout centrer sur ces groupes, et par certains côtés de noyer le poisson (homme, 41 ans).

De même des dirigeants d'origine libanaise, tout comme des leaders d'origine haïtienne, estiment que les associations pluriethniques ont un dynamisme limité compte tenu de la difficulté de concilier les revendications des groupes (accès aux services sociaux et de santé, lutte contre la discrimination, programmes d'accès à l'égalité en emploi, etc.) et soulignent qu'elles n'ont pas de structures démocratiques et de mandats précis, contrairement aux organismes monoethniques souvent plus représentatifs et plus efficaces.

Pour ce qui est des associations à identité racisée, les leaders d'origine haïtienne, particulièrement concernés, les jugent nécessaires, mais constatent leurs limites comme instruments de lutte contre la discrimination et le racisme. Leurs propos n'ont pas d'ailleurs le ton radical des Afro-Américains dont on observe davantage l'influence au sein du leadership afro-canadien anglophone. La promotion d'une identité noire et d'une sous-culture noire de protestation ne fait pas l'unanimité, dans la mesure où la lutte contre les inégalités et la discrimination fondée sur le racisme, l'intégration au sein de la société québécoise ou canadienne, de même que la solidarité avec Haïti et la diaspora en exil apparaissent comme des questions plus fondamentales. La notion de « communauté noire » qui regroupe, dans le discours gouvernemental et public, les anglophones et les francophones n'est d'ailleurs pas sans susciter des inquiétudes et des tensions politiques. Cette catégorisation, qui relève du discours dominant et médiatique sur la race, même si elle peut servir à la contre-résistance, soulève des oppositions.

Une position très minoritaire est d'ailleurs soutenue par un leader qui juge que ces organisations ne sont plus nécessaires. Ce point de vue optimiste va à l'encontre des jugements formulés par la plupart des personnes interviewées sur l'état des relations interethniques :

> À une certaine époque, ces associations avaient leur raison d'être. Parce qu'on voulait avoir des caisses de résonance qui fassent écho à certaines revendications. Et je les évalue en fonction de l'époque.

Cela fait six ans précisément que nous n'avons même pas intérêt à présenter des organisations à base de couleur. Nous avons assez évolué pour ne pas être obligés de forcer la société québécoise à croire qu'il y a une société multiculturelle ici. La société le sait, elle veut simplement savoir comment s'en accommoder (homme, 44 ans).

Plusieurs leaders actifs dans les associations de leur groupe ethnique participent également à des organismes sans but lucratif ou rattachés au secteur public et parapublic québécois ou canadien. Interrogés sur la représentation des membres issus des minorités dans ce type d'organismes, beaucoup en soulignent les limites. La participation réelle aux décisions y est souvent fictive et illusoire, et trop souvent on n'invite des représentants des groupes ethniques que dans les organismes dont le mandat est purement consultatif, comme le Conseil des communautés culturelles et de l'immigration du Québec et les comités consultatifs sur les relations ethniques et raciales des municipalités. Si on reconnaît que ces instances constituent une plate-forme pour des débats importants, un lieu de sensibilisation aux besoins des minorités et un lieu de formation, on estime qu'ils sont le domaine des élites ethniques, qu'ils défendent le statu quo et qu'ils ne servent que des fins électoralistes. Ils ne favoriseraient donc pas l'intégration ou une action axée sur la défense d'intérêts plus larges que ceux liés aux groupes ethniques.

Évaluation du leadership des associations

La représentativité des élites, le leadership, la démocratie au sein des organismes communautaires, la relation au pouvoir politique, les rapports entre hommes et femmes, les contradictions à l'intérieur de la communauté et par rapport à la société globale, constituent d'autres thèmes de discussion du mouvement associatif.

Les leaders d'origine haïtienne font à cet égard état du manque de coordination entre les associations, de l'absence de mandats clairs, de la fausse représentativité, du manque d'initiative, d'ouverture et de collaboration, et dénoncent la démission des dirigeants face aux problèmes du groupe :

C'est antidémocratique qu'un directeur de centre communautaire soit toujours directeur de centre communautaire sans qu'il y ait jamais d'élections, et que ce directeur soit le porte-parole de l'ensemble de la communauté — ce qui est souvent complètement faux. On a toujours attribué aux leaders communautaires le rôle de gérer des crises dans leur communauté. Je n'ai jamais vu des leaders communautaires prendre l'initiative de discuter de la société multiculturelle dans laquelle on vit depuis plus de dix, douze ans. On a une société avec un brassage multiculturel. On doit maintenant prendre la décision de ne pas gérer les crises par des petites discussions, mais de travailler pour qu'il y ait une certaine entente dans l'ensemble de la société. Jusqu'ici, il semble qu'on ne s'est même pas présenté entre groupes ethniques (homme, 44 ans) ;

C'est maintenant qu'il va y avoir une communauté haïtienne à Montréal. Il n'y en a jamais eu. On a eu des leaders, mais ils ne travaillaient pas pour la communauté. Certains se faisaient un capital politique, d'autres de l'argent, d'autres avaient leurs affaires, mais ils refusaient de voir qu'il n'y avait pas de communauté (homme, 56 ans).

Si plusieurs sont impressionnés par le succès de certaines sectes protestantes auprès des jeunes par le biais d'activités sportives ou de chorales, d'autres critiquent l'immense pouvoir que détiendraient certains pasteurs. Selon une interviewée, « ce sont les vrais leaders en quelque sorte, tellement ils ont le monde derrière eux ». Elle qualifie ce leadership de « très conservateur » et lui reproche de chercher à garder les gens sous son contrôle, à « diriger leur vie ». Un autre critique le « pouvoir presque absolu du pasteur sur ses fidèles », sa « prise en charge presque complète de l'individu en termes de réseaux d'entraide », ce qui a pour effet d'isoler les gens. Les fidèles des Églises protestantes sont, selon un troisième, « très soumis à leur pasteur », et même « asservis ». Ils vivraient dans leur univers d'église, en oubliant tout ce qui se passe dans leur propre communauté et dans la société d'accueil.

On relève également les contradictions au sein des regroupements fondés sur l'identité raciale. En effet, le mouvement associatif haïtien accorde beaucoup d'importance à l'identité nationale et ne se laisse pas aisément réduire à la catégorie racisée de « Noirs ». En ce sens, il diffère de ce qu'on a pu constater, à New York par exemple, sur les nouvelles identités de la communauté haïtienne et des autres communautés caribéennes[17], qui s'inscrivent d'ailleurs dans le discours et les politiques des gouvernements en matière de « race, de racisme et de minorités visibles[18] ». Ainsi les interviewés ont été amenés à faire alliance avec des organisations montréalaises ou canadiennes de langue anglaise fondées sur une identité racisée associée à une idéologie de la résistance, afin de se mobiliser autour de revendications qui concernent les relations des Noirs, par exemple, avec la police, les programmes d'accès à l'égalité en emploi, l'entreprenariat, et de participer aux comités consultatifs sur les « relations raciales » formés aux échelons fédéral, provincial et municipal.

Les contradictions entre le leadership afro-québécois anglophone et le leadership afro-québécois francophone semblent refléter, à l'instar de ce que l'on observe dans le groupe juif entre séfarades et ashkénazes, certaines tensions qui renvoient

---

17. C. R. Sutton, S. Makiesky-Barrow, « Migration and West Indian Racial and Ethnic Consciousness », dans C. R. Sutton, E. M. Chaney, (dir.), *op. cit.* ; N. Glick Schiller, *et al.*, « All in the Same Boat ? Unity and Diversity in Haïtian Organizing in New York », *ibid.*, p.182-201.

18. D. Stasiulis, « Symbolic Representation... », article cité.

à des positions souvent divergentes sur la langue et les pratiques linguistiques. Mais il n'y a pas que les barrières linguistiques et culturelles qui font obstacle à l'identité afroquébécoise. Certains leaders anglophones reprocheraient aux francophones le manque de solidarité dans leur lutte sociale et économique. Nombreux sont ceux qui soutiennent que les Haïtiens, au Québec, accordent une trop grande importance à la question politique haïtienne et négligent la défense du fédéralisme canadien et la lutte pour l'égalité des droits. À cela des leaders francophones répliquent que dans la communauté noire anglophone on se laisse manipuler par la minorité anglophone. Comme résultat de ces accusations réciproques, on laisse en plan des projets d'alliance pour la promotion d'intérêts communs aux deux groupes et à la collectivité en général.

Les obstacles, tant internes qu'externes aux associations, que rencontrent les femmes désireuses de jouer un rôle de leadership constituent un autre thème qui soulève la question de l'autonomie des femmes dans une situation de double oppression :

> Je pense à deux types d'obstacles. L'obstacle de type machiste général que rencontrent toutes les femmes est celui de l'image qu'on a d'elles et de ce qu'elles doivent être. Le deuxième obstacle, c'est que l'originalité d'un mouvement féministe haïtien risque d'entrer en contradiction, à ce stade-ci, avec l'ensemble des problèmes vécus par les Haïtiens en tant que Noirs, en tant que gens d'une communauté culturelle différente, et on a tendance à accorder une priorité à la couleur plutôt qu'au sexe. Avec les accents culturels qui nous sont propres, ce sont les difficultés que la plupart des femmes noires ont. La difficulté de l'originalité d'un discours dans leur communauté (femme, 40 ans).

Quelques-unes ne font par contre mention d'aucune difficulté particulière rencontrée sur le terrain. Le cas échéant, elles l'expliquent par des différences de perspective politique ou les attribuent aux hommes ou aux préjugés sexistes, qu'elles arrivent à surmonter :

> Moi, je n'ai jamais eu de difficulté, parce qu'au moment où j'aurais pu en avoir, j'avais en quelque sorte fait ma réputation ailleurs. J'ai œuvré beaucoup dans un milieu québécois, c'est après, paradoxalement, que j'ai retrouvé la communauté haïtienne. Donc, je n'ai pas eu ce type de difficulté-là. Mais j'imagine que j'aurais pu en avoir, si j'avais suivi le chemin inverse (femme, 40 ans) ;

> Lorsque j'ai été rejetée, c'était clair pour moi que ce n'était pas une affaire de communauté, mais une affaire d'hommes et de femmes (femme, 54 ans) ;

> Dans la communauté haïtienne, le rôle des femmes est très défini, de même que le rôle des hommes. Et la femme haïtienne, même si elle n'est pas heureuse dans une relation, dans un mariage, a tendance à continuer, car ça paraît bien aux yeux de la communauté d'être une femme mariée, de se cacher derrière un homme ; c'est un statut social. Alors ce qu'on me reproche, c'est que, moi, je n'ai pas besoin d'un gars pour me cacher. J'ai donc eu certaines difficultés, mais ça ne m'a pas empêché de continuer et de franchir les barrières des préjugés (femme, 38 ans).

La capacité du Congrès national des Italo-Canadiens à exercer un rôle de leadership est remise en doute par des leaders d'origine italienne. L'Association des travailleurs émigrés et de leurs familles a ainsi depuis longtemps formulé des réserves sur cette question, reprochant au Congrès de ne pas tenir compte de toutes les tendances dans la communauté, de ne pas arriver à en rallier les diverses associations et de n'avoir qu'une faible représentation de la communauté aux différents paliers décisionnels ou consultatifs :

> La FILEF, au début, a participé, a voulu participer, mais lorsqu'on commence à dire qu'il ne faut pas faire de politique, qu'il ne faut pas faire ceci ou cela, puis qu'on a la prétention de représenter tout le monde et que, puisque le Congresso existe, tous les autres

ne sont que des quantités négligeables, alors on se dit que, pour nous, le Congresso est un instrument inadéquat. Même si on peut partager l'idée d'avoir un lieu où les gens se retrouvent ou plutôt un organisme qui chapeaute l'ensemble des forces qu'il y a dans la communauté italienne. Voilà pourquoi la FILEF s'est retirée et n'a jamais adhéré au Congresso. Cela ne veut pas dire que, dans l'avenir, on n'y adhérerait pas, selon les formes auxquelles nous croyons (homme, 43 ans) ;

C'est bien beau le Congresso mais dans la communauté italienne on dénombre cent soixante à cent soixante-quinze associations, et il n'y en a que vingt-cinq qui sont affiliées au Congresso. Vous ne pouvez pas dire que vous êtes représentatifs de la communauté italienne quand vous n'êtes pas capables de créer une certaine concertation parmi les cent soixante-quinze associations. Je conçois très mal que ces gens-là se disent porte-parole de la communauté italienne (homme, 22 ans).

Si l'on reconnaît que le clergé, qui avait un certain ascendant politique, a été à l'origine des premières associations de défense des travailleurs immigrants, on note qu'il a aussi contribué au maintien de l'ethnicité, à la « ghettoïsation » de la communauté et à la subordination des femmes. L'Église était souvent « la seule instance où la femme italienne sortait de son propre milieux ». Malgré la désaffection, la paroisse, cadre de socialité important, continue de procurer aux individus un sentiment de sécurité, même si le leadership religieux n'exerce plus autant d'autorité que par le passé.

On constate encore une certaine hostilité à l'égard du leadership des femmes. Les responsabilités familiales, leur manque de confiance en soi et, par conséquent, leur auto-exclusion, tout comme le sexisme en seraient les causes. Elles participeraient peu aux associations italiennes, en particulier aux organismes locaux, mais seraient plus présentes dans les organismes pluriethniques :

La communauté italienne a connu une période très active et très vive du côté féministe au sens noble du terme où on a vu une très forte implication des jeunes femmes de la deuxième génération. Aujourd'hui, on le sent moins (homme, 43 ans) ;

Dans les associations de services à caractère multiethnique, c'est presque toujours des femmes. Elles sont soit présidentes, soit permanentes. C'est vraiment un secteur où les femmes sont très présentes. Dans les associations monoethniques — mais pas les associations régionales — il y a une présence des femmes garantie par les statuts de l'association, il y a une ouverture. Par exemple, au Congrès national, on est arrivé à dire que cinquante pour cent des délégués pourraient être des femmes. La présidente du Congrès national est une femme. Il y a une présence de plus en plus grande, mais surtout dans les organismes plus prestigieux, plus implantés. Parce que ces organismes-là sont plus conscients du climat social. Dans les organismes plus petits, les femmes n'ont pas encore leur place (homme, 41 ans) ;

La culture explique que ce soit des hommes qui, la plupart du temps, prennent la parole. On doit réaliser aussi que pour prendre la parole il faut bien maîtriser la langue. Or il est rare que les jeunes de ma génération maîtrisent l'italien. Donc on s'est toujours retrouvé à faire le travail de base et c'est là qu'on prenait la parole. C'est une des raisons pour lesquelles les leaders sont souvent des hommes de la première génération ou qui sont arrivés plus récemment. Ils ont fait des études supérieures en Italie ce qui leur a permis de maîtriser la langue (femme, 40 ans).

La résistance serait particulièrement vive dans le milieu des hommes d'affaires qui semblent encore fermés au leadership des femmes bien que celles-ci soient de plus en plus prises au sérieux et accèdent à des postes de responsabilité plus importants :

Nous avons peut-être un peu plus de femmes qui commencent à gravir l'échelle. La femme commence à être beaucoup plus libre de s'exprimer et de s'affirmer. Il y a quelques présidentes d'associations qui sont élues. Il y a une femme à la présidence de la

Chambre de commerce de Saint-Léonard. Il y a quelques années, c'était inacceptable pour les Italiens qu'une femme puisse être la présidente de la Chambre de commerce (femme, 48 ans) ;

C'est en voie de diminution et non pas de disparition. Il y a encore beaucoup de gens avec les vieilles mentalités dans les associations, c'est en train de changer : pour la première fois cette année, ils ont choisi une femme comme personnalité de l'année, alors que ça fait quinze ans qu'ils décernent un prix... (femme, 36 ans) ;

Quand on a commencé avec Centro Donne, nous étions définies comme des putains, c'était aussi simple que ça, des femmes qui étaient divorcées, qui étaient pour l'avortement. Par la suite, Centro Donne a été accepté comme un autre groupe dans la communauté. On l'accepte parce qu'il donne des services, ce n'est plus quelque chose de menaçant. À la Casa d'Italia, il y a maintenant deux femmes au conseil d'administration, trois, peut-être plus. Avant, il n'y en avait aucune (femme, 34 ans).

Ces résistances proviendraient donc d'une structure de pouvoir de type patriarcal et de son lien institutionnel avec la politique et les instances de pouvoir du multiculturalisme canadien. La politique du multiculturalisme a suscité des élites « ethniques » masculines qui occultent les questions liées à la condition des femmes, par exemple la violence :

J'ai eu beaucoup de difficultés puisqu'une femme radicale féministe avec des idéologies, c'est déjà menaçant, en plus d'être une femme venant des communautés culturelles ! La politique du multiculturalisme a créé des petites élites partout. Et la direction de chaque comité culturel est constituée par des hommes, avec lesquels ce n'est pas trop agréable de militer. Par exemple, quand je dis que la femme battue italienne est beaucoup plus battue qu'une femme francophone, la communauté italienne n'aime pas ça (femme, 38 ans).

Les critiques du leadership communautaire juif, surtout de la part des séfarades, portent sur la sélection du leadership en fonction du montant des donations, même si cette règle semble en partie désuète :

> Au plan communautaire, c'est le bénévolat. Et pour faire du bénévolat, il faut avoir du temps et de l'argent. C'est un peu pour ça qu'on a toujours retrouvé parmi les leaders de cette communauté des gens qui avaient réussi en affaires et qui étaient en mesure de s'occuper de la communauté. Mais réussir en affaires, ça ne donne pas nécessairement un talent ni des objectifs communautaires clairs (homme séfarade, 48 ans) ;

> Les personnes les plus importantes au niveau financier sont des leaders parce qu'ils donnent de l'argent. Ils sont très importants, alors ils sont consultés. Historiquement, les leaders, c'étaient ceux qui avaient de l'argent. Je pense que la communauté juive a démontré une ouverture, a laissé ceux qui n'ont pas d'argent, comme moi, avoir des positions de leadership. Il y a là certains changements (homme ashkénaze, 36 ans).

Le consensus, autre règle de fonctionnement du leadership communautaire, limiterait l'intervention publique et découragerait la critique. La dissimulation des divergences tiendrait à la structuration même de la communauté. Le système, grâce à ses réseaux, permet la cooptation des dirigeants et rend possible un véritable contrôle sur ce qui se dit publiquement et sur les porte-parole eux-mêmes :

> Les réseaux sont clairs et connus. Et même s'il y a des divergences entre ces gens-là, le sentiment d'être tous dans le même bateau est assez fort pour qu'ils trouvent moyen d'agir ensemble, et pas simplement d'agir ensemble, mais de ne pas publiquement divulguer leurs différences. Il y a des différences. Mais elles ne sont pas assez grandes, quand survient une question importante, pour qu'ils ne soient pas capables de trouver, pas simplement un consensus, mais un consensus assez fort pour que tout le monde accepte de ne pas aller à l'extérieur (homme ashkénaze, 45 ans) ;

> Quand vous êtes dans les organisations juives, il y a un consensus dont il ne faut pas parler à l'extérieur. Je suis un porte-parole,

donc, évidemment, dès qu'il y a des événements, les journalistes m'appellent et, en général, je refuse de répondre. Parce que si je réponds, je vais donner des touches personnelles, et ça ne répondra jamais aux vœux de l'ensemble de la communauté qui veut qu'on ne fasse pas de vagues. C'est grave en même temps de dire des choses comme ça, mais c'est la réalité (homme séfarade, 46 ans).

Les oppositions sont considérées comme une faiblesse politique, en particulier quand elles touchent la question israélienne, d'où l'autocensure plus forte des leaders sur cette question :

En ce qui concerne Israël, c'est le grand débat à l'intérieur de la communauté. Est-ce qu'on a le droit de montrer au public nos divergences sur cette question ? Est-ce que tu ne donnes pas des armes à l'ennemi en montrant qu'il y a des divisions politiques ? Il n'y a pas de consensus ici sur cette question. Les gens sont déchirés, divisés sur ce qui se passe là-bas, mais ils ont peur de trop en parler publiquement (femme ashkénaze, 41 ans).

Cette règle de fonctionnement se heurte cependant à de nombreuses résistances qui proviennent, entre autres, des divergences entre ashkénazes et séfarades. Sur certaines questions, le discours n'est donc plus monolithique, et les dissensions sont signes de dynamisme :

La communauté anglophone ashkénaze a toujours tenté d'assimiler la communauté séfarade. Alors dès qu'il y a quelque chose de travers, elle essaie de remettre de l'ordre. Mais la communauté séfarade au Québec n'est plus monolithique, et il va falloir que les anglophones le comprennent. Dès qu'il y a quelqu'un qui se permet une opinion fondée ou qui appelle les gens à réfléchir, c'est presque le rejet spontané. Quitte à réfléchir par la suite et dire que finalement il avait raison (homme séfarade, 48 ans).

Les critiques sont souvent dirigées contre le leadership séfarade. Le manque de vision de leaders intéressés surtout par le pouvoir et le prestige en serait l'un des traits majeurs, même si, malgré ces faiblesses, des projets valables sont proposés :

> Ce qui me gêne chez les leaders, c'est leur manque d'imagination créative, leur attitude timorée, leur manque d'innovation. L'institution communautaire devient le lieu d'un contrôle, d'une recherche de prestige, d'honneur, de pouvoir. Ce qui me gêne chez eux, c'est que très souvent leur leadership est à caractère honorifique. Mais en même temps, malgré cette aberration dans laquelle ils se complaisent, il y a des choses importantes qui sont faites, sur le plan des fêtes, des événements culturels, des responsabilités sociales, de l'aide aux vieux, aux malades... Malheureusement, ce qui manque, c'est le dépassement des structures communautaires à caractère, je dirais, clos, fermé (homme séfarade, 46 ans).

Les critiques les plus fortes qu'on adresse au leadership actuel font état de la reconstitution du système de notabilité et de la méfiance à l'égard des intellectuels. On a également le sentiment que le pouvoir est confisqué par une fraction autocratique qui exerce un contrôle interne en éliminant les dissidents :

> Il y a une relation un peu trouble aux intellectuels qu'on aimerait avoir de son côté, et en même temps dont on se méfie. Dans des communautés aussi récentes que celle-ci, il est clair qu'il y a une reconstitution de nouvelles notabilités, sur la base de l'argent, de la réputation, de l'ancienneté des familles. Et là, les clans régionaux, les gens de Meknès, les gens de Rabat, les gens de Casa, vont essayer de reconstituer une espèce de hiérarchie sociale basée sur d'anciennes notabilités qu'ils redorent, qu'ils reconstituent ici. Pour faire partie de leur conseil d'administration, il fallait avoir déjà siégé... On ne pouvait jamais rentrer. Il était impossible pour quelqu'un de neutre, d'étranger à ce petit groupe, de s'infiltrer au sein du conseil d'administration, et quand on avait une remarque, un reproche à leur faire, ils nous disaient : ah bien sûr, c'est facile de critiquer, mais venez nous aider. Et il me semble que leur tactique c'est d'éliminer tous ceux qui ne pensent pas comme eux. Je n'ai jamais partagé les idées de nos leaders communautaires. Je

n'ai jamais approuvé ce qu'ils faisaient, les décisions qu'ils prenaient au point de vue politique, culturel, social, religieux. Je n'ai jamais vraiment soutenu leurs idées. Ils nous prennent pour des pantins (femme séfarade, 41 ans) ;

La communauté séfarade a longtemps été très centralisée, tournant autour d'une petite minorité qui se passait le pouvoir entre copains et entre membres d'une même famille. C'est assez autocratique comme fonctionnement (homme séfarade, 48 ans).

Tous s'accordent à reconnaître que les femmes ne sont pas traitées en égales des hommes. Même si elles sont très nombreuses à participer comme bénévoles, ce qui leur vaut une certaine reconnaissance, elles ne sont pas pour autant acceptées comme leaders et sont exclues des postes décisionnels et de haut prestige :

La présence des femmes est extrêmement importante dans les associations volontaires. Mais au B'nai Brith, à l'Union des femmes juives, à la Fédération des femmes séfarades, à l'Appel juif unifié, elles ne sont pas des leaders mais des bénévoles, très importantes d'ailleurs et reconnues. Elles ne sont pas présidentes, ni secrétaires générales des associations (femme séfarade, 41 ans).

Les femmes séfarades évoquent aussi des facteurs d'ordre culturel pour expliquer cette situation : traditionnellement, les femmes et les hommes ont des rôles différents. Les femmes de la communauté ashkénaze s'engageraient davantage dans les associations communautaires et dans le champ politique que celles de la communauté séfarade où la mentalité sexiste ralentirait l'accession aux postes de pouvoir :

Lorsque je pense aux femmes séfarades, j'ai l'impression que leur implication aux niveaux social et politique a toujours été très limitée. Et même chez les jeunes, j'en vois très peu qui partagent les mêmes intérêts que moi et qui vont donc vouloir mener de front non seulement la vie de famille mais la vie professionnelle.

On n'observe pas le même phénomène chez les ashkénazes. De nombreuses femmes sont impliquées. Les modèles culturels sont différents. Je pense aussi qu'il y a une perte qui a peut-être à voir également avec la durée d'implantation au Québec, une forme de perte de l'orthodoxie religieuse chez les femmes ashkénazes. Celles qui sont impliquées, ce ne sont pas des femmes orthodoxes, ce sont des femmes beaucoup plus libérales. Chez nous, le rôle de la femme que transmet la religion est encore omniprésent. Même la jeune femme est consciente de son rôle (femme séfarade, 29 ans) ;

À la Communauté séfarade du Québec, il y a pas encore de femmes parmi les officiers. Je l'explique par l'esprit obtus des hommes. Ils pensent qu'il n'y a pas de femmes assez compétentes pour en être (femme séfarade, 43 ans) ;

Dans les associations juives anglophones, elles ont le plus grand pouvoir. Je les vois, elles sont présentes, ce sont elles qui font fonctionner la boîte. Dans la communauté séfarade, ce sont des structures d'hommes, c'est donc une façon de voir des hommes, de penser des hommes, qui est complètement différente. Et la femme est écrasée, si elle n'est pas forte (femme séfarade, 48 ans).

Quelques femmes ashkénazes confirment ce diagnostic et considèrent qu'elles ont un peu plus d'avantages que les femmes de la communauté séfarade, car la culture juive d'Europe de l'Est serait moins machiste que la culture méditerranéenne :

Il est difficile d'être une femme dans ce type d'organisation parce que vous devez travailler deux fois plus qu'un homme pour réussir. Mais nous sommes plus fortes dans la communauté ashkénaze que dans la communauté séfarade. À cause de la culture : la communauté séfarade vient de la région méditerranéenne où les femmes ont toujours été soumises aux hommes. Ici les femmes sont bien plus fortes, comme en Europe de l'Est (femme ashkénaze, 50 ans) ;

Il y a des domaines sur lesquels nous avons une certaine autorité. Cependant nous avons une communauté matrilinéaire avec un pouvoir et une idéologie patriarcaux... Les femmes ont un meilleur statut par plusieurs aspects, mais par ailleurs c'est encore patriarcal (femme ashkénaze, 46 ans).

Si les hommes admettent généralement que les femmes n'ont pas une participation égale, tous citent en exemple certaines femmes qui occupent des postes importants au sein de la communauté, démontrant ainsi que l'ouverture existe et que les choses vont en s'améliorant, même si le rôle de la femme au sein de la famille reste primordial comme transmetteur de la culture et de la foi juives :

> Il y a plusieurs femmes à l'exécutif de la communauté. Il y a énormément de femmes qui occupent des postes importants. À la synagogue, nous avons un comité de dames, un comité actif. La présidente siège à notre conseil d'administration. Et même si la synagogue est une affaire d'hommes, les femmes y sont assez actives. En fait elles s'occupent souvent de toute la partie loisirs et culture. En ce qui concerne la communauté, pourquoi y a-t-il moins de femmes ? Eh bien, je me demande si ce n'est pas à peu près partout la même chose, dans tous les groupements communautaires (homme séfarade, 48 ans) ;

> La plupart des rabbins seront sans doute d'accord pour dire que la famille est plus centrale dans la religion juive que la synagogue. De ce point de vue, la mère ou la femme sont des figures centrales. Cela dit, j'ai l'impression que beaucup de femmes dans notre communauté jouent un rôle très critique et décisif dans le domaine économique. Je sais qu'il y a un débat dans la communauté juive quant à savoir si l'orthodoxie contribue ou non à l'autonomie des femmes. Je ne suis pas en mesure de donner une opinion fondée sur ce sujet. Par contre, vous avez des rabbins qui disent que les femmes ont un rôle bien défini et bien circonscrit dans le contexte culturel et religieux juif, et des femmes très puissantes qui affirment au contraire que les femmes sont une force dominante dans l'histoire juive (homme ashkénaze, 43 ans).

La faiblesse institutionnelle de la communauté libanaise tient, on l'a dit, aux multiples allégeances confessionnelles et politiques, mais aussi aux différentes vagues migratoires. Pour certains, il serait plus difficile de voir émerger un leadership parmi les nouveaux arrivants, peu motivés par le travail communautaire, même si on croit noter des progrès :

> Notre génération, la troisième, s'implique vraiment. Dans le cas des nouveaux immigrants, ils ne savent vraiment pas ce que signifie une véritable implication. Nous ne pouvons donner des cours de leadership, mais nous pouvons au moins leur donner du temps, nous réunir avec eux, même s'ils ne sont que deux ou trois, afin de discuter de leurs problèmes et les aider à les résoudre (homme, 51 ans).

L'évaluation du leadership tant laïque que religieux reste contradictoire. Plusieurs considèrent le leadership religieux comme dominant dans le processus décisionnel communautaire, mais son poids semble dépendre de la personnalité des leaders. Les institutions confessionnelles détiendraient un trop grand pouvoir sociopolitique dans les relations avec le Liban et les affaires internes de la communauté, freinant ainsi son intégration :

> Malheureusement, au Canada, la communauté libanaise est encore à l'image du Liban qui n'est pas sorti du moyen âge. Il y a trop de pouvoir sociopolitique entre les mains des religieux et ça continue ici. Pour moi, les religieux doivent servir la foi et l'expression de la foi, et la société dans la mesure où elle est communauté de foi, pas dans la mesure où elle est lieu d'entrepreneurship, ou lieu d'expression politique. Et certainement pas en vue de se constituer des morceaux de pouvoir politique. Ça se fait ici, non pas en termes de politique fédérale ou provinciale, mais en termes de politicaillerie par rapport au Liban (femme, 61 ans) ;

> Je ne crois pas que les religieux jouent un rôle dans l'intégration. Ça ne les intéresse pas. Ils accueillent pour agrandir leur cheptel, point. Leur intégration au Québec, ils s'en fichent. Chacun veut amener le plus de gens dans son secteur, chez lui, dans son église,

dans son truc. C'est ça le but premier. Mais ils maintiennent l'identité libanaise, c'est certain (femme, 54 ans).

D'autres ne reconnaissent pas au leadership religieux une telle force. Ils insistent plutôt sur l'importance du leadership laïque ou sur un partage du pouvoir entre laïcs et religieux :

> Je connais très bien les chrétiens et je peux vous dire que l'immense majorité des gens se fichent littéralement de ce que peut dire le prêtre. Le leadership religieux n'a aucune portée politique en général. Il ne touche pas à l'ensemble de la communauté, il touche une portion de cette communauté, et dans ce sens-là, je dirais qu'il n'est pas, sur le plan politique, plus représentatif ou plus efficace que le leadership laïque. Et d'autre part, le leadership religieux s'appuie souvent sur certains laïcs pour des questions qui dépassent sa compétence, c'est-à-dire qu'il a besoin des lumières des laïcs pour faire avancer certains dossiers (homme, 54 ans).

Les musulmanes et les chrétiennes seraient confrontées à des problèmes de base identiques. Cependant celles-là auraient plus de difficultés à s'engager dans le travail communautaire à cause des contraintes liées à leur immigration plus récente. À l'exception de rares interviewés qui ne notent pas de différences entre les hommes et les femmes sur le plan du leadership, tous s'accordent à dire que, si plusieurs femmes jouent un rôle très important, elles sont néanmoins en minorité. Travaillant souvent seules dans des associations séparées qu'elles dirigent et qui ont une vocation d'entraide, cette stratégie leur permet d'avoir des postes de responsabilité. Les hommes s'opposeraient encore à la pleine participation des femmes, surtout valorisées en tant que mères et épouses. Mais des lézardes semblent apparaître, surtout avec le travail féminin qui remet en question les rôles et le statut subordonné des femmes, menaçant une tradition bien ancrée :

> C'est encore comme ça. D'abord parce que dans mon pays il y a beaucoup de machos. Les femmes, ça sert à travailler. Les

73

hommes, ça parle, ça palabre, ça décide, et puis on appelle les femmes, et puis vous faites le boulot, nous, on a décidé, vous travaillez (femme, 54 ans) ;

Les femmes souhaitent travailler et les maris acceptent — même ceux qui, il y a sept ans, ne voulaient pas. Même les hommes, maintenant, ne voient plus de difficulté à laisser leur femme sortir ou travailler. Mon mari accepte ce que je fais. Et comme mon mari accepte, ça les encourage aussi à accepter (femme, 58 ans).

* * *

Les témoignages des leaders à propos des mouvements associatifs à caractère ethnique attestent une grande diversité d'orientations et de polarisations. Cette diversité exprime aussi bien des intérêts et des contradictions intracommunautaires (de classe, de sexe, d'appartenance ethnique ou confessionnelle) que des contradictions intercommunautaires (entre minorités, avec la majorité québécoise francophone), qui infirment certaines perspectives politistes selon lesquelles le groupe ethnique constitue un groupe de pression dont l'action s'exercerait de façon homogène dans la sphère politique et qui, au nom d'identités affectives ou instrumentales, interviendrait de façon plus efficace que les regroupements fondés sur la classe sociale.

Le mouvement associatif dans chaque communauté entretient des liens avec la mère patrie ou la terre de référence. Les leaders des nouveaux groupes d'immigration, de même que certains groupes d'ancienne immigration, jouent donc un rôle mobilisateur autour de questions relevant du pays d'origine. L'autre axe de mobilisation tourne autour d'une identité « ethnique » ou minoritaire — en tant que membre de la communauté juive, italienne, haïtienne, libanaise ou arabe dans la société québécoise ou canadienne — qui soulève les différents problèmes de l'intégration de ses membres et de son rapport à la majorité. Enfin, le processus de racisation, qui touche certaines catégories de population, affecte les Québécois d'origine haïtienne en particulier, et fonde non seulement les regroupements à identité racisée mais une participation obligée. Il est intéressant de constater que la société d'accueil impose des visions hégémoniques autour de la notion de race, construisant des entités imaginaires autour de la catégorie des « Noirs » ou des « minorités visibles », entités en profonde contradiction avec les représentations relatives à la race dans les pays d'origine, qu'il s'agisse d'Haïti, des pays arabes ou autres.

Cette multiplicité des références témoigne d'une certain transnationalisme qui accompagne la mobilité de la force de travail et le mouvement des réfugiés dans le monde[19]. L'organisation politique de l'espace mondial contemporain en États territoriaux et souverains, mutuellement exclusifs, n'empêche pas que les dirigeants issus d'une immigration récente ou de groupes ethniques soient des acteurs politiques. Cela s'exprime dans leurs organisations internationales. Les nouvelles définitions de l'État-nation déterritorialisé (le dixième département haïtien) témoignent de la restructuration du capital et des relations internationales et posent donc sous un nouveau jour la question de l'insertion des immigrants dans l'espace international[20].

---

19. A. R. Zolberg, « Migration Theory for a Changing World », *International Migration Review*, vol. 23, 1989.
20. L. Bash *et al.*, *op. cit.*

2

INSERTION SOCIOÉCONOMIQUE

Les groupes ethniques et les immigrants s'insèrent de façon variable sur le marché du travail de la société d'accueil, que ce soit le marché primaire, le marché secondaire ou l'économie informelle[1]. La segmentation du travail obéit donc à des critères de classe et d'ethnicité, et le racisme tout comme le sexisme colorent et légitiment les pratiques discriminatoires, elles-mêmes amplifiées en période de crise économique. Cependant, si l'ethnicité est souvent un obstacle, elle peut aussi constituer un avantage. Ainsi, les entreprises ethniques peuvent favoriser l'insertion des nouveaux arrivants, leur permettre de contrer la discrimination et les inconvénients liés à l'ignorance de la langue, de la culture du travail, des normes de travail, etc.

---

1. A. Portes, J. Walton, *Labor, Class and the International System*, London Academic Press, 1981 ; C. H. Wood, « Equilibrium and Historical Structural Perspectives on Migration », *International Migration Review*, vol. 12, n° 2, 1982 ; R. Bach, « Immigration : Issues of Ethnicity, Class, and Public Policy in the United States », *The Annals of the American Academy*, 485, 1986 ; J. Wrench, J. Solomos, *Racism and Migration in Western Europe*, Oxford, Berg, 1993 ; E. Balibar, E. Wallerstein (dir.), *Race, nation, classe. Les identités ambiguës*, Paris, La Découverte, 1988.

De ce fait elles faciliteraient la mobilité sociale d'une génération à l'autre[2].

En Amérique du Nord, en dépit de la non-reconnaissance
de leurs diplômes, de la méconnaissance de la langue du pays
d'accueil et de la discrimination, les groupes ethnoculturels
sont surreprésentés dans la petite entreprise. Ils semblent dis-
poser de ressources particulières (liens de solidarité communautaire, système de valeurs, capital de risque, main-d'œuvre
captive, etc.) et profiter de niches économiques laissées
vacantes[3]. Certains groupes sont pourtant sous-représentées
dans les statistiques officielles du travail autonome, comparativement à la population nationale et à la population immigrée. Mais l'activité économique, on le sait, ne se réduit pas
aux activités formelles ou officielles. Loin d'être absentes des
entreprises et de la catégorie des « travailleurs autonomes », des
couches sociales de certaines minorités occupent des niches
spécialisées dans le secteur informel de l'économie, ce que ne
repèrent pas toujours les statistiques. Par exemple, si la proportion de travailleurs indépendants pour l'ensemble des Canadiens est de 62,7 ‰[4], chez les groupes britannique et français,
la proportion est respectivement de 59,1 et de 48,5, mais elle
est chez les autres groupes, de 84,5. Les groupes ethnoculturels
se situant au-dessus de la moyenne sont, par exemple, les Chinois (72,9), les Arabes et Ouest-Asiatiques (99,9) et les Juifs

---

2. H. E. Aldrich, R. Waldinger, « Ethnicity and Entrepreneurship »,
Annual Review of Sociology, vol. 16, 1990.

3. R. Waldinger, « Immigrant Enterprise. A Critique and Reformulation », *Theory and Society*, vol. 15, 1986 ; P. Noblet, *L'Amérique des minorités. Les politiques d'intégration*, Paris, CIEMI L'Harmattan, 1993.

4. C'est-à-dire ceux qui ont dit travailler pour leur propre compte au
recensement de 1981 ; il y a chevauchement entre travailleurs indépendants
et petites entreprises (Multiculturalisme Canada, *Les travailleurs indépendants
chez les groupes ethnoculturels. Faits saillants*, Ottawa, 1986).

(149,6). Sous la moyenne, on trouve les « Noirs » (26,2) et les Philippins (17,6).

La dualisation de la main-d'œuvre immigrée au Québec dans quelques catégories socioprofessionnelles à haute qualification (enseignement, recherche, services sociaux et de santé, etc.) et dans les emplois manuels de certaines industries (vêtement, textile) et services (entretien ménager, domesticité, etc.) a fait l'objet de plusieurs étudés[5] qui démontrent l'existence de la discrimination économique et de mécanismes d'exclusion sociale[6].

---

5. B. Audet, *Les caractéristiques socio-économiques de la population immigrée au Québec au recensement de 1981*, Québec, ministère des Communautés culturelles et de l'Immigration, 1987 ; M. Labelle, « Le rôle économique de l'immigration féminine dans la région de Montréal », dans G. Abou Sada, B. Courault, Z. Zéroulou (dir.), *L'immigration au tournant*, Paris, CIEMI L'Harmattan, 1990 ; *id.*, « Femmes et migration au Canada : bilan et perspectives », *Canadian Ethnic Studies*, numéro spécial « The State of the Art », vol. 22, n° 1, automne 1990 ; M. Labelle, D. Meintel, G. Turcotte, M. Kempeneers, *Histoires d'immigrées. Itinéraires d'ouvrières colombiennes, haïtiennes, grecques, portugaises de Montréal*, Montréal, Boréal, 1987 ; M. Gagné, « L'insertion de la population immigrée sur le marché du travail au Québec. Éléments d'analyse de données de recensement », *Revue internationale d'action communautaire*, vol. 21, n° 61, 1989 ; A. Lamotte, *L'adaption socio-économique des femmes immigrantes*, Montréal, ministère des Communautés culturelles et de l'Immigration, 1991 ; A. Ledoyen « Les jeunes des communautés culturelles : caractéristiques et situation sur le marché du travail », *Identité et intégration. Rapport synthèse de la Table ronde des jeunes des communautés cuturelles*, Conseil des communautés culturelles et de l'immigration du Québec, 1990 ; *Montréal au pluriel*, Montréal, Institut québécois de recherche sur la culture, 1993 ; Conseil des communautés culturelles et de l'immigration du Québec, *L'immigration, les communautés culturelles et l'avenir du Québec*, avis à la ministre des Communautés culturelles et de l'Immigration, Québec, 1990.

6. K.B. Chan, « Perceived Racial Discrimination and Response : an Analysis of Perceptions of Chinese and Indochinese Community Leaders », *Canadian Ethnic Studies*, vol. 19, n° 3, 1987 ; A. Jacob, *Le racisme au quotidien*, Montréal, CIDHICA, 1991 ; A. Ledoyen, « Les jeunes des

La détérioration de la situation économique des jeunes au cours des dernières années s'explique par la rareté de l'emploi, la baisse de l'activité et la montée du chômage, qui se situait, en 1993, autour de 18 % dans la région de Montréal pour les 15 à 24 ans. Pourtant, s'il est vrai que, de manière générale, les jeunes Québécois de toutes origines occupent des fonctions qui les dévalorisent, sont concentrés dans le domaine de la restauration et absents des secteurs à haute technologie et productivité, des sociétés d'État et de la fonction publique, des communications dans les grandes entreprises[7], les jeunes des « minorités visibles » ont des taux de dévalorisation et de chômage supérieurs. Confrontés à des blocages particuliers dus à l'exclusion et à un effet de dissuasion (*chilling effect*), ils se dirigeraient « spontanément » vers des secteurs d'emploi moins rentables, mais plus faciles d'accès.

Pour expliquer cet état de choses, on évoque habituellement la situation générale du marché du travail (emplois précaires — à temps partiel, à contrat et à la pige, concentrés dans les services traditionnels des PME —, absence de syndicalisation et d'avantages sociaux, gains faibles et de courte durée) et la discrimination directe (préjugés) et indirecte (biais culturels des entrevues de sélection et des tests d'aptitude, réseaux d'embauche qui ont pour effet l'exclusion), autrement dit une discrimination systémique[8].

---

communautés culturelles : caractéristiques et situation sur le marché du travail », article cité ; M. T. Chicha-Pontbriand, « Les jeunes des minorités visibles et ethniques sur le marché du travail : une situation doublement précaire », *Identité et intégration. Rapport-synthèse de la Table ronde des jeunes des communautés cuturelles*, Conseil des communautés culturelles et de l'immigration du Québec, 1991 ; M. Alcindor, *La lutte contre le racisme au Québec et au Canada : stratégie d'intervention planifiée ou escarmouche contre l'innommé*, université du Québec à Montréal, 1992.

7. A. Ledoyen, article cité.
8. M. T. Chicha-Pontbriand, article cité.

Les interventions de l'État-providence, qui a voulu établir une infrastructure de justice sociale (programmes sociaux, sanitaires, etc.) en mettant sur pied des programmes d'accès à l'égalité en emploi pour les minorités ethniques ou racisées[9], soulèvent un questionnement sur les processus de catégorisation et racisation des groupes[10].

Nous analyserons dans ce chapitre les opinions des leaders en ce qui concerne la répartition de la main-d'œuvre, le travail non déclaré, la discrimination, la syndicalisation, les programmes d'équité en emploi et l'entreprise ethnique.

Répartition de la main-d'œuvre

Les Québécois d'origine haïtienne se répartissent dans deux grands secteurs : les industries manufacturières et les services médicaux et sociaux. Selon les leaders, l'insertion des travailleurs de ce groupe aurait été meilleure dans les années quatre-vingt que dans la décennie précédente et on assisterait à une diversification significative de cette main-d'œuvre dans l'économie québécoise. Des entreprises haïtiennes voient le jour, et les professionnels commencent à pénétrer de nouveaux secteurs d'emploi (fonction publique municipale, Hydro-Québec, Lavalin, etc.) autrefois fermés, ce qui serait le signe d'une meilleure intégration économique :

---

9. R. Jenkins, J. Solomos (dir.), *Racism and Equal Opportunity Policies in the 1980s*, Cambridge, Cambridge University Press, 1989 ; C. S. Ungerleider, « Immigration, Multiculturalism, and Citizenship : The Development of the Canadian Social Justice Infrastructure », *Canadian Ethnic Studies*, vol. 24, n° 3, 1992 ; C. Jain Harish, « Affirmative Action, Employment Equity and Visible Minorities in Canada », dans *Labour Relations in a Changing Environment*, Berlin, Walter de Gruyter, 1992 ; P. Noblet, *op. cit.*

10. J. Solomos, *Race and Racism in Contemporary Britain*, Londres, Macmillan, 1989.

La communauté haïtienne est assez diversifiée. Il y a des gens très bien intégrés, soit dans la fonction publique, soit dans des professions assez bien rémunérées — ingénieurs, médecins, enseignants. Mais la majorité de la communauté est ouvrière. Les femmes particulièrement travaillent beaucoup. Et puis on a un entreprenariat qui commence à se développer, mais qui est encore relativement faible, relativement fragile, et qui n'arrive pas encore vraiment à employer beaucoup de personnes dans la communauté. En termes de création d'emplois par la communauté elle-même, ça s'en vient, mais c'est encore relativement faible (homme, 44 ans).

Cet optimisme n'est pas partagé par la majorité des leaders rencontrés qui doutent du progrès réel dans ce domaine. Il existerait en fait un marché du travail réservé aux travailleurs les mieux formés (immigrants et nationaux) et un marché du travail réservé aux travailleurs plus démunis, où les immigrants seraient surreprésentés.

Le profil sociodémographique et socioéconomique des migrants influe sur l'intégration économique, sans compter que les groupes d'immigrants sont arrivés dans des contextes économiques différents. Les Haïtiens qui ont émigré au début de la révolution tranquille sont « bien installés », mais ceux qui sont arrivés un petit peu plus tard ont eu beaucoup plus de difficultés à se placer, si bien qu'ils se retrouvent dans des niches occupationnelles plus précaires, chauffeurs de taxi, par exemple.

L'importance relative des diverses catégories d'immigrants s'est aussi transformée avec, notamment, la réduction de la proportion des immigrants indépendants parmi les nouveaux arrivants d'Haïti, l'augmentation de celle des immigrants acceptés dans le cadre de la réunification familiale et dans celui des programmes spéciaux humanitaires (destinés à régulariser la situation des Haïtiens au Canada avec un statut indéterminé ; très peu ont été renvoyés en Haïti, même s'ils ne répondaient pas aux exigences de la loi). Alors que le système de points adopté pour l'examen des candidatures favorisait auparavant le recrutement de candidats « indépendants » ayant un niveau d'éducation élevé et aptes à subvenir à leurs propres besoins, le système de parrainage est devenu l'une des principales — sinon la seule — modalités d'admission de nouveaux immigrants haïtiens, étant donné le resserrement des conditions d'admission des candidats « indépendants » :

> Les immigrants indépendants sont choisis en fonction de leur employabilité. Ils viennent en général avec une attestation d'emploi. Les gens qui sont parrainés, en revanche, vivent aux crochets de quelqu'un et puis ils commencent à se rendre compte que c'est un petit peu difficile, qu'il faudrait peut-être aller travailler. Là on commence à avoir des problèmes. Parce qu'il y en a qui ne maîtrisent pas la langue d'une part, et puis d'autre part, il faut qu'ils travaillent dans les secteurs mous. Donc pour ces gens, il n'y a pratiquement que les ghettos d'emploi où ils puissent rentrer et dans les secteurs que les Québécois de souche désertent en général (homme, 42 ans).

Ces nouveaux arrivants appartiennent à différentes couches sociales où domine la petite bourgeoisie originaire de villes ou de villages de province, mais des paysans en nombre important en font aussi partie. Selon certains leaders, ils sont souvent sous-scolarisés ou non scolarisés, mal préparés à entrer sur le marché du travail et voués aux emplois non qualifiés. Ils s'adaptent difficilement à la vie québécoise. Au problème de formation s'ajoutent d'autres obstacles, comme la faible connaissance du français et le contexte économique défavorable. Le statut de parrainé interdit aux nouveaux immigrants l'accès aux programmes d'aide gouvernementale. Le choc culturel, l'encadrement communautaire insuffisant, l'ignorance du fonctionnement de la société québécoise contribuent à freiner l'entrée dans le marché du travail :

La plupart des gens de l'immigration récente, de 1970 à 1990, sont des ouvriers, des paysans. Arrivés ici il se produit une espèce de choc culturel. C'est comme si des gens qui vivaient au moyen âge tombaient carrément dans une société technologique avancée. Alors il y a beaucoup de frictions. Il y a une possibilité de les intégrer mais il y a quand même beaucoup de difficulté (homme, 52 ans) ;

Imaginez des gens qui menaient une vie rurale et qui débarquent un beau matin à Montréal, analphabètes de surcroît. C'est le dépaysement, non seulement physique, mais mental, culturel. Parce que tout ici se fait par écrit. Si on n'arrive pas à décoder, on est pris. Le malheur pour ces gens-là c'est qu'ils arrivent ici démunis, même s'ils sont parrainés, mais ceux qui les font venir ne sont pas mieux habilités à donner des conseils. La première chose qu'ils offrent à ces nouveaux venus, c'est de trouver un petit emploi dans une manufacture. Et voilà, ils sont prisonniers. Le travail, la maison, et comme la plupart du temps, ils sont de confession protestante, ils vont à l'église le samedi ou le dimanche. Mais il n'y a pas d'encadrement communautaire (homme, 56 ans).

Les concentrations d'emplois varient selon le sexe et la durée du séjour au Québec. La main-d'œuvre serait surreprésentée dans certains domaines — le secteur manufacturier pour les femmes, l'industrie du taxi pour les hommes, mais le domaine de la santé constituerait depuis longtemps un pôle d'attraction important. Même si les postes occupés aujourd'hui ne sont plus aussi prestigieux qu'ils l'étaient au moment de l'insertion des premiers immigrants haïtiens dans les années 1960, ce créneau présente encore un intérêt (femmes qui travaillent comme personnes à tout faire dans les hôpitaux, hommes aides-infirmiers, infirmières auxiliaires dans les centres d'accueil pour personnes âgées, etc.).

La forte concentration des travailleurs, hommes et femmes, dans les secteurs précaires du marché du travail et l'exploitation qui y est associée restent donc préoccupantes pour les leaders, qui notent que, dans l'économie des pays capitalistes, les emplois les moins attrayants sont réservés aux nouveaux immigrants.

Le manque de qualifications professionnelles de la majorité des travailleurs et la non-reconnaissance de leurs diplômes ou de leur expérience de travail bloquent aussi l'entrée sur le marché du travail, entraînant un gaspillage des ressources humaines. Outre la fonction publique et parapublique ou la construction, les leaders notent la sous-représentation dans les affaires, ce qui freine l'intégration, en comparaison avec les tendances que l'on constate dans les groupes ethnoculturels italien ou grec. La faiblesse de l'entreprenariat retarde donc le progrès économique des immigrants d'origine haïtienne.

Dans le cas des Québécois d'origine italienne, l'insertion économique est plus complexe, et elle a lieu dans plusieurs secteurs où dominent les industries manufacturières, le commerce du détail et l'industrie de la construction. Les occupations les plus fréquentes se retrouvent dans les emplois de bureaux et travailleurs assimilés et dans la catégorie fabrication, montage et réparation. Ajoutons que les mouvements migratoires importants en provenance des diverses régions d'Italie ont cessé depuis plusieurs années, et que la faible immigration actuelle composée essentiellement d'intellectuels et d'investisseurs ne pose aucun problème d'intégration.

La mobilité sociale ascendante, intra mais surtout intergénérationnelle, constitue ici un leitmotiv du discours. De l'avis des leaders, les Québécois d'origine italienne sont bien intégrés dans l'économie québécoise et se retrouvent « dans tous les domaines et toutes les techniques », ce qui les distingue des autres groupes ethniques, grec et juif en particulier :

> Nous sommes la seule communauté hétérogène à tous les niveaux : économique, politique, social et culturel. On trouve chez les Juifs des professionnels, des commerçants et des industriels. Probablement, il y a aussi des travailleurs juifs, mais combien ?

C'est tellement minime que ce n'est pas suffisant pour parler de communauté hétérogène. Les Grecs sont dans la restauration, les femmes dans le textile. Tandis que les Italiens, vous les retrouvez dans plusieurs secteurs : commerçants, professionnels, industriels, ouvriers, dont 30 à 40 % dans la construction, dans la mécanique, etc. (homme, 55 ans).

Le succès dans l'occupation de multiples niches économiques et le développement des ressources propres à leur groupe s'expliqueraient par l'ardeur au travail des premiers arrivants, la solidarité familiale, villageoise et régionale, la petite entreprise familiale, le travail souterrain (que certains estiment en recul, mais que d'autres situent dans le prolongement des pratiques traditionnelles de l'économie informelle en Italie). Les répercussions de l'unification tardive de l'Italie sur les références culturelles des immigrants italiens, souvent plus locales que nationales[11], ne seraient pas non plus un facteur négligeable dans la diversification économique, tout comme l'inégalité des ressources humaines liées aux diverses vagues d'immigrants qui sont d'ailleurs sources de préjugés intracommunautaires. Même si une transformation de l'identité autour de l'italianité, processus qui tend à amenuiser les différences, se fait jour, les contrastes de mentalité entre Italiens du Sud et Italiens du Nord sont toujours présents.

La mobilité est parallèle au remplacement des travailleurs d'origine italienne par les immigrants des sociétés périphériques, dans le textile par exemple :

Au fur et à mesure que les femmes de cinquante ans prendront leur retraite, nous ne serons plus surreprésentés dans le textile. La nouvelle immigration va prendre la place des Italiens, comme les

---

11. G. Campani, *Pluralisme culturel en Europe. Cultures européennes et cultures des diasporas. L'exemple de la diaspora italienne*, Paris, texte ronéotypé, 1991.

femmes italiennes ont remplacé les femmes québécoises dans ces usines (homme, 45 ans).

Les opinions sont partagées sur cette nouvelle immigration qui contribue, pour les uns, à l'économie du pays, mais qui constitue, pour d'autres, une charge supplémentaire pour l'État, les réfugiés notamment. Selon plusieurs, les différences culturelles sont plus fortes entre ces nouveaux arrivants et les « Canadiens français » que ne l'étaient celles entre ces derniers et les Italiens, et ils font face à un contexte économique plus difficile.

Les avis ne sont pas non plus unanimes quant aux tendances socioprofessionnelles ascendantes du groupe. Cette opinion se fonde sur l'idée de concurrence avec les francophones, considérés par plusieurs leaders d'origine italienne comme ayant moins d'ambition que les immigrants et les membres des minorités ethniques. Les professions libérales attireraient de plus en plus les jeunes de la communauté, encouragés par leurs parents à poursuivre leurs études :

Il commence à y avoir beaucoup de médecins italiens, beaucoup d'avocats italiens, de notaires, et toujours moins de fils de Québécois qui étudient pour avoir une position. Si ça continue, nous allons nous retrouver dans quelques années avec beaucoup de noms italiens, portugais, chiliens dans des positions importantes, dans les positions cadres, et beaucoup moins de noms francophones (femme, 48 ans).

D'autres leaders doutent toutefois de la mobilité sociale réelle. La concentration de la main-d'œuvre d'origine italienne dans certains secteurs économiques tendrait à se reproduire de génération en génération, les jeunes professionnels constituant une minorité :

La majorité des Italiens ont des emplois dans la construction, la restauration et même dans les commerces. Je sais qu'à peu près six cents commerces d'alimentation sont contrôlés par des gens d'origine italienne. Mais la classe ouvrière est toujours dans les manufactures, le vêtement, la construction, l'alimentation et les restaurants. Il y a quand même un certain nombre de jeunes d'origine italienne qui ont fait des études universitaires, qui se trouvent maintenant dans les professions. Je dirais qu'on est une minorité : on est peu pour le nombre d'Italiens à Montréal (femme, 40 ans).

L'intégration économique des Juifs ne présente pas tout à fait les mêmes caractéristiques, même si elle a certaines similitudes avec celle des Québécois d'origine italienne. Ainsi les secteurs d'activité comme les industries manufacturières et le commerce de détail sont dominants, mais on constate une représentation plus forte dans les services liés aux entreprises, dans l'enseignement et dans les services médicaux et sociaux. La répartition par professions reflète ces contrastes, puisque les cadres et les administrateurs et les employés dans la vente forment les catégories les plus nombreuses. Les statistiques du recensement situent les Juifs au sommet de l'échelle des revenus au Canada et au Québec[12], ce qui dénote une réussite économique certaine.

Le discours des leaders d'origine ashkénaze reflète ces tendances statistiques objectives. Si les descendants des premiers immigrants juifs arrivés à la fin du siècle dernier et provenant des empires austro-hongrois et de Russie ont composé une partie de la classe ouvrière, les immigrants venus après la deuxième guerre mondiale font aujourd'hui partie d'une forte « classe moyenne » de professionnels et d'une bourgeoisie d'affaires (commerce, immobilier, industrie du vêtement et du textile, etc.) :

On a travaillé fort. Les gens qui sont venus après la deuxième guerre ne sont pas venus avec de l'argent, ils sont venus avec leurs vêtements, c'est tout. Après avoir travaillé très fort, les parents ont

---

12. M. Weinfeld, « The Jews in Montreal », dans R. J. Brym, W. Shaffir, M. Weinfeld (dir.), *The Jews in Canada*, Toronto, Oxford University Press, 1993.

voulu que leurs enfants n'aient pas à travailler comme eux ; ils ont mis l'accent sur l'éducation. Et pour cette raison, et je ne sais pas si c'est nécessairement positif, mais c'est la réalité, on devient de plus en plus des professionnels : des avocats, des comptables, des médecins, des ingénieurs (femme ashkénaze, 41 ans).

Si les ashkénazes insistent sur le fait que les Juifs sont les plus éduqués au Québec et sur l'importance de la « classe moyenne », ils rejettent le mythe selon lequel tous les Juifs seraient riches :

> Les Juifs sont parmi les plus éduqués de la province. Mais nous avons à peu près 20 % de notre population au-dessous du seuil de pauvreté. Je pense que nous sommes plus dans la moyenne que les gens ne le pensent (femme ashkénaze, 42 ans).

La durée d'implantation de la communauté juive, l'ardeur au travail des anciens immigrants, l'accent mis sur l'éducation sont les facteurs le plus souvent invoqués pour expliquer la forte mobilité intergénérationnelle et, en particulier, le déplacement des activités du milieu manufacturier vers les professions libérales et autres. La répartition de la main-d'œuvre dans la communauté séfarade[13] semble confirmer l'importance des activités liées au commerce et de l'import-export du textile et du vêtement, mettant en relief l'entrée des séfarades dans des créneaux délaissés par leurs coreligionnaires européens :

> Les Juifs ashkénazes sont venus plus tôt, à un moment où l'anglais était dominant, et on s'intègre toujours à la force dominante. On est passé du mode industriel de confection à un mode maintenant différent. C'est-à-dire que Montréal était un centre de création textile qu'il n'est plus parce que ça s'est déplacé vers l'Asie. Cela a été remplacé très rapidement par les Juifs séfarades, qui, eux, il faut le porter à leur crédit, ont introduit au Québec l'art de s'ha-

---

13. S. Dahan, M. Chokron, *Rapport de l'enquête sur la population sépharade de l'agglomération montréalaise*, Communauté sépharade du Québec, décembre 1989.

biller. Toutes les boutiques, la chaussure, la chemise, le pantalon, toutes les grandes marques. Et ils ont de ce point de vue supplanté l'habillement un peu lourd de l'Europe centrale d'avant-guerre qui était le fait des Juifs ashkénazes (homme séfarade, 46 ans).

Avec l'arrivée de Juifs d'Éthiopie et d'Israël depuis une dizaine d'années, la communauté connaît des changements — encore minimes — au niveau des caractéristiques sociodémographiques de sa main-d'œuvre et des statuts socioprofessionnels, ce qui nécessite un effort important des agences juives pour aider à l'insertion des nouveaux immigrants, en particulier les Juifs éthiopiens :

> Ils ne sont pas nombreux — quelques centaines. Ce n'est pas énorme, mais ça pose des problèmes concrets : d'abord ce sont des gens qui ont fait un saut dans l'histoire en quelques heures. Deuxièmement, c'est effectivement une population noire avec tout ce que ça peut poser comme questions au plan individuel. Au niveau collectif, il y a une infrastructure qui a été mise en place : cours de francisation, aide pour le logement, l'emploi. La communauté a été dans ce sens-là un bassin d'accueil assez important. Ce sont des Juifs ruraux, des artisans, des gens qui travaillaient un peu les métaux, des paysans. Et puis, une toute petite population urbaine (homme séfarade, 36 ans).

Les immigrants en provenance d'Israël (pour la plupart des Marocains ou des Juifs de Russie de seconde migration) ont souvent des difficultés d'intégration à la communauté juive car ils ne sont pas toujours bien vus à cause de leur abandon de la mère patrie :

> L'immigration des Juifs d'Israël pose un ensemble de questions à la communauté juive. Théoriquement, le rapport qu'ont les communautés de la diaspora avec Israël, c'est de soutenir l'émigration vers Israël. Donc, elles ne peuvent pas en même temps, en tout cas officiellement, favoriser l'insertion de Juifs israéliens dans la diaspora (homme séfarade, 36 ans).

Tout comme les autres leaders, les Juifs notent la sous-représentation de leur groupe ethnique dans la fonction publique tant municipale que provinciale.

Les Québécois d'origine libanaise se concentrent dans les industries manufacturières et le commerce de détail. Les principales professions de la population active sont liées à des postes de cadres et d'administrateurs et à la vente. Tout comme pour les autres groupes étudiés, l'hétérogénéité du groupe d'origine libanaise au Québec, qui a été constitué par des courants migratoires étalés sur une longue période et assez diversifiés sur le plan socioprofessionnel et culturel, apparaît comme un fait saillant.

Les interviewés identifient deux, trois ou quatre phases migratoires selon des critères comme la période d'arrivée, l'origine géographique ou confessionnelle. Ainsi, certains distinguent deux immigrations : l'ancienne, bien insérée sur le plan économique et social, et la récente, qui coïncide avec la guerre civile libanaise de 1975. D'autres parlent de trois périodes d'immigration : l'ancienne immigration grecque orthodoxe qui a quitté la Syrie et le Liban pour des raisons économiques et dont les descendants sont bien établis aujourd'hui et assimilés ; celle des années trente et quarante ; et l'immigration récente constituée de chrétiens, de musulmans et de druzes, dont la plupart seraient des professionnels, fuyant la guerre dans des circonstances désespérées, immigration qui provoque des tensions avec l'ancienne communauté.

La distribution en quatre catégories recouvre en partie ce dernier modèle : la première vague remonte à l'immigration des Libanais catholiques de rite byzantin à la fin du dix-neuvième siècle. Ces immigrants, considérés comme schismatiques par l'Église catholique et refusés dans les commissions scolaires catholiques françaises, se sont anglicisés et constituent la fraction ancienne de la communauté. La deuxième, composée de professionnels et d'immigrants urbains et scolarisés, commence à arriver vers 1962 et comprend des Libanais d'Égypte, des Libanais arméniens, des Libanais maronites, des Syriaques libanais. La troisième, composée essentiellement de professionnels réfugiés, commence avec la guerre du Liban de 1975. L'immigration la plus récente, qui a suivi l'invasion israélienne, comprend des investisseurs, des professionnels, des réfugiés de toutes les couches sociales, en particulier des segments populaires du sud du Liban où dominent les chiites.

Sur le plan socioprofessionnel, chaque vague a sa configuration propre. Les immigrants ou les descendants de la première immigration, fortement imprégnés d'un esprit commercial, se sont concentrés dans le domaine manufacturier et dans le commerce en gros du textile, alors que les groupes suivants ont choisi des créneaux plus professionnels :

> Les anciens Libanais sont surtout dans le textile et le commerce. Les magasins Rossy, par exemple, c'est toute une chaîne. À partir de 1975, ce sont presque tous des professionnels, ingénieurs, avocats, médecins, dentistes. Maintenant, il y a beaucoup de professionnels qui sont venus après et qui ne peuvent pas travailler dans leur profession. Ils essaient n'importe quel travail. Vous allez les voir dans les usines, dans les supermarchés, ce sont tous des professionnels (femme, 58 ans).

Plusieurs insistent sur la fierté, l'esprit d'entreprise et la débrouillardise des Libanais et leur capacité d'adaptation économique. On souligne qu'ils ne supportent pas la « charité » de l'État, ce qui expliquerait que très peu ont recours à l'assistance sociale :

> Les Libanais sont de grands travailleurs. Et ils ont un orgueil extraordinaire, une fierté énorme. La première chose qu'ils font, c'est chercher du travail. Ils ne supportent pas la charité. Et ils considèrent que le bien-être social, le chômage, etc., c'est de la charité (femme, 54 ans).

Si les descendants de la première immigration ont connu une forte mobilité sociale et constituent à l'heure actuelle une force économique importante, la dernière immigration composée surtout de professionnels connaît des problèmes importants sur le plan économique et a subi une déqualification majeure :

> La dernière vague d'immigrants comprend une proportion importante de professionnels. J'ai un dossier, par exemple, de trente-huit ingénieurs libanais arrivés au pays au cours des quatre dernières années. Ils ne peuvent pas trouver de travail. Ce sont des ingénieurs qualifiés mais il n'y a pas d'équivalence des diplômes. Ils ne peuvent donc pas s'intégrer rapidement (homme, 37 ans).

Le manque de coordination entre les services de recrutement à l'immigration et les différentes corporations québécoises complique la vie des professionnels immigrants confrontés à la rigidité des règlements professionnels :

> Vous partez en vacances au Liban, vous tombez malade, il y a une clinique, le médecin, c'est un Libanais. Il vous soigne. Ce même médecin arrive ici, il n'a pas le droit d'exercer sa profession. Ça, c'est la bourgeoisie des cliques de médecins du Québec qui n'ouvrent la boutique que pour ceux qui sortent des facultés du Québec (homme, 44 ans).

Devant cette situation, plusieurs tentent de se lancer en affaires, ce qui explique leur présence dans de nouveaux créneaux économiques. Ainsi, beaucoup de médecins et d'ingénieurs ouvriraient de petits commerces ou de petits restaurants ou des bureaux d'immigration pour encourager la venue d'investisseurs et les conseiller dans leurs opérations financières. Les modalités d'insertion seraient par ailleurs plus difficiles pour les chiites récemment arrivés, comparativement aux sunnites :

> La plupart des réfugiés que je connais ici sont des chiites, ce sont des jeunes couples qui viennent des villages ; ils ne sont pas de Beyrouth, ils ne sont pas des grandes villes. Et ils sont venus soit

parce que leur village était détruit, soit qu'ils voulaient tenter leur chance. Ce sont de jeunes couples pour la plupart avec de très jeunes enfants, et des couples qui ne parlent pas la langue, qui ne sont pas instruits, puis qui n'ont aucune éducation et pour qui il est très difficile de s'intégrer ici (femme, 41 ans).

Refusant d'être désignés comme minorité visible, les leaders d'origine libanaise considèrent que la main-d'œuvre de leur groupe a pourtant la possibilité de s'intégrer plus facilement étant donné qu'elle ne subit pas les mêmes pratiques discriminatoires que les autres groupes :

On n'est pas victime des mêmes préjugés raciaux. Le Québécois... le raciste québécois peut nous prendre pour des Italiens, il peut nous prendre même pour des Québécois si on est un peu blanc. Mais le Noir, il souffre, parce que c'est sa couleur. Donc nous, on peut s'avancer. Nous, on peut s'avancer plus, puis on s'intègre. Il y a des députés, il y a des grands commerçants de tissus, textile, à Montréal, ce sont en majorité des Libanais (homme, 30 ans).

La répartition de la main-d'œuvre fait donc ressortir une plus grande diversification dans le marché du travail et la structure économique pour les Québécois d'origine juive, italienne et libanaise, ce qui est lié à la profondeur de l'immigration. Ces groupes tendent, entre autres, à se dégager de la surconcentration dans le marché secondaire du travail qui reste plus marquée pour les Québécois d'origine haïtienne.

Chômage

Au recensement de 1986, le taux d'activité des Québécois d'origine haïtienne était comparable à celui de la population totale du Québec, en particulier en ce qui concerne les femmes (voir annexe). Par contre, tant le taux de chômage général que celui des jeunes de 15 à 24 ans était beaucoup plus élevé que dans la population québécoise totale et parmi les jeunes.

L'évaluation du taux de chômage ne fait pas l'unanimité parmi les leaders. Certains le situent à des niveaux qui varient de 35 % à 60 % pour le groupe dans son ensemble, mais il toucherait spécialement les jeunes et les femmes du secteur manufacturier. Les hommes réussiraient, par contre, à se débrouiller mieux dans certains secteurs de l'économie plus informelle.

D'autres, au contraire, pensent que le chômage ne touche pas plus gravement la main-d'œuvre de la communauté que celle des autres groupes, les femmes en particulier acceptant plus facilement des emplois déqualifiés, à cause de leurs responsabilités familiales plus grandes vis-à-vis des enfants et de la parenté. La situation générale du marché du travail ne serait pas étrangère à ce sous-emploi : crise économique, fermeture d'usines, précarisation du travail, concentration des travailleurs dans les emplois non syndiqués, discrimination directe (préjugés) et indirecte (carences des réseaux d'embauche dans la société globale qui ont pour effet l'exclusion) :

> Le chômage est extrêmement élevé à cause du manque de formation professionnelle et du manque de débouchés peut-être sur le marché du travail, mais aussi du racisme. En même temps, il y a beaucoup de difficultés à avancer dans le travail. S'ils sont manœuvres, ils vont rester manœuvres, même après cinq ou six ans et qu'ils apprennent bien ce travail-là. Les manœuvres québécois, mais aussi les gens qui viennent de l'extérieur, passent avant eux. Je connais des exemples concrets (homme, 52 ans) ;

> Il y a la formation, bien sûr. Mais il y a aussi d'autres facteurs. On a toujours pensé par exemple que les « Noirs » étaient paresseux. Et c'est resté ancré peut-être dans la tête d'un employeur qu'un « Noir » ne va pas produire grand-chose (homme, 48 ans).

Les caractéristiques occupationnelles des Haïtiens d'arrivée récente vont dans le même sens : manque de qualifications et de formation professionnelle, manque de modèles d'orientation professionnelle, conduite dans le milieu de travail, comportement d'auto-exclusion et manque de dynamisme économique de la communauté (faiblesse de l'entreprenariat) qui ne possède pas le réseau interne d'embauche des communautés italienne, juive, grecque, etc. :

> Vous avez deux sortes de chômeurs. Ceux qui, parce qu'ils ont fait des études en Haïti, se disent : moi ici, je ne suis pas prêt à vendre ma force de travail dans une manufacture. J'ai fait mes études, j'ai mon bac, etc. Ceux-là vont au bien-être social. Et il y a les autres qui sont dépourvus de tout. Et nous n'avons pas encore une infrastructure qui nous permette d'employer nos ressortissants. Chez les Italiens, au contraire, il y a une... pas une solidarité, mais il y a du travail, ils peuvent donner du travail aux leurs. Ce n'est pas le cas pour les Haïtiens (homme, 56 ans).

Pour remédier à la situation, on préconise un meilleur encadrement des jeunes et l'orientation professionnelle, mais entre-temps, l'état organisationnel du groupe et les modèles proposés, tout comme le choix de mauvaises filières d'emploi rendent la progression économique difficile :

> Il y a beaucoup de problèmes : méconnaissance du marché du travail, absence de réseaux informels, absence de modèles dans certaines professions. Si des médecins ou des professeurs ont réussi, on va essayer d'être médecin ou professeur. Si on n'est pas médecin ou professeur, on est un raté, on a échoué, on est bon à rien... Alors qu'on aurait pu être un bon technicien de laboratoire, ou n'importe quoi. Et puis il y a la faiblesse de l'entrepreneurship qui n'a pas encore vraiment formé des modèles de réussite sociale (homme, 44 ans) ;

> Il n'y a aucun « Noir » qui occupe une position de force où il est projeté en avant de la scène... S'il y en a, ils sont très peu nombreux. Par exemple, il n'y en a même pas cent qui occupent des positions auxquelles les jeunes peuvent s'identifier. Ils ne se voient pas dans la vie, ils ne se voient nulle part vraiment (homme, 44 ans).

Les nouvelles formes d'organisation du travail qui rendent précaire l'emploi pour les jeunes en général contribuent à ces difficultés :

> Le problème de la jeunesse est général, mais il se pose avec plus d'acuité pour les jeunes des minorités visibles, qui n'ont jamais eu une sécurité d'emploi, qui n'ont jamais connu un emploi syndiqué ou un emploi stable permanent... Enfin il y a toutes sortes de nouvelles formes de gestion du travail, de la main-d'œuvre, qui sont apparues. Et les jeunes ont écopé. Pour les jeunes de la communauté haïtienne, je pense que ce n'est pas différent, sauf que c'est peut-être plus grave (homme, 44 ans).

Au recensement de 1986, chez les Québécois d'origine italienne, le taux d'activité global était un peu plus élevé que celui de l'ensemble de la population du Québec, et c'est aussi le cas parmi les femmes (voir annexe). Le chômage était légèrement plus faible. Selon certains leaders, il serait moins élevé que dans les autres groupes ethniques, car le groupe italien, installé au Québec depuis longtemps, posséderait un réseau d'emploi dynamique et jouirait d'une forte solidarité interne :

> Les problèmes de chômage et de bien-être social sont presque inexistants dans la communauté d'origine italienne si on la compare à la communauté d'origine française. Il y a un très fort soutien de la famille dans la communauté d'origine italienne. Ça donne plus de chance de trouver un travail, d'en changer, de créer une petite entreprise... (homme, 57 ans).

Les jeunes Québécois d'origine italienne connaissent cependant des problèmes d'emploi semblables à ceux de l'ensemble des jeunes. Les causes en seraient la méconnaissance du français et de l'anglais, la perte des valeurs du travail et du sens du sacrifice chez les enfants d'immigrants et un fort décrochage scolaire. Ainsi, selon un commentaire recueilli, 30 % des jeunes d'origine italienne décrocheraient avant le secondaire cinq ou au cégep. Cela s'expliquerait par le fait que « l'éthique dans les familles italiennes est toujours une éthique qui encourage le travail », les jeunes étant plus incités par la famille à joindre le marché du travail qu'à faire de longues études. Or, à cause de la conjoncture économique, peu réussissent à trouver « un travail stable », ce qui décourage les parents qui auraient voulu que leurs enfants poursuivent leurs études et accèdent à des emplois mieux rémunérés. Les conflits de langue et d'identité contribueraient à ces problèmes :

> Ils entraient en première année, ils coulaient parce qu'ils ne parlaient ni l'anglais ni le français — à la maison on parlait le dialecte de la région. Je pense que les écoles n'étaient pas préparées. L'autre erreur c'est que les parents ont gâté un peu ces enfants. La deuxième génération, les fils de ces immigrants n'ont pas été aidés, ils ne sont ni italiens, ni québécois, ni canadiens, et c'est sûr qu'ils ont certains problèmes (homme, 50 ans).

Dans le cas des Québécois d'origine juive, le taux d'activité de la population active est un peu plus faible que celui de la population québécoise en général, même si le taux de chômage est considérablement plus bas — sauf pour les jeunes de 15 à 24 ans où il est légèrement supérieur à celui de l'ensemble de la population des jeunes de Montréal (voir annexe). L'opinion des leaders juifs varie sur cette question. Selon les uns, ce ne serait pas un problème sérieux en raison de la qualité des services d'accueil et de placement de la communauté, de la solidarité économique communautaire, du niveau élevé d'éducation, du bilinguisme croissant, de l'esprit d'entreprise de certains jeunes :

> La communauté juive a fait des efforts énormes pour que les jeunes soient bilingues. Et on n'a pas tout à fait réussi, mais une grande partie des jeunes de la communauté juive savent plus ou moins parler français (homme ashkénaze, 36 ans) ;
>
> On a une agence de placement qui s'occupe un peu d'aider les gens ; pas uniquement les jeunes, mais aussi les gens de quarante-

cinq, cinquante ans, à retourner sur le marché du travail. Ça s'appelle le Jewish Professional Services. C'est un peu l'équivalent d'Emploi Québec (homme séfarade, 36 ans) ;

> Ils sont touchés de la même façon que les autres jeunes, mais ils ont une autre façon de voir. Pour nous, c'est insultant d'être au chômage. Alors, il n'y a rien à faire, ils vont se débrouiller à faire n'importe quoi. Ils vont emprunter cinq mille dollars et ils vont démarrer un petit commerce. Ils sont entreprenants (femme séfarade, 48 ans).

Pour d'autres au contraire, le chômage touche durement les jeunes, les femmes et les plus âgés, surtout parmi ceux qui, malgré les progrès, ne parlent pas français : « Ce n'est pas simplement le chômage, c'est vraiment une question d'intégration linguistique et culturelle », dit un leader.

> Le chômage touche les mêmes personnes probablement de toutes les communautés, des femmes monoparentales, des personnes qui n'ont pas un bon niveau scolaire et les habiletés nécessaires pour avoir un certain travail. Et puis il y a probablement beaucoup d'anglophones qui ne parlent pas français (femme ashkénaze, 45 ans).

Le principal motif d'inquiétude reste cependant le départ des jeunes ashkénazes après leurs études universitaires. Ce problème aurait déjà entraîné une distorsion de la structure d'âge dans le groupe juif, où le pourcentage de personnes âgées est plus élevé que la moyenne nationale. Cette émigration vers le Canada anglais ou les États-Unis s'expliquerait par plusieurs facteurs. Ces régions auraient toujours constitué des pôles d'attraction, rendus encore plus significatifs par l'absence de débouchés, l'instabilité politique et la pression linguistique au Québec :

> Les autres partent non seulement à cause des avantages qu'ils trouvent ailleurs mais parce qu'ils ne veulent pas que leurs enfants soient obligés d'apprendre le français pendant tant d'heures. Je ne

veux pas que mes enfants restent ici parce que je ne pense pas qu'ils doivent vivre un bouleversement tous les dix ans à cause des séparatistes. Nous vivons en Amérique du Nord. Je suis heureux qu'ils soient bilingues, mais ils ne devraient pas être obligés d'être éduqués de telle ou telle manière (femme ashkénaze, 50 ans) ;

Il y a beaucoup d'enfants qui sont parfaitement bilingues, mais qui ne se sentent pas à l'aise. À cause du climat politique, à cause de l'incertitude : est-ce que le Québec va se séparer, est-ce que nos droits seront protégés dans le Québec de l'avenir ? Les inquiétudes des parents se transmettent aux enfants (homme ashkénaze, 41 ans).

En insistant sur les perspectives d'avancement socioéconomiques ouvertes par l'émigration, le milieu familial et scolaire ne serait pas étranger à la motivation au départ :

Il y a un lavage de cerveau de la part des parents et des enseignants, surtout des directeurs des écoles juives. Il y a une connivence à répéter aux enfants que l'avenir est en dehors du Québec, qu'il est dans le Canada anglais ou le reste des États-Unis. Les chances économiques sont peut-être plus intéressantes ailleurs, le marché est plus grand, ils parlent anglais, donc c'est beaucoup plus naturel. C'est vrai qu'ils sont aussi bilingues, mais ils se sentent beaucoup plus à l'aise, ça devient plus naturel de raisonner en termes de continent ou de pays que de se limiter au Québec (homme séfarade, 46 ans).

Quelques leaders font allusion à la discrimination qui s'exercerait à l'égard des jeunes qui ne sont pas québécois de souche, ce qui empêcherait une insertion économique réussie :

Il est plus difficile d'avoir un travail si vous n'êtes pas né québécois francophone. Vous serez exclus de certains secteurs. Le sentiment parmi les jeunes juifs est qu'ils n'ont pas les mêmes chances que les Canadiens français qui sont nés et éduqués ici (femme ashkénaze 50 ans).

Ce problème ne se poserait d'ailleurs que pour les jeunes ashkénazes et il s'expliquerait par une tendance au repli de la communauté sur elle-même, alors qu'elle aurait intérêt à s'ouvrir et à se rapprocher de la majorité francophone du Québec. Cet isolement aurait, selon un leader séfarade, amplifié une socialisation tendant à rejeter l'intégration à la société québécoise et les jeunes auraient été « élevés un peu comme des immigrants », négligeant, sinon méprisant, les carrières dans la fonction publique ou parapublique québécoise.

Parmi les Québécois d'origine libanaise, le taux d'activité était, en 1986, plus élevé que celui de la population globale québécoise, sauf dans le cas des femmes (voir annexe). Le taux de chômage était similaire. Par contre, il était plus élevé chez les jeunes. Tout comme dans les autres groupes, les leaders d'origine libanaise ont des avis partagés sur cette question. Plusieurs soutiennent qu'il s'agit d'un problème important chez les immigrants récents ou les réfugiés, en particulier parmi les jeunes, dont les diplômes et l'expérience de travail dans le pays d'origine ne seraient pas reconnus. D'autres pensent que le chômage ne préoccupe pas les Québécois d'origine libanaise, étant donné leurs qualifications, leur capacité d'adaptation, leur bilinguisme courant et leurs valeurs culturelles :

> Il y a des problèmes de chômage partout, mais je ne pense pas que les Libanais en aient plus que d'autres. D'abord, parce que la majorité des Libanais qui viennent ici parlent anglais ou français très bien. Cela les aide beaucoup pour l'intégration. Deuxièmement, ils ont un bon niveau d'instruction. Quant aux gens qui viennent sans le sou, la majorité, ils sont parrainés ou quelque chose comme ça, ils sont donc soutenus (femme, 44 ans).

Comme on le voit, l'évaluation du chômage est très variable. Certains le sous-estiment, d'autres le surestiment. Ce dernier cas est frappant chez les leaders d'origine juive, où on peut le lier à l'anxiété du départ des jeunes, et haïtienne, où on peut le rattacher au sentiment de la discrimination qui peut entraîner des distorsions dans l'évaluation de ces questions.

Travail non déclaré

Pour ce qui est du travail non déclaré et des clandestins, les leaders d'origine haïtienne s'attendent à ce que le phénomène augmente si on prend en considération le type d'immigration en provenance d'Haïti au cours des dix dernières années (réfugiés et parrainés) et le ralentissement de l'activité dans les secteurs économiques où cette main-d'œuvre est majoritairement insérée (industries manufacturières et services), sans pouvoir cependant l'évaluer précisément. Quelques-uns associent le travail clandestin strictement à l'immigration illégale : « Ceux qui travaillent sous la table sont illégaux et, étant illégaux, ils n'ont pas le choix, ils sont obligés de le faire », dit l'un d'eux.

Dans ce genre d'emplois non déclarés, on retrouverait surtout des femmes qui « ont souvent des enfants à charge, que ce soit avec elles ici, en Haïti ou aux États-Unis » :

> Ce sont beaucoup les femmes qui travaillent à domicile, qui font des ménages. Beaucoup sont illégales, mais aussi requérantes au statut de réfugié et pour qui c'est plus facile d'avoir ce type d'emploi. Les auxiliaires familiales à domicile, les femmes qui suivent des cours et qui vont donner des soins à domicile aux personnes âgées sont dans le même cas. Ce secteur est en train de prendre une grande place (femme, 45 ans).

Le travail non déclaré serait en outre favorisé par les nouvelles pratiques de travail dans le domaine de l'entretien ménager, du textile, qui illustreraient les formes poussées que peut prendre l'exploitation du travail immigrant, où « les gens ne sont pas couverts, ne sont pas protégés, ils n'ont pas d'assurance-chômage, ils n'ont pas l'assurance maladie, ils n'ont pas le régime enregistré d'épargne retraite » :

> Il y en a qu'on peut qualifier quasiment de travailleurs autonomes. Ce sont des nouvelles formes d'organisation du travail. Le type, il a deux, trois machines dans son sous-sol où il va engager quelques

personnes au noir, au rythme des commandes, sans déclarer. Et ça peut être des membres de la famille ou des personnes comme ça. En principe dans le textile. Quelques-uns dans l'entretien, pour aller nettoyer les centres, les bureaux (homme, 44 ans) ;

C'est une pratique des employeurs de faire des mises à pied en masse, congédier des gens pour finalement deux ou trois semaines après les rappeler et leur dire : « Bon, on n'a pas les moyens de vous embaucher, mais en attendant, seriez-vous d'accord pour accepter du travail à domicile ? » La personne a beaucoup plus de dépenses à faire. Elle doit acheter ou bien louer la machine à coudre. L'achat d'électricité augmente aussi. Dans beaucoup de cas, toute la famille est impliquée pour le même salaire dans le sens que les enfants vont travailler, la maman, le père, tout le monde travaille. Étant donné que c'est un travail non déclaré, un travail souterrain, la personne n'est pas considérée comme un travailleur autonome où elle pourrait faire des déductions d'impôt. Donc, là je pense que la personne perd beaucoup (homme, 42 ans).

L'évaluation de ces pratiques varie. Si la plupart s'y opposent, d'autres comprennent les avantages économiques ou même psychologiques que retire la main-d'œuvre, notamment l'autonomie de l'emploi à domicile. Le travail non déclaré serait une stratégie adaptée aux conditions économiques actuelles marquées par la pénurie d'emplois, car elle permettrait de maintenir les revendications sociales dans des limites acceptables :

Je lui donne un sens, parce que c'est une espèce d'exutoire logique pour des immigrants, pour des réfugiés, que l'État n'arrive pas à satisfaire. En d'autres termes, le gouvernement serait très mal pris s'il n'y avait pas de travail au noir, s'il n'y avait pas de ghettos d'emploi. Parce que toutes ces personnes seraient à ses portes chaque matin. Il ne saurait pas quoi en faire. Mais il ne faudrait pas non plus que ça prenne des proportions extraordinaires parce que ça causerait des problèmes sociaux à long terme beaucoup plus graves (homme, 42 ans).

Dans le milieu québécois d'origine italienne aussi, le travail non déclaré serait une pratique bien ancrée :

> Très fort, le travail au noir... Si tu te demandes comment fait l'ouvrier : il se trouve un immeuble rue Côte-des-Neiges, il en a un autre à Laval, deux maisons louées, et s'il marie son fils, il dépense cent mille dollars. D'où ça sort ? Il a toujours été employé, il a toujours mis un bloc sur l'autre (femme, 48 ans).

Mais il connaîtrait un recul, et il toucherait essentiellement les femmes dans des secteurs bien définis :

> Ça a diminué beaucoup... Je pensais soit à la construction ou bien dans les buffets où il y a peut-être beaucoup d'aides-cuisiniers ou de gens qui font la vaisselle... Je connais ce milieu-là de l'extérieur. Sauf qu'il y a une dizaine ou une quinzaine d'années, il me semble qu'on en parlait beaucoup. Puis maintenant, je n'ai pas l'impression que c'est très fort. J'ai l'impression que c'est peut-être plus dans d'autres communautés que ça se fait beaucoup (femme, 36 ans) ;

> On peut retrouver le travail au noir encore chez les femmes qui reçoivent des commandes des manufactures à la maison. Mais cela aussi a tendance à disparaître (homme, 22 ans).

Selon les leaders juifs, le travail non déclaré touche surtout le secteur manufacturier où les employeurs juifs « dépendent du marché noir des immigrants », et ils y feraient appel autant que les autres. Ce marché serait divisé selon les quartiers où s'implantent les entreprises :

> La dernière fois que j'ai vu des chiffres, c'était énorme. Il y a beaucoup d'argent au noir qui circule dans ce secteur. Il y a des fortunes qui se font et se défont très rapidement. Maintenant, ça touche particulièrement les immigrants. Et quand ce n'est pas du travail au noir, c'est le travail au salaire minimum, mais c'est de l'exploitation. Ou le travail à domicile qui n'est pas nécessairement du travail au noir, mais qui est une des pires formes d'exploitation (homme séfarade, 48 ans) ;

> Si vous avez une compagnie dans tel secteur de la ville, il y a un petit marché noir : les leaders de groupes ethniques vont fournir les immigrants, et les entrepreneurs vous disent qu'ils comptent sur les Latinos, sur les Portugais, sur les Chiliens... (femme ashkénaze, 42 ans).

L'opinion semble assez divisée sur la question du travail non déclaré chez les leaders d'origine libanaise. Si, pour certains, cette pratique serait moins développée dans leur communauté, pour d'autres, elle resterait un phénomène significatif, en particulier dans le secteur des services : « Oui, c'est vrai, et ça ne dérange pas beaucoup un Libanais, je ne sais pas pourquoi ça dérangerait d'ailleurs, parce qu'il faut bien survivre », dit une femme leader. Les réfugiés, sans permis de travail, confrontés à une situation économique difficile, y auraient surtout recours :

> Le réfugié va recevoir son chèque de bien-être social mais, parce qu'il a une grosse famille, cela ne suffit pas. Il va chercher un travail sous la table, il va apprendre le français — même s'il le connaît déjà — parce que ça le paye (homme, 30 ans) ;

> Ceux qui sont en attente du statut de réfugié acceptent de travailler au noir. Parce que, finalement, ce sont deux maisons qu'ils entretiennent, deux foyers. Ici, ils doivent vivre et manger, mais il y a aussi la famille qu'on a laissée là-bas (femme, 33 ans) ;

> Les requérants, les réfugiés, c'est terrible ! parce que c'est la lenteur administrative, le traitement. C'est dur de trouver un emploi, obtenir un permis. Ça encourage incroyablement le marché noir (homme, 44 ans).

Le travail non déclaré semble en somme en augmentation, lié qu'il est à la crise économique, et il toucherait particulièrement les nouvelles vagues d'immigration et les réfugiés. Les entreprises appartenant aux membres des groupes ethniques entretiennent, de leur côté, cette pratique et contribuent à l'exploitation de la main-d'œuvre immigrée qui afflue sans cesse et qui a une place structurelle dans l'économie informelle.

Discrimination

Dans l'évaluation des formes et des manifestations du racisme dont les membres de leur groupe respectif seraient l'objet, les leaders font appel à des notions qui reflètent des conceptions et des influences historiques différentes. Ainsi, les uns parlent de discrimination raciale et ethnique, d'autres de discrimination directe et indirecte, d'autres encore de racisme, de racisme symbolique ou colonial, d'ethnocentrisme et de xénophobie. Et l'exclusion ne serait pas seulement le fait de la majorité, elle se pratiquerait également entre minorités et au sein de chacune d'elles.

Selon les leaders d'origine haïtienne, la discrimination dans l'emploi est une pratique courante. La jumelant souvent à d'autres causes, certains considèrent que le racisme nuit, peut-être plus que tout, à l'intégration économique qui ne dépendrait pas que de conditions prémigratoires. La dynamique ethnique et raciale propre au Québec jouerait à cet égard un rôle non négligeable :

> En ce qui concerne l'immigration récente, je crois qu'on fait tout un plat pour pas grand-chose. Quand je regarde l'immigration canadienne d'une façon générale, comment certains groupes ont été reçus, j'avoue que ceux qui sont là actuellement n'y sont ni meilleurs ni pires. Les Italiens ont connu des problèmes affreux, les Irlandais ont connu des problèmes énormes. Ce qui rend la chose un petit peu différente, c'est la question de la race, du nombre plus important de ce qu'on appelle les minorités visibles. Le seul élément différent c'est la couleur, la race (homme, 42 ans).

Pour certains, il s'appliquerait plus particulièrement aux Noirs et aux autochtones qu'aux autres groupes, alors que pour d'autres il toucherait tous les groupes sans distinction :

Les Haïtiens ont énormément de difficulté à trouver du travail, plus que les autres jeunes, que les jeunes Italiens, par exemple, parce que très souvent les jeunes Italiens travaillent avec leur père ou leurs oncles, etc. Quand ces jeunes Italiens vont chercher du travail dans la communauté majoritaire, on les prend aussi. On a même pris un jeune au ministère, un jeune qui vient de l'Afrique du Nord, alors qu'on ne prendra pas un jeune qui vient d'Haïti ou qui vient de l'Afrique noire (femme, 38 ans).

Cette discrimination aurait pour fondement la concurrence pour occuper certains secteurs économiques (industrie du taxi, etc.). Le milieu de travail ne serait pas seulement la scène de tensions interethniques, mais également leur source. Les pratiques discriminatoires serviraient de protection des intérêts des citoyens nés au pays, ce qu'un leader trouve acceptable : « Je crois en toute honnêteté qu'un pays doit servir d'abord ses nationaux » :

Les Québécois sont très ouverts et acceptent tout le monde. Sur un million, on a quelques individus, souvent immigrants comme eux d'ailleurs, comme les Juifs ou bien les Italiens. Peut-être ces gens sont un peu menacés, ils sont intéressés à favoriser les membres de leur propre culture. L'emploi c'est une question d'égoïsme finalement. Ce n'est peut-être pas tellement de la discrimination raciale, c'est une question de chacun pour soi. On veut tous arriver. Le Québécois voit plutôt l'immigrant comme un intrus qui vient prendre sa place. Mais en général, il n'est pas raciste (homme, 49 ans) ;

Tout le monde est un peu victime de la discrimination. Je ne peux pas dire que les Haïtiens sont victimes d'une discrimination particulière, à part le taxi. Par exemple, il y a des chauffeurs blancs qui sont obligés de louer des taxis des Haïtiens. Ils aiment moins ça. Les gens occupent une place économique qui dérange les autres, alors ça dégénère en racisme (homme, 44 ans).

Si, en général, ces leaders s'accordent pour dire que la discrimination est un problème considérable pour les membres de leur groupe, certains nuancent ou proposent une nouvelle façon d'aborder la question. Ainsi, sans nier la discrimination, ils notent qu'on lui accorde parfois trop d'importance. Car, disent-ils, la discrimination a des effets pervers. Les travailleurs des « minorités visibles » auraient en effet tendance à croire généralisé ce genre de pratique. Ils se fermeraient ainsi eux-mêmes des portes, créant un effet d'auto-dissuasion qui contribue à la discrimination :

> Parfois on peut avoir tendance à tout mettre sur le dos de la discrimination, alors qu'on sait qu'il y a d'autres problèmes, par exemple de formation professionnelle. Les gens ont parfois tendance à généraliser, dans ce sens où ils mettront un refus, qui est peut-être justifié, sur le dos de la discrimination. Ils vont se bloquer eux-mêmes. Il y a certaines portes où ils ne vont même pas aller frapper, de crainte d'une rebuffade. Et ils vont se refermer sur eux-mêmes. Ce sont des effets de la discrimination, peut-être les effets les plus pernicieux, les plus pervers (homme, 44 ans).

Les comportements en milieu de travail attribués aux Québécois d'origine haïtienne eux-mêmes pourraient aussi jouer dans le même sens :

> Nous revendiquons beaucoup. Même l'Haïtien le plus illettré pense qu'il doit revendiquer toutes sortes de choses. Même s'il n'a jamais été à l'école, il revendique beaucoup. Il peut arriver dans une compagnie et, comme ça ne marche pas, semer la pagaille. Et alors, le directeur de la compagnie se dit : « Je ne veux pas engager les Haïtiens. » Par contre, il y a des compagnies qui n'ont pas de problèmes avec les Haïtiens. Donc, on ne peut pas dire que c'est l'effet de la discrimination (homme, 44 ans) ;

> Oui il y a de la discrimination dans le travail, il y en a dans les études. Mais il y en a des deux côtés, et c'est ça qu'on oublie souvent. Je travaille dans une manufacture, je ne mange pas avec les autres. Et pendant qu'on est seul, on ne sait pas ce qui passe, on ignore la culture de l'autre. Et on nourrit à ce moment-là, au sein de notre cellule, de la haine pour les autres (homme, 45 ans).

Outre la forme générale du phénomène, il existerait une variété de pratiques discriminatoires aux différentes étapes du processus d'embauche, des conditions de travail et de promotion :

> Je pense qu'il y a de la discrimination dans le recrutement pour les emplois mieux rémunérés. Pour les emplois moins bien rémunérés, surtout dans la bonneterie, le textile et ainsi de suite, il n'y a pas de difficulté au recrutement. La Commission des droits de la personne se rend compte que c'est comme la pointe de l'iceberg, quand, par exemple, elle a une plainte de gens qui travaillent dans une buanderie puis que systématiquement les « Noirs » se retrouvent dans les secteurs où il fait plus chaud, où ils sont pressés par le contremaître davantage. Ça c'est une difficulté qui existe, c'est une ghettoïsation qui perdure. La discrimination se fait au niveau du recrutement, de la promotion aussi, et au niveau des conditions de travail (femme, 40 ans).

Ce seraient surtout les jeunes d'origine haïtienne cherchant du travail dans le domaine manufacturier qui sont discriminés, particulièrement au moment de l'entrevue, en raison souvent de leur apparence ou de leur tenue :

> Nous avons eu plusieurs plaintes de jeunes qui nous disent qu'au moment de rencontrer l'employeur ils se sentent rejetés. On leur dit carrément qu'on ne veut plus d'eux. Mais il y a aussi la question de la présentation : c'est surtout l'apparence qui intéresse l'employeur. Il regarde la coupe de cheveux, il regarde les vêtements qu'on porte... Et les jeunes sont discriminés à cause de cela (homme, 48 ans).

Évidemment, la discrimination serait plus sensible lorsque le marché de l'emploi se resserre ou pour les candidats qui ont des qualifications élevées.

Même après l'embauche, on peut être victime de préjugés (blagues, paternalisme, exclusion, etc.) dans son environnement de travail et de discrimination lors des congédiements et dans la prise en compte de la défense des droits des travailleurs lésés par les représentants ou délégués syndicaux :

> Même quand il y a des syndicats, on est sous-représenté. Les Haïtiens sont victimes de discrimination dans la promotion, quand on ne respecte pas la pratique de cheminement dans l'emploi. Et les syndicats que nous considérons comme devant être des alliés naturels, assez souvent on est obligé de les menacer de poursuites parce qu'ils n'ont pas défendu leurs membres comme il faut en vertu du code du travail. Ça c'est courant (homme, 42 ans).

Les leaders d'origine italienne également attestent de la discrimination qu'ont subie les premiers immigrants à l'arrivée et qui a servi de moteur important dans la création des entreprises italiennes :

> Quand vous êtes un petit groupe, il y a de la discrimination. Quand vous commencez à prendre de l'ampleur, elle disparaît peu à peu. Et c'est à cause de ceux qui exerçaient une trop grande discrimination que les plus entreprenants ont mis sur pied leurs propres compagnies, justement pour régler ce problème-là (homme, 22 ans).

De l'avis de la plupart, ce sont les nouveaux arrivants et les groupes les plus récemment installés qui en subissent les effets les plus marquants :

> Les Italiens se défendent très bien. Ce sont les autres communautés qui ont plus besoin d'aide maintenant. Malheureusement, une fois que tu es au pouvoir, tu oublies d'où tu viens, alors tu utilises les mêmes moyens que les autres ont utilisés contre toi et j'espère que les Italiens se rappellent qu'eux aussi ils faisaient partie de la minorité qui a souffert dans le passé (femme, 36 ans).

Il semble y avoir aussi une discrimination de nature linguistique qui favoriserait ceux qui ont choisi le français comme langue d'intégration. Les autres « ne sont pas accueillis comme de vrais Québécois sur le marché du travail », selon une femme leader.

Les travailleurs qualifiés seraient les principales victimes des pratiques discriminatoires car ils entrent alors en concurrence avec la main-d'œuvre d'origine canadienne-française surtout dans la fonction publique :

> Dans certaines positions de la fonction publique, tout est québécois francophone. Quelqu'un avec un accent, ça fait un peu peur, ça fait différent, on n'est pas sûr qu'il peut réussir (femme, 50 ans) ;

> Peu importe que ce soit fonction publique, syndicat, ça fonctionne pareil. Si tu ne fais pas partie de la famille, tu n'y rentres pas. Dans ces endroits-là où on parle français, où il y a un syndicat, où il y a un salaire décent, les immigrants n'y sont pas (femme, 44 ans).

Les leaders d'origine italienne relèvent enfin une discrimination dans l'emploi et dans le logement que les membres de leur propre communauté exercent à l'endroit des nouveaux immigrants (les Haïtiens en particulier) dont ils sont les voisins de quartier, les locateurs et les employeurs dans l'est et le nord de la région de Montréal (Montréal-Nord, Saint-Léonard, Rivière-des-Prairies) ou envers des immigrants qui ne connaissent pas l'anglais.

Pour quelques leaders juifs, la discrimination à l'égard de leur groupe serait presque inexistante. Actuellement, les chances seraient égales, les Juifs québécois auraient fait leur chemin, seraient devenus bilingues et se seraient imposés. D'autres notent cependant que la discrimination s'exercerait en général envers les non-francophones et il serait malaisé d'entrer dans des entreprises ou des institutions québécoises. Là, selon un leader, il y aurait une « discrimination rampante, que les Québécois n'osaient pas afficher il y a cinq ou six ans, et qu'ils peuvent pratiquer depuis deux ou trois ans. La justification n'est pas au niveau de la compétence, elle est au niveau de l'appartenance. »

Nombreux sont ceux qui soulignent la sous-représentation des Juifs dans la fonction publique. Ils soutiennent que la discrimination prend une forme politique et linguistique (et non religieuse ou antisémite) qui désavantage les anglophones et certains concluent à la discrimination institutionnalisée :

> Dans le milieu privé, tu ne peux jamais savoir, mais dans les organismes gouvernementaux et la fonction publique, c'est clair que le pourcentage de Juifs — mais là, c'est la même situation que pour les autres communautés culturelles — ne correspond pas au poids de la communauté juive dans le Québec d'aujourd'hui (homme séfarade, 36 ans).

Cette sous-représentation ne serait pas liée à la dimension ethnique mais linguistique : « S'il y a discrimination d'emploi, c'est une discrimination contre les non-Québécois, et pas contre les Juifs. » Il s'établit d'ailleurs, dans le discours des leaders des quatre communautés, une équivalence entre Québécois et Québécois d'origine canadienne-française.

La sous-représentation dans la fonction publique pourrait également s'expliquer non pas par une forme de discrimination, mais par une stratégie professionnelle qui privilégie la formation qui mène aux professions libérales et au commerce plutôt qu'à la fonction publique :

> Je ne crois pas qu'il y ait une exclusion consciente et significative des Juifs en tant que Juifs. Je crois que, dans le Québec d'aujourd'hui, il est bien plus facile de poursuivre une carrière dans la fonction publique, par exemple, si on est francophone. Et les statistiques le démontrent. Le gouvernement et les communautés culturelles ont reconnu le besoin de corriger ce déséquilibre. On doit dire aussi que, dans la communauté juive, les gens n'ont pas poursuivi de carrière dans la fonction publique avec la même détermination que, par exemple, dans les professions libérales (homme ashkénaze, 43 ans).

Les séfarades soulignent, de leur côté, qu'ils sont eux-mêmes victimes de certaines pratiques discriminatoires intra-communautaires, même si les attitudes commencent à changer à cet égard :

> Dans le monde du commerce, la pénétration avec les Juifs ashké-nazes n'a pas été facile. Ça s'explique par la langue d'abord. La langue est un outil capital, c'est ce qui fait les affinités ou non. D'autant plus qu'il y a des préjugés dans le monde ashkénaze à l'égard des séfarades. Ces préjugés sont importés d'Israël, en ce sens qu'en Israël les Juifs séfarades ont été perçus au départ comme venant de pays sous-développés, donc on les a considérés comme sous-développés (homme séfarade, 55 ans).

En général, la discrimination dans l'emploi ne semble pas constituer un problème important pour la main-d'œuvre du groupe libanais :

> Pas comme dans la communauté haïtienne, par exemple. Dans notre communauté, c'est très rare qu'on en entend parler. On la voit, parfois, chez les médecins qui arrivent, qui voudraient pratiquer, qui ont obtenu leur certificat provincial, qui ne trouvent pas de place. Et c'est autant dans les hôpitaux anglo-phones que francophones (homme, 51 ans).

La « non-visibilité » des Québécois d'origine libanaise (plu-sieurs interviewés n'acceptent pas d'être considérés comme faisant partie des « minorités visibles » et pensent que les traits physiques des immigrants libanais jouent à leur avantage), les grandes qualifications de la main-d'œuvre, l'éducation, la politesse et la bonne connaissance du français font en sorte qu'ils ne sont pas soumis aux mêmes traitements que les mem-bres des autres groupes ethniques. Et même si ces pratiques existent, elles ne constituent pas un problème central et sont, à la limite, considérées comme normales :

> Moi je trouve un peu naturel, mettez-vous à la place d'un commerçant... de n'importe qui : s'il y a un Québécois et un Liba-

nais à faire travailler, certainement qu'il va préférer le Québécois. N'est-ce pas que c'est naturel ? À moins que le Libanais soit beaucoup plus qualifié (femme, 58 ans).

La discrimination sélective au moment de l'embauche constitue un type de pratique discriminatoire, tout comme la déqualification professionnelle, ce qui affecte la main-d'œuvre d'origine libanaise puisqu'on lui préfère ainsi des Québécois francophones de souche.

De nature linguistique, raciale ou ethnique, la discrimination dans l'emploi semblerait donc un fait présent selon les leaders des quatre groupes et elle se manifesterait non seulement dans les entreprises privées mais aussi dans la fonction publique et parapublique québécoise. Elle empêcherait une intégration économique plus complète.

Accueil et formation de la main-d'œuvre immigrante

Les services d'intégration destinés aux nouveaux immigrants — accessibilité aux cours de français, information sur les normes et les lois du travail, formation professionnelle, etc. — font l'objet de critiques des leaders des quatre groupes. La politique d'immigration fédérale et provinciale à l'égard des investisseurs suscite des opinions variées. Les leaders de tendance nationaliste dénoncent l'inadéquation entre le marché du travail et la loi 101 qui proclame le caractère français du Québec, soulignant le manque de cohérence et de volonté politique dans le message que l'État adresse aux immigrants ou encore les contradictions fédérales et provinciales en matière de formation linguistique et professionnelle et la nécessité du contrôle exclusif du Québec en matière de formation.

Tout en insistant sur l'apport de l'immigration, un phénomène mondial inévitable, les leaders d'origine haïtienne croient que l'accueil des immigrants doit s'accompagner d'une politique de régionalisation de l'immigration afin d'éviter une concentration des nouveaux venus dans les grands centres. La politique québécoise de régionalisation de l'immigration est d'ailleurs souvent applaudie. La majorité des interviewés, sinon tous, estiment que le Québec doit pouvoir sélectionner les immigrants, afin de préserver son caractère français, mais ils s'inquiètent toutefois à propos des modalités d'application de cette politique, car « le goulot est fermé pour Haïti ». Les autorités québécoises ne semblent pas favoriser le recrutement d'Haïtiens, pourtant considérés comme francophones. L'application de la loi apparaît aux leaders contradictoire et biaisée, pour ne pas dire raciste.

La politique de recrutement d'investisseurs — dont on déplore la survalorisation — est, par contre, critiquée en raison des droits considérables qu'elle accorde à cette catégorie d'immigrants :

> À court terme, c'est une bonne chose : les investisseurs créent des emplois, apportent du fric, et même pour les autres immigrants c'est une bonne chose, en ce sens que ça donne une image beaucoup plus nuancée de celui qui arrive. À long terme, le problème que ça pose c'est qu'on a des immigrants qui savent qu'ils ont énormément de droits dès l'arrivée, qui viennent pour vous faire vivre (homme, 42 ans).

Il n'est pas sûr non plus que ces capitaux demeurent véritablement au Québec. Beaucoup d'investisseurs n'y resteraient qu'un temps, avant de déménager vers l'Ontario ou la Colombie-Britannique. Les immigrants indépendants qualifiés seraient à cet égard beaucoup plus dynamiques et plus stables. Ce sont eux que l'on devrait privilégier :

> Ce sont ces immigrants indépendants qui vont créer des petits commerces, qui vont devenir des petits entrepreneurs, qui vont passer deux, trois ans dans un emploi avant de décider de mettre sur pied une petite entreprise. À mon avis, ils sont beaucoup plus dynamiques pour le Québec que l'immigré investisseur qui va

déplacer ses capitaux d'un pays à l'autre, etc., sans forcément s'y implanter (homme, 44 ans).

L'inadéquation des services d'apprentissage du français et l'attrait de l'anglais, une langue clé au travail, tout comme le manque de volonté politique et de cohérence du Québec dans le message qu'il adresse aux immigrants constituent des contraintes qui affectent l'insertion sur le marché du travail :

> Le Québec aurait dû avoir ce pouvoir de choisir ses immigrants. Il n'y a pas une politique gouvernementale d'intégration. Ces gens sont laissés à eux-mêmes. Les écoles de français, les COFI, ça leur permet de marmonner deux ou trois mots. Je trouve que c'est insuffisant... La langue est très importante. C'est bien de leur montrer à parler français, mais si, après avoir appris le français, ils doivent travailler en anglais... (homme, 52 ans).

La politique de parrainage créerait de son côté des citoyens de seconde zone, surtout pour les femmes qui, en cas de mésentente dans le couple, se retrouvent sans ressources et n'obtiennent que difficilement la révocation du parrainage. La situation est particulièrement critique, note-t-on, dans les cas de violence conjugale où les femmes, terrorisées et entièrement sous la domination physique et financière de leur mari, n'osent pas demander de l'aide. Les personnes âgées qui n'ont parfois aucun revenu et n'ont pas le droit à l'aide sociale parce qu'elles sont parrainées deviennent alors dépendantes et vulnérables à l'exploitation familiale. Les politiques d'immigration ne tiennent pas compte non plus de la réalité familiale et culturelle d'Haïti, car certains membres de la famille élargie, qui ont une importance significative, sont exclus de la politique de parrainage :

> Le talon d'Achille du parrainage, c'est la difficulté de parrainer des frères et sœurs qui, eux, seraient, plus que des personnes âgées, plus actifs sur le marché du travail (homme, 44 ans).

Par ailleurs, la durée du parrainage paraît beaucoup trop longue :

Le parrainage est un engagement pour dix ans. Ça me paraît excessif. Est-ce logique que pour sa mère qui arrive ici à soixante-cinq, soixante-dix ans, l'engagement soit de dix ans, et que pour un frère qui arrive à quinze ans, l'engagement soit de dix ans ? Alors qu'on sait très bien que, pour ce frère, ça bloque tout un ensemble de mesures, dès qu'elles sont subventionnées par le gouvernement. D'autant plus que ces personnes, au bout de trois ans, peuvent devenir citoyens canadiens... mais pas vraiment à part entière parce qu'il y a encore des choses dans la société dont elles sont exclues (homme 44 ans).

L'analphabétisme, la sous-scolarisation de l'immigration haïtienne récente et la faiblesse de la formation technique en Haïti suscitent les réactions les plus vives, car elles bloquent la progression économique et l'accès aux programmes de formation professionnelle :

Les gens qui arrivent ici, en général, sont des analphabètes. Le premier pas serait de les alphabétiser. Parce que pour avoir une formation professionnelle, il faut savoir lire et écrire, et bien. Ensuite il faudrait leur apprendre des métiers, ébénisterie, mécanique... (homme, 52 ans) ;

En Haïti où il n'y a pas d'entreprenariat, les gens ne débouchent pas sur des trucs pratico-pratiques, et l'école ne prépare qu'à l'école. Il y a peu d'écoles de métiers, donc pas de métiers. Imaginez ce qui sort d'Haïti ! Peu ou pas de choses pratiques (homme, 48 ans).

Les programmes de formation professionnelle offerts aux immigrants et leur orientation présentent aussi des failles importantes. Les contraintes familiales, le manque de coordination entre les instances responsables de la formation et le faible dynamisme du gouvernement seraient à cet égard autant de facteurs négatifs :

Sur le plan de la formation en général, on n'a pas vraiment investi beaucoup. Actuellement, un grand nombre de femmes haïtiennes bénéficient de l'éducation des adultes. Elles peuvent poursuivre des cours d'infirmière, etc. Mais ces femmes ont dû sacrifier leur famille. Bien souvent elles se retrouvent avec des problèmes de délinquance parce qu'elles n'ont pas eu le temps et les moyens d'encadrer leurs enfants (homme, 48 ans).

La pénurie de main-d'œuvre dans certains secteurs et un fort taux de chômage constituent des problèmes criants qui nécessitent une coordination entre gouvernements, employeurs et syndicats.

Les commentaires sur les politiques et les services d'accueil et d'intégration de la part des leaders d'origine italienne ne portent pas sur l'immigration italienne même, aujourd'hui quasi inexistante. Plusieurs ont cependant comparé les services d'accueil à ceux qui existaient au moment de l'immigration italienne des années cinquante et soixante pour souligner la persistance de lacunes inacceptables, comme le fait que « les parrainés n'ont pas les mêmes droits que les autres » ou que, « quand il s'agit de cours de langue, les institutions répondent à une toute petite partie des besoins ».

S'il manque des services pour les groupes plus anciens, aujourd'hui on relève un certain nombre de services d'accueil et d'assistance. Cependant, selon un leader, toutes les revendications avancées dans les années soixante-dix ont été complètement écartées. La FILEF soutenait notamment qu'il fallait que, dans chaque consulat, il y ait un représentant du secteur du travail, par exemple, de manière que les futurs immigrants puissent être informés déjà sur la façon de vivre et de travailler, les conditions de travail, etc. On proposait également des programmes de francisation sur le lieu de travail de même qu'un usage de la langue des travailleurs pour les informer de leurs droits et réduire leur exploitation : traduction des conventions collectives et des lois du travail comme la loi du salaire minimum.

Le développement trop massif des services d'accueil aux nouveaux immigrants qui, comparativement aux plus anciens, profitent d'avantages marqués, ne fait pas consensus :

> L'immigrant qui arrive a beaucoup de problèmes et il faut l'aider. Mais il ne faut pas trop donner. Il faut aussi qu'il se débrouille pour vivre. Quand tu donnes les choses trop facilement, le monde s'assoit et attend. Vous allez payer les gens pour aller au COFI, etc. Ce sont des dépenses qui vont tuer l'économie. Il faudrait trouver une solution à ça, parce que ce n'est pas normal que les gens qui travaillent payent pour tout le reste... Dans les autres pays, on ne fait pas ça (femme, 48 ans).

Les nouveaux immigrants (investisseurs, etc.) jouissent d'une sélection et d'un accueil que les anciens n'ont pas connus, ce qui accroîtrait les frustrations et les tensions entre l'ancienne et la nouvelle immigration dans la région de Montréal : « C'est un peu frustrant pour les anciens immigrants. Les critères d'admission sont trop faciles aujourd'hui », dit un leader. La politique de sélection des investisseurs et leurs orientations linguistiques plutôt anglophones affaibliraient d'ailleurs le fait français au Québec :

> Les immigrants ont en tête qu'ils viennent en Amérique. Ni au Canada ni aux États-Unis, en Amérique. L'Amérique, pour eux, c'est anglais. Or quand ils viennent ici ils constatent que c'est français. Moi je pars du principe que les immigrants, en arrivant ici, reçoivent l'aide dont ils ont besoin, mais qu'ils comprennent avant tout que le Québec est un pays, un territoire dont la langue est le français. Donc qu'ils vivent en français, qu'ils travaillent en français, qu'ils éduquent leurs enfants en français. Sinon on ne s'en sortira pas. De plus en plus ils vont s'en aller dans la minorité anglophone, et au fil des années ils risquent de devenir une majorité de plus en plus. C'est tout le concept de société distincte qui vient de disparaître (homme, 22 ans).

La formation de la main-d'œuvre souffre de lacunes graves, ce qui la rend incapable de s'adapter précisément aux demandes du marché du travail. Malgré le taux élevé de chômage, il y aurait manque de travailleurs bien formés pour les métiers. Or, dit un leader, il y a là quelque chose qui manque : « Il faudrait encourager les jeunes à aller vers les métiers. »

Selon les leaders juifs, les problèmes de formation de la main-d'œuvre se posent pour les nouveaux arrivants des pays de l'Est (Russie, Hongrie), d'Éthiopie ou d'Israël, tant sur le plan culturel et linguistique que professionnel. L'insuffisance de l'accueil et des programmes de formation linguistique, comparativement, par exemple, à ceux qui ont cours en Israël, la méconnaissance du milieu du travail et de sa spécificité culturelle constituent des obstacles majeurs :

> Il y a évidemment un problème pour tout le monde, la langue. Il faut absolument connaître le français pour être accepté dans les professions. En même temps, il y a toutes sortes de contradictions dans la politique linguistique. Et puis il y a un autre problème particulier : il y a des francophones qui arrivent ici et qui ne trouvent pas d'emplois parce que ça prend aussi l'anglais (femme ashkénaze, 41 ans).

Grâce à sa complétude institutionnelle avancée, la communauté juive offre des structures d'aide à l'emploi qui orientent les nouveaux arrivants, en plus d'offrir des services de recyclage et de formation professionnelle, mais ces programmes communautaires apparaissent à certains comme insuffisants pour répondre aux besoins dans ce domaine, et le recours aux instances gouvernementales est jugé insatisfaisant :

> J'avais suggéré que l'on recoure aux programmes et aux subventions qui existent pour faciliter l'intégration des immigrants, des jeunes ou de ceux qui doivent se recycler. Il n'y a pas eu de suite (homme séfarade, 48 ans).

Les opinions des leaders d'origine libanaise sur les services d'accueil sont partagées. Plusieurs les considèrent comme satisfaisants :

Je pense qu'ils sont excellents. En premier lieu on offre des cours de français gratuits, donc au moins on apprend la langue. Et on donne de l'argent tous les mois, ce qui est suffisant pour payer le loyer et de quoi manger et s'habiller. Je trouve que c'est formidable (femme, 41 ans).

Par contre, les commentaires sur le rôle des investisseurs libanais que privilégie le gouvernement du Québec révèlent une critique assez serrée des politiques d'immigration dont les règlements bureaucratiques complexes peuvent décourager les immigrants éventuels :

> Il y a ceux qui veulent vraiment s'installer et commencer à investir, mais il y a toute la gamme de lois qui peuvent freiner ça. L'intervention de l'État au Liban est minimale, pour favoriser l'initiative privée. On a cette culture dans le monde des affaires. Ce n'est pas tout à fait ça ici, où il y a des lois qui régissent la création et l'investissement. Le problème c'est qu'il y a une incompréhension qui s'installe des deux côtés (femme, 33 ans).

On critique du même souffle les motivations de ces investisseurs, tout comme leur traitement préférentiel, car tout cela n'aboutit pas à une véritable intégration dans le pays, qui reste un pied à terre transitoire : « Ce sont des gens qui sont uniquement intéressés à avoir le passeport », dit une femme leader. « Quatre-vingt-quinze pour cent vont retourner au Liban, ajoute une autre. Ils entrent si facilement comme immigrants reçus, parce qu'ils ont de l'argent. Et les pauvres qui ont besoin de sortir du Liban pour faire leur avenir, ils n'ont pas le droit d'entrer. »

La formation des migrants d'origine libanaise reste, quant à elle, à parfaire, étant donné les mauvaises conditions d'étude et de travail qui existaient au Liban pendant la guerre, mais aussi la méconnaissance du milieu de travail québécois et de ses contraintes :

Ils ont le permis de travail, mais le problème, c'est qu'ils n'ont jamais travaillé dans une société, un environnement de travail aussi discipliné que l'environnement canadien. Ils n'ont pas l'habitude d'obéir à un chef. Au Liban, la discipline de travail est plus faible. Notre communauté doit commencer par reconnaître ce problème, car beaucoup d'employeurs ne veulent engager que des gens avec une expérience canadienne. Nous devons trouver à nos immigrants un travail dans notre communauté pour qu'ils puissent acquérir l'expérience canadienne et, dans cinq ans, entrer sur le marché du travail bien entraînés, bien orientés et avec les atouts nécessaires (homme, 51 ans).

L'intégration passerait aussi par la régionalisation de l'immigration et l'intégration dans les secteurs économiques où se trouve la majorité :

Il faut que l'insertion par le travail se fasse en dehors des citadelles, en dehors du ghetto. Si un jeune Libanais va travailler à la baie James ou à la Manic et collabore à un projet comme ça, il va se sentir solidaire de ceux avec qui il travaille. S'il travaille dans un hôpital avec des médecins, des infirmières québécois de souche, il va se sentir appartenir à cette institution. L'insertion par le travail est la meilleure forme d'intégration, parce que c'est comme ça qu'on crée des solidarités (homme, 54 ans).

Syndicalisation

La quasi-totalité des leaders d'origine haïtienne considèrent que la main-d'œuvre de leur groupe est faiblement syndiquée et ils expliquent la situation par certaines caractéristiques du marché du travail dans lequel les travailleurs s'insèrent : recul du mouvement syndical au Québec, concentration dans les secteurs mous, plus difficiles à syndiquer ou sous l'emprise des syndicats jaunes, pratiques antisyndicales des patrons, corporatisme ou mauvaises stratégies de revendications de certaines centrales :

La main-d'œuvre haïtienne travaille dans des secteurs où les emplois ne sont pas syndiqués, où il est mauvais de se syndiquer. Les centrales syndicales font quand même pas mal de tentatives pour corriger la situation, mais d'un autre côté les employeurs sont très têtus, ils ne veulent pas de syndicats dans leurs boîtes (homme, 48 ans) ;

Quand le syndicat est déjà installé, il n'y a pas de problème. On est bien content d'en profiter. Mais quand il faut mettre le syndicat sur pied, les Haïtiens sont les premiers à avoir peur parce que très souvent les employeurs font des menaces, essayent de les mettre de leur côté ; ils savent que ce sont des gens vulnérables. Et les gens ont tellement peur de perdre leur emploi qu'ils se rangent toujours du côté du patron. Sauf qu'ils se rendent compte très rapidement que ce sont eux qui sont pénalisés par la suite. Parce que ce qu'on promet en échange de la syndicalisation n'arrive jamais (femme, 49 ans).

L'attitude des Québécois d'origine haïtienne eux-mêmes ne serait pas étrangère à ces difficultés. La résistance à la syndicalisation, résultant de conditions économiques précaires, d'expériences politiques traumatisantes, de valeurs culturelles antisyndicales ou d'un manque d'éducation, tout comme la peur du racisme ou la discipline sévère de la famille haïtienne auraient contribué à développer des attitudes passives :

La syndicalisation permet de s'intégrer et de défendre ses droits. Mais à cause de la dictature qu'on a eue là-bas, j'ai l'impression que les Haïtiens ont peur, une peur politique, de faire partie de groupes comme les syndicats. Et il y a le racisme. Ils ne participent pas, ils sont là-dedans par obligation, ils ne s'impliquent pas, il n'y a pas de leader syndical qui s'implique. À part les chauffeurs de taxi. Eux, ils commencent à s'organiser (homme, 52 ans) ;

On vient d'un pays répressif. Et ce n'est pas du jour au lendemain qu'on va se mettre à militer comme ça dans des organisations. Les gens ne réalisent pas qu'en poussant un peu ils peuvent obtenir quelque chose, mais ça demande beaucoup d'énergie. Et quand tu es au stade du *primum vivere*, tu as d'autres choses à faire que de pousser (femme, 51 ans).

Les travailleurs des manufactures, où se retrouvent les immigrants, les femmes surtout, seraient d'ailleurs relativement négligés par les syndicats qui préféreraient défendre les intérêts des Québécois nés au pays plutôt que ceux des immigrants. Les préjugés racistes de délégués syndicaux accentueraient ce désintérêt :

> Dans le secteur du textile par exemple, il y a des endroits où c'est déjà syndiqué, mais peu. Les gens sont payés au salaire minimum ; on ne se soucie pas d'eux. C'est un milieu de femmes, c'est un milieu d'immigrants. Et ce ne sont pas les immigrants qu'on va aller chercher (femme, 49 ans) ;

> J'ai essayé pendant un certain temps d'intéresser la FTQ et la CSN pour nous aider à mettre sur pied le syndicat multipatronal, pour aider les gens au salaire minimum. Ils nous ont tous boycottés, ils n'ont jamais accepté. Ils sont venus à la réunion, ils se sont moqués de nous. Je suis d'accord qu'il y ait des syndicats, mais je trouve qu'il y a une partie du travail dans le syndicat qui n'est pas faite, et cette partie touche vraiment les plus démunis (homme, 44 ans).

Pour les uns, les centrales syndicales ne semblent pas non plus suffisamment ajustées, dans leurs structures et leur fonctionnement, aux transformations de la masse des travailleurs québécois provoquées par l'immigration. La représentation syndicale ne tiendrait pas assez compte de la diversification de la main-d'œuvre et de l'importance de la « formation à l'interculturel ». Pour d'autres, au contraire, les centrales ont fait des tentatives honorables dont l'échec s'expliquerait plutôt par la résistance des patrons et par le refus des immigrants eux-mêmes de la politique :

> Il y a eu une époque où la syndicalisation se faisait assez bien, il y a eu des batailles célèbres où il y avait beaucoup d'employés

haïtiens qui avaient signé pour l'entrée du syndicat. J'ai souvent eu à conseiller des personnes qui venaient me dire : bien, on veut entrer le syndicat chez nous et puis il y a d'autres Haïtiens à l'intérieur qui nous disent de ne pas signer de carte. Et de la manière qu'ils parlent, ils nous font comprendre qu'il y a les patrons qui engagent des Haïtiens pour décourager les autres Haïtiens à entrer dans le syndicat. On se demandait s'il n'y en avait pas qui étaient de mèche avec le consulat d'Haïti. De ces messieurs qui étaient engagés pour décourager les gens à participer (femme, 46 ans).

Selon la plupart des leaders d'origine italienne, la main-d'œuvre de leur communauté est fortement syndiquée et en faveur de la syndicalisation, mais la participation réelle serait plutôt faible. Pour les leaders chefs d'entreprise, la syndicalisation ne constitue pas vraiment une nécessité. Les « syndicats exagèrent » et ils peuvent même parfois susciter des comportements en contradiction avec l'intérêt économique bien compris :

C'est bien d'avoir une institution qui s'occupe des affaires des ouvriers, parce que la plupart ne sont pas capables de le faire seuls. C'est très juste et je trouve cela magnifique. Mais il ne faut pas trop s'éloigner de la raison d'être du syndicat. Le syndicat est là pour protéger et pour donner de l'aide à l'ouvrier, mais il ne faut pas qu'il le dresse toujours contre l'employeur (femme, 48 ans).

Tout en notant la contribution des immigrants aux luttes syndicales (« les travailleurs d'origine italienne ont des leaders, Di Feo, Baldarin, Delligatti... »), plusieurs remettent en question le corporatisme syndical et des stratégies de revendication qui semblent dépassées dans le contexte économique contemporain, et s'inquiètent du rôle des syndicats qui ont des politiques peu adaptées à la main-d'œuvre immigrante : placement des gens issus des groupes ethnoculturels, longueur des grèves, complicité de l'État qui s'accommode du recul du syndicalisme et de l'utilisation de la main-d'œuvre immigrée, manque de conscience :

Le syndicalisme est en veilleuse en ce moment, et le ministère des Communautés culturelles en est complice. Parce que ça permet une exploitation éhontée de tous les nouveaux arrivants (homme, 43 ans).

Les syndicats s'impliquent aussi très peu dans l'éducation générale, dans l'éducation populaire et la conscientisation progressiste, contrairement au mouvement syndical en Europe :

> Le syndicat devrait être un interlocuteur social, dans l'intérêt général de la société. Ici, cette culture manque complètement... J'en viens à penser que les syndicats sont à la solde du patronat (homme, 55 ans).

La représentativité adéquate des immigrants n'a pas été non plus assurée par les centrales qui n'ont pas exploré les nouveaux milieux de travail où les travailleurs immigrants se recrutent, même si, selon certains, elles ont fait des efforts pour sensibiliser ces populations : « S'ils veulent intégrer les immigrants, ils n'ont qu'à embaucher des immigrants dans leurs syndicats », dit une femme leader, mais « les syndicats actuellement ne font pas vraiment d'effort pour syndiquer les entreprises où sont les immigrants ».

Le groupe juif serait partagé entre les partisans du syndicalisme — héritage des idéaux socialistes des premières vagues d'immigration — et ceux de la libre entreprise plus opposés à ces formes de contrôle socioéconomique :

> Les immigrants qui sont venus entre 1918 et 1940, eux-mêmes des socialistes en Europe, sont venus ici avec leurs pensées et leurs idées socialistes. Alors on a un grand pourcentage de la communauté qui a toujours vécu selon un esprit socialiste. Et on a aussi ceux qui sont très riches, qui ne la voient pas comme ça, qui sont autoritaires, dictateurs (femme ashkénaze, 45 ans).

Tous les leaders ashkénazes reconnaissent cependant la disparition des préoccupations syndicales — historiquement significatives, dans la communauté juive, à cause de la répartition de la main-d'œuvre et de la mobilité sociale qui pousse surtout à la création de regroupements professionnels juifs :

> Le syndicat a toujours été très important. Au début de l'histoire du Québec, les Juifs étaient très engagés dans les syndicats. Aujourd'hui, cela semble beaucoup moins important au fur et à mesure qu'ils s'insèrent dans les classes d'entrepreneurs. Mais l'histoire de beaucoup de Juifs s'inscrit dans le contexte d'une forte association avec le syndicalisme (femme ashkénaze, 46 ans) ;

> De façon générale, il y a très peu de Juifs dans le mouvement syndical au Québec. Dans les entreprises que je connais, essentiellement de petite taille, il n'y a pas eu de pénétration du mouvement syndical. Mais ce n'est pas propre aux Juifs. C'est propre au type même des entreprises que l'on peut retrouver à travers le pays. Finalement le milieu syndical est essentiellement soit dans les grosses entreprises — et il n'y a pas de grosses entreprises juives en soi — ou bien dans les organismes gouvernementaux ou paragouvernementaux. D'une manière ou d'une autre, il y a relativement peu de Juifs, donc on a très peu de mouvement syndical (homme séfarade, 36 ans).

On juge du reste que les syndicats dans la conjoncture économique actuelle sont incapables d'élaborer des stratégies originales, et qu'ils mettent en danger la compétitivité des entreprises nationales :

> Même si je suis un progressiste dans beaucoup de domaines au niveau social, au niveau économique, j'ai des problèmes avec les unions aujourd'hui, surtout en temps de récession, surtout quand je vois beaucoup d'usines qui ferment. Dans ce temps-là, elles devraient, la société en général devrait comprendre que l'argent ne tombe pas du ciel. Et dans ce temps-là surtout, les unions demandent trop et devraient modérer leurs demandes. Et les taux de salaire — je ne dis pas tous, mais il y en a dans plusieurs domaines — sont une grande raison pour laquelle le Canada n'est pas concurrentiel (homme ashkénaze, 36 ans).

Le rôle des syndicats dans l'intégration de la main-d'œuvre immigrante ou des groupes ethniques ne fait pas l'unanimité. Même s'ils font des efforts en ce sens, ils n'en soulèvent pas moins de vives critiques :

> Même si j'entends dire que les syndicats sont ouverts à ça, à mon avis les gens sur la ligne de feu ne le sont pas. Ils ne sont pas sympathiques à avoir des membres des communautés culturelles dans leurs rangs (homme ashkénaze, 36 ans) ;

> Je sais qu'on fait beaucoup d'effort à la CSN et qu'il y a déjà des leaders qui émergent de ces communautés-là. Mais il y a beaucoup d'effort à faire encore pour aider ces gens-là à s'intégrer. Les communautés qui se sont intégrées au milieu anglophone se retrouvent dans un milieu francophone et continuent à parler l'anglais ou leur propre langue, eh bien, ça fait des tensions avec les camarades francophones (homme séfarade, 48 ans).

Dans le cas libanais, la majorité des entreprises ne seraient pas très syndiquées à cause de leur taille ou des conséquences que la syndicalisation pourrait entraîner sur leur viabilité ou à cause du désintérêt des travailleurs :

> Les entreprises de notre communauté ne sont pas grandes. Nous sommes des détaillants, ou de petits manufacturiers. Ce ne sont pas des secteurs où les syndicats se font la lutte (homme, 51 ans) ;

> Ce n'est pas une chose primordiale. Ils ne veulent pas s'impliquer dans la politique, ils ne veulent pas s'impliquer. Ils sont heureux comme ça. Ils sont heureux d'être Québécois, ils sont heureux aussi d'être reçus comme québécois (homme, 67 ans).

Certains leaders s'opposent carrément à la syndicalisation, alors que d'autres la considèrent comme nécessaire dans certains secteurs vulnérables pour protéger les droits des travailleurs :

> Qu'on me dise que les mineurs ou les gens du chemin de fer ou ceux qui travaillent dans les aciéries font des syndicats, ça, j'y crois

beaucoup. Mais maintenant on est en train de faire la syndicalisation pour des gens, mettons des spécialistes à Hydro-Québec,
et je trouve ça aberrant. J'appelle ça la super, la syndicalisation
bureaucratique (homme, 44 ans) ;

Je ne suis ni pour un syndicalisme sauvage à l'américaine, ni pour
un patronat sauvage. Je suis pour des gens responsables. Que ce
soit le patron, ou que ce soit le syndicat, il doit y avoir une collaboration dans une perspective de bien commun, de bien général.
Je ne suis pas pour un syndicalisme radical avec des idéologies très
précises, comme cela a été la mode à un moment donné, où on
a voulu tout simplement s'attaquer directement au système et le
renverser. Le syndicat est un instrument pour défendre les intérêts
des ouvriers pour promouvoir leurs revendications justes et
obtenir de bonnes conditions de travail, et le patron doit être
conscient que lui aussi a des responsabilités vis-à-vis des gens qui
travaillent pour lui (homme, 54 ans).

De nouvelles approches sont aussi nécessaires pour adapter
les structures syndicales aux nouvelles conditions économiques
et socioculturelles, tendances qui se dessinent déjà :

Oui, je trouve que les syndicats s'ouvrent aux communautés. Ce
sont peut-être les groupes de la société québécoise qui sont les plus
avancés, qui ont progressé puis qui acceptent un monde différent.
Ce sont eux qui s'ouvrent aux communautés, ce ne sont pas les
communautés qui vont s'ouvrir aux syndicats (homme, 30 ans).

La faible syndicalisation des groupes étudiés serait en
somme rattachée, selon leurs leaders, au recul du mouvement
syndical au Québec, au travail non déclaré, aux caractéristiques
des secteurs d'entreprises ou de services où se concentrent les
immigrants ou les groupes ethniques. On observe aussi un
phénomène de sous-représentation de ces derniers dans les
postes cadres ou permanents des centrales syndicales et dans les
exécutifs locaux, attribuable entre autres à une certaine forme
de discrimination systémique. La syndicalisation ne fait pas
non plus consensus et on trouve chez les leaders des vœux de

réforme profonde d'un système inadapté à la conjoncture socioéconomique actuelle.

Programmes d'accès à l'égalité en emploi

Les témoignages sur les programmes d'accès à l'égalité en emploi pour les membres des groupes ethnoculturels ou des minorités visibles tournent autour de deux thèmes : le redressement des inégalités sociales causées par des injustices de traitement passées ou présentes, injustices que l'État se doit de corriger, par une intervention temporaire, laquelle ne devrait pas contredire la charte des droits de la personne ; et l'intégration et la participation des immigrants et de leurs enfants à la vie économique et aux processus de prises de décision dans la société québécoise, et la paix sociale dans l'avenir. La majorité sont favorables à ces programmes mais opposés aux quotas. Cependant, quand les leaders évoquent l'État, ils ne distinguent pas entre le rôle de ce dernier comme employeur et le rôle de l'appareil législatif.

En général, les leaders d'origine haïtienne sont en faveur de ces programmes, qui constituent « une mesure de redressement extrêmement importante qui peut être extrêmement efficace ». Les pratiques discriminatoires du passé qui, souvent, existent encore aujourd'hui auraient retardé le progrès économique des Québécois d'origine haïtienne :

> Un programme d'accès à l'égalité est avant tout un programme correctif. Ce n'est pas un programme qui va s'étendre de façon indéfinie, c'est un programme pour les petits. Tout comme on le fait pour les femmes. Bon, ça marche plus ou moins, mais c'est un programme qui a sa raison d'être. En ce sens qu'on essaie, d'un point de vue systémique, de corriger des situations. C'est pour ça que ça n'a rien à voir avec la charte des droits, ça ne contrevient à rien (homme, 42 ans).

Des programmes qui permettraient aux travailleurs immigrants d'acquérir de l'expérience constitueraient un avantage certain, mais il semble que le milieu résiste à les accepter à cause de leur impact sur les critères de compétence :

> Tant qu'il n'y a pas possibilité de renouvellement du personnel, c'est limité. Et par ailleurs, il y a certains syndicats de professionnels où les membres ne veulent rien savoir de ça. Ils me disaient : je suis contre les quotas, si on revient avec des quotas, on va prendre des gens qui n'ont pas de compétence. Mais si on n'a jamais la possibilité de pratiquer son métier, où va-t-on la prendre la compétence ? (femme, 46 ans).

Ces programmes assureraient aussi une meilleure participation des immigrants à la vie économique et sociale, favorisant ainsi l'intégration et garantissant la paix et la justice sociales :

> Parce que quand vous avez des gens qui grandissent dans un pays, qui ont adopté ce pays, qui veulent faire de ce pays leur seconde patrie, avec leurs enfants, il faut que ces gens se reconnaissent. Il faut que ces gens-là soient dans les endroits où l'on prend des décisions (homme, 44 ans).

Pour certains, le Québec est en retard, comparativement à d'autres provinces, dans ses programmes d'accès à l'égalité en emploi — qui devraient être surtout orientés vers les minorités noires. Ils ne sont pas sûrs de l'efficacité de ces programmes et en craignent les effets pervers. On doute de la volonté des administrateurs, en particulier dans un contexte de crise économique où on peut facilement se mettre à dos les travailleurs « nationaux » et risquer de susciter des réactions négatives au sein de la majorité aussi bien que parmi les immigrants (les jeunes nés au Québec en particulier) :

> L'idée que, alors qu'il y a le chômage, on va réserver des postes à des gens parce qu'on a retrouvé des traces de discrimination systé-

mique, ce n'est pas une idée qui est facilement explicable à monsieur tout-le-monde (homme, 48 ans) ;

Les programmes d'accès à l'égalité causent beaucoup de frustrations, d'une part du côté des gens du pays d'accueil, chez les Québécois, et puis d'autre part, chez les immigrants. Les immigrants disent : on est obligé de faire des lois pour nous engager. Et les Québécois disent : les immigrants arrivent, on nous met à la porte (homme, 44 ans) ;

Mon fils, qui est né ici, à Montréal, me dit toujours qu'il n'a pas besoin de mesures positives pour qu'il soit embauché, parce que, lui, il est québécois. Je l'ai éduqué en tant que québécois, alors il fait tout ce qu'un Québécois peut faire. Il se sent lui-même discriminé (homme, 44 ans).

La conjoncture actuelle ne permettrait pas non plus une vraie politique d'accès à l'égalité car les compressions budgétaires ne favorisent pas l'implantation de tels projets qui ne seraient effectivement utiles que s'ils ont un effet d'entraînement sur le secteur privé. Dans ces conditions, ces programmes apparaissent comme des vœux pieux, ce que démontre un échec relatif dans les organismes d'État ou au niveau gouvernemental, comme à Hydro-Québec, à la ville de Montréal, à la Société de transport de la communauté urbaine de Montréal, à la Communauté urbaine de Montréal, chasses gardées très fermées aux groupes ethnoculturels :

À ce jour, les programmes d'accès à l'égalité pour les communautés culturelles, c'est un vœu pieux. Les différentes communautés culturelles sont surtout dans le privé, jamais dans le public. Le public c'est presque une chasse gardée (homme, 42 ans).

Aux problèmes d'application s'ajoute la question des effets pervers que pourraient avoir les programmes d'accès à l'égalité en emploi, comme la perte des critères d'universalité (fondés sur le mérite) :

On ne devrait pas regarder la couleur, mais la valeur de l'individu : on donne le travail à celui qui a les capacités nécessaires. L'égalité oui, mais l'égalité sur quelle base ? Il faut que ce soit quand même pour le même travail et selon les mêmes critères. Égalité pour moi c'est qu'on doit donner un travail au plus qualifié, quelle que soit sa race (homme, 49 ans).

Généralement, les leaders d'origine italienne sont en faveur — avec des nuances — des programmes d'accès à l'égalité, mais surtout pour les autres groupes, car ils jugent que dans l'ensemble les « Italiens n'en ont plus besoin » :

La communauté italienne est ici depuis tellement d'années... Ce n'est pas vraiment pertinent. Ça l'est pour toutes les minorités visibles, ça oui, les nouveaux arrivants (femme, 36 ans).

L'intégration économique des immigrants et des membres de certaines minorités ethniques au Québec, particulièrement les minorités visibles, serait facilitée par ce type de programmes à la condition que les critères de compétence soient respectés. Ils constituent donc une mesure de redressement de la situation marquée par des injustices passées et devraient s'appliquer à tous les groupes immigrants et à tous leurs membres afin qu'ils puissent accéder à des secteurs où ils sont sous-représentés, surtout au niveau des cadres, et pouvoir contourner les barrières institutionnelles. Ils favoriseraient l'égalité d'accès à des services sociaux offerts à tous et aideraient ainsi à créer des institutions sociales reflétant la composition actuelle de la population québécoise :

Ce n'est pas seulement pour avoir de la couleur dans la fonction publique que c'est nécessaire. C'est parce qu'on veut être représentatif de la nouvelle composition du Québec d'aujourd'hui. Ces programmes d'accès doivent exister pour répondre à ces besoins de manière à faciliter l'utilisation des services publics et sociaux et de santé pour les communautés, autrement ça ne veut rien dire (homme, 43 ans) ;

Il y a environ quatre-vingt-cinq ethnies au Québec. Je ne dis pas que toutes devraient être représentées, mais il faut quand même que nos institutions reflètent la réalité (homme, 22 ans).

Plusieurs soulignent le retard du Québec, comparativement à l'Ontario ou aux États-Unis, dans l'adaptation des institutions à la diversité ethnoculturelle. Malgré l'attitude majoritairement favorable à ces programmes, on émet des doutes sur certains de leurs aspects et un scepticisme face à leur efficacité souvent liée à des résistances de la part des administrateurs. « C'est sur papier », dira une femme leader qui pense que quand on ouvre un concours, on a souvent déjà choisi son candidat ; un autre pense que « l'obstacle majeur, ce sont les gestionnaires eux-mêmes » qu'il faudrait former, tout en assurant en même temps une formation en français : « si on veut être sérieux il faudrait assurer une formation linguistique à ceux que l'on veut cibler ». L'application des programmes se heurterait aussi à des résistances d'ordre syndical et juridique : « Dès qu'on passe à l'application, vous faites face aux syndicats, vous faites face aux droits de la personne, vous faites face à toutes sortes d'affaires, et à la fin c'est du bla-bla pour rien », dira un interviewé. Les critères d'établissement de quotas seront aussi problématiques : « Les principes sont toujours bons. Mais c'est l'application qui laisse sceptique. Et puis je suis contre ce type de politiques, contre le pourcentage, contre les quotas », dira un autre. Les outils de mesure de la population active actuellement employée ou disponible sur le marché du travail qui serviraient à déterminer les objectifs des programmes ne sont pas précis, d'où la possibilité de manipulation des statistiques.

L'usage de critères phénotypiques dans le processus d'embauche risque d'avoir des effets négatifs sur la compétence des travailleurs, tout en créant des tensions raciales :

On embauche quelqu'un par compétence. Il ne faut pas embaucher un Noir ou un Italien parce que justement il est noir ou italien. Là où j'ai peut-être un peu plus de problèmes c'est quand on vient me dire qu'à compétence égale on va favoriser la personne qui est autre que française ou anglaise. Il ne faut pas qu'il y ait un sentiment qu'à compétence égale la personne est privilégiée tout simplement à cause de la couleur de sa peau ou de ses origines culturelles (homme, 22 ans).

Tout à fait dans le même sens, plusieurs leaders juifs se disent en accord avec les programmes d'accès à l'égalité, mais contre les quotas à l'embauche :

Je ne crois pas aux quotas. Je ne crois pas que l'on doive engager quelqu'un en raison de son appartenance ethnique. Mais vous devez lui donner une chance égale. Vous devez présenter des ouvertures pour que tous puissent se porter candidats (femme ashkénaze, 50 ans).

Ces programmes permettraient une plus grande diversité dans les milieux de travail, une meilleure compréhension les uns des autres, un rapprochement et le respect mutuel :

Je crois que les programmes d'accès à l'égalité corrigent un déséquilibre et qu'ils sont positifs dans la mesure où ils aident les gens à se comprendre, à travailler ensemble. Une grande partie de la tension interculturelle provient de la méconnaissance mutuelle. On se perçoit à travers le prisme des stéréotypes plus que selon les faits. Si ces programmes aident et encouragent les gens à travailler ensemble, ces stéréotypes finiront par disparaître (homme ashkénaze, 43 ans).

Trois points majeurs retiennent l'attention en ce qui concerne l'application des programmes : la définition des catégories sociales visées, les effets pervers que peut entraîner leur application et la volonté des administrateurs. La détermination des groupes visés par les programmes pose problème, dans la mesure où théoriquement les Juifs risquent de ne pas entrer dans les catégories retenues, n'étant pas considérés comme une minorité discriminée :

> Beaucoup de ces politiques d'accès à l'égalité sont axées sur les minorités visibles, et les Juifs sont devenus plus invisibles, ne sont pas vraiment considérés comme une minorité opprimée (femme ashkénaze, 41 ans).

Le remplacement des critères universalistes par les pourcentages et la remise en cause des droits individuels associés à ces programmes constituent des effets pervers possibles, une sorte de racisme à rebours qui met de côté le principe du mérite. La réelle volonté des responsables chargés d'administrer les programmes et l'embauche des employés des communautés ethniques reste aussi à démontrer. La réticence de leur part pourrait s'expliquer par la volonté de garder jalousement leurs privilèges. Des moyens autoritaires ou incitatifs devront être sans doute utilisés pour surmonter ces résistances :

> Il s'est créé une bourgeoisie québécoise qui a remplacé la bourgeoisie anglaise partie après la victoire du Parti québécois en 1976. Cette bourgeoisie québécoise, qui a pris les postes clés culturels, intellectuels, les banques, etc., est maintenant là pour les trente prochaines années. Et elle ne permettra pas aux jeunes d'avancer. Et elle voudra maintenir ses privilèges de classe. Et elle va créer des barrières raciales. Ce n'est pas la politique d'immigration qui m'inquiète, c'est la politique de la néo-bourgeoisie québécoise, qui, en quelque sorte, est une politique conservatrice de maintien de privilèges. Elle risque de blesser ses propres valeurs nationalistes en n'ayant pas le courage d'une politique plus dynamique, où il y aurait plus de risques à prendre (homme séfarade, 46 ans).

L'intégration des immigrants dans la fonction publique est une des ambitions des programmes d'accès à l'égalité selon les leaders d'origine libanaise. La discrimination serait moins forte dans le domaine privé plus porté à la rationalité économique, contrairement à la fonction publique plus protectionniste :

Une compagnie privée embauche un noir, un rouge, un vert, l'important, c'est que ça fonctionne, l'important c'est qu'on fasse du profit. Dans la fonction publique, c'est plutôt le sentiment qu'il existe une chasse gardée. Je pense que le gouvernement doit encourager l'intégration de gens d'origines diverses dans la fonction publique. Mais il ne faut pas fixer un quota. Il faut laisser celui qui est capable, celui qui peut faire le travail. Puis encourager les fonctionnaires du gouvernement à accepter l'idée que le monde a changé (homme, 30 ans).

En s'attaquant à des pratiques économiques discriminatoires, ces programmes aident les institutions à s'adapter aux réalités actuelles de la société d'accueil en termes de relations ethniques, même s'ils risquent de creuser un fossé entre les groupes :

C'est dommage qu'il faille des politiques, parce que nous sommes un pays d'immigration. Ça ne devrait pas exister du tout, ça ne devrait même pas se poser comme question. Je trouve scandaleux qu'on soit obligé de créer des lois ou de donner des récompenses pour engager des gens qui immigrent chez vous. Mais ils n'émigrent pas chez vous, vous en avez besoin, vous les voulez, vous voulez les intégrer. Alors si vous les gardez dans des ghettos... ils sont obligés d'aller travailler chez les gens de leur race pour pouvoir survivre, ça fait des ghettos (femme, 54 ans).

Les quotas de représentation proportionnelle peuvent aussi affecter la compétence des travailleurs embauchés alors qu'il serait plus avantageux de mettre au point un processus d'embauche moins discriminatoire tout en l'axant davantage sur l'identification des meilleurs candidats, peu importe leur appartenance ethnique ou raciale :

Pour moi, l'accès à la fonction publique doit être déterminé seulement par la compétence. Il y a des compétences partout, parmi les Noirs, parmi les Libanais. Qu'ils se présentent au concours et qu'ils soient engagés selon leurs qualifications. Ils ont autant de chances que les autres (homme, 41 ans).

Les leaders semblent donc dans l'ensemble favorables aux programmes d'accès à l'égalité en emploi, mais plusieurs critiquent leur inefficacité ou leurs effets pervers. La sélection des groupes cibles resterait encore floue, et la philosophie différencialiste qui est à la base de leur conception et de leur application demeure objet d'inquiétude.

L'entreprenariat

Sur la question de l'entreprenariat, les thèmes qu'ont retenus les leaders concernent les conditions de formation des entreprises ethniques et leur rôle dans la mobilité des travailleurs ou, au contraire, leur fixation dans des économies périphériques qui retardent l'intégration dans le marché primaire ou secondaire du travail.

L'entreprise ethnique apparaît aux leaders d'origine haïtienne comme un aspect fondamental de l'intégration sociale et économique d'une minorité. Sans cet entreprenariat, le groupe haïtien manquerait de vigueur et de reconnaissance de la part de la société globale et serait exclu des processus de décision. L'entreprenariat haïtien n'en serait qu'à ses débuts, mais il commencerait à montrer des signes encourageants de dynamisme, même si sa progression n'est pas aussi rapide qu'elle l'a été pour d'autres minorités. Ce retard s'explique par la faible valorisation de l'esprit d'entreprise dans le système éducatif haïtien :

> L'entreprenariat a toujours pratiquement appartenu à ceux qui sont venus d'ailleurs et en ce sens-là on est encore un pays colonisé, même si on a été indépendant depuis deux cents ans. L'entreprenariat n'est pas une chose qu'on a développée chez nous. On a plutôt développé des grands chenapans, voleurs, aux crochets de l'État (homme, 48 ans).

Il s'explique également par l'absence d'entrepreneurs parmi les migrants de la première génération. Mais la situation est peu à peu corrigée par les jeunes :

Les jeunes Haïtiens sont devenus administrateurs parce qu'ils ont étudié l'administration. Il y a des comptables... On trouve en effet beaucoup moins d'entrepreneurs, mais ils sont plus solides. Par exemple les chauffeurs de taxi : avant, n'importe quel Haïtien pouvait dire bon je vais faire du taxi, mais ils se sont cassés la gueule, ils se sont rendu compte qu'il faut s'organiser, il faut savoir ce métier-là et il faut avoir des connaissances, de la compétence et il faut donner un service intéressant au client pour aller le chercher, qu'il soit blanc ou noir. Il n'y a plus de place pour l'improvisation (homme, 45 ans).

Les secteurs d'activité des entrepreneurs d'origine haïtienne (taxi, garages, épiceries, salons de coiffure, agences de voyage, etc.) ont d'abord été liés aux besoins internes du groupe, mais on assiste maintenant à une diversification des créneaux :

Lorsque le futur entrepreneur concevait son entreprise, il la concevait en fonction d'un marché très local au début. Depuis un certain temps, il y a une diversification, une volonté de toucher le marché québécois, canadien. Avant, il y avait un marché haïtien qui avait des liens avec le marché haïtien de New York. On faisait venir des produits strictement antillais. Maintenant, on pense à la spécificité du marché québécois (femme, 40 ans).

Un entreprenariat dynamique serait dès lors très utile pour régler certains problèmes comme le chômage et la discrimination. « L'entreprenariat réglerait pas mal de choses », dit un leader. Il ne doit cependant pas se cantonner dans les services à la communauté, mais s'ouvrir à la société globale :

Je vois l'entreprenariat ethnique comme un tremplin vers un entreprenariat généralisé. En d'autres termes, quand je débute, je connais qui ? Je connais les gens de ma communauté, les gens qui sont près de moi. Donc, je commence le business avec eux. Puis, j'ouvre. Mais je dois tout le temps avoir en tête de dépasser ma communauté. Si je ne reste qu'à l'intérieur, je n'aurais pas d'une certaine façon fait profiter la société d'accueil de mes compétences (homme, 42 ans).

L'embauche de main-d'œuvre haïtienne par des entrepreneurs de même origine suscite des avis partagés, car s'il y a à cela des avantages, il y a aussi des dangers. Certains croient que l'exploitation systématique de cette main-d'œuvre serait plutôt limitée : « Il y a de l'exploitation partout, dit une femme leader. Je ne pense pas qu'il y en ait plus dans les entreprises ethniques. » Les risques d'exploitation ou de discrimination proviendraient plutôt de la structure de production liée à la sous-traitance qui peut contribuer à amplifier le recours à ces pratiques.

L'entreprenariat semble par ailleurs progresser grâce au dynamisme des femmes d'origine haïtienne qui s'unissent dans certains cas pour former des associations économiques et offrent, dans la tradition haïtienne, des services particuliers (couture, coiffure, cuisine) aux autres femmes de leur groupe :

> Il y a une nouvelle tendance intéressante, surtout chez les jeunes femmes. Il y avait des femmes entrepreneurs mais de façon très restreinte dans les entreprises de service et salons de coiffure. Mais de façon générale, c'est chez les jeunes que l'entreprenariat se manifeste maintenant, probablement à cause du chômage qui les touche particulièrement. Je connais le cas d'une jeune femme qui a fondé une entreprise d'édition électronique. Et elle a dû abattre, comme elle le dit elle-même, trois sortes de préjugés : contre les « Noirs », contre les femmes et contre les jeunes (femme, 40 ans).

L'entreprenariat serait à la hausse chez les Québécois d'origine italienne. Après s'être longtemps limité à la construction ou à l'alimentation, il commencerait à déborder dans tous les secteurs économiques de la société québécoise : banques, hôpitaux, services sociaux, entreprises de consultants, études d'avocats, compagnies de finance, etc. Il relève du désir d'autonomie des immigrants d'origine paysanne :

> L'une des difficultés que les paysans rencontrent, c'est de travailler pour quelqu'un d'autre qui leur dise quoi faire. Et c'est aussi

insupportable de s'astreindre à des horaires fixes. C'est une attitude paradoxale, parce que, d'une part, ils cherchent la liberté et, d'autre part, ils sont toujours là-dessus. Il y a un paysagiste, travailleur autonome, qui travaille nuit et jour ou presque, mais il a l'impression qu'il est libre parce qu'il peut s'arrêter n'importe où, prendre un café, aller dire bonjour à ses amis (homme, 45 ans).

Moyen de remédier aux pratiques discriminatoires qui empêchaient certains immigrants de trouver du travail et, pour certains, d'acquérir une indépendance économique en créant leur propre firme, l'entreprenariat ethnique n'évite cependant pas les formes d'exploitation :

> Les travailleurs qui viennent de communautés immigrantes, qui travaillent dans ces entreprises ethniques, ont l'impression qu'ils sont moins exploités puisque souvent on parle italien ou chinois. Mais je me demande s'ils ne sont pas réellement exploités. Et souvent je trouve que les communautés culturelles sont exploitées par leurs propres professionnels (femme, 38 ans).

La stratégie d'embauche selon l'origine ethnique serait en voie de disparition, même si la solidarité communautaire joue encore parfois, mais ces pratiques varieraient selon la taille des entreprises :

> Les Italiens se sentent plus à l'aise dans un milieu où ils peuvent parler italien. Mais je ne dirais pas que l'entrepreneur italien fait de la discrimination, il est comme tous les patrons (homme, 43 ans) ;

> Selon la grandeur et l'importance de l'entreprise, la mobilité sociale ou la surexploitation peuvent être présentes. Plus l'entreprise est petite, plus les conditions de travail sont misérables, qu'elle soit ethnique ou pas. Et quand l'entreprise devient plus importante, les gens savent qu'ils doivent atteindre un niveau d'affaires, de compétence, de crédibilité. À ce moment-là, les conditions de travail ne peuvent pas être très différentes d'ailleurs, puisqu'on doit embaucher des gens aussi compétents, avec des exigences identiques (femme, 36 ans).

Les jeunes femmes d'origine italienne de la deuxième ou troisième génération commenceraient aussi à s'impliquer dans les affaires, tout en restant toutefois plutôt marginales. Dans la mode, la coiffure et la restauration, elles seconderaient souvent leur époux ou dirigeraient effectivement l'entreprise :

> Il y a malheureusement très peu de femmes entrepreneurs au sein de la communauté italienne. Elles vont plutôt occuper certaines fonctions dans les compagnies. Il y a des femmes qui ont leur commerce, mais si on parle de grosses entreprises, non. Si elles sont devant, c'est plutôt la femme du président qui le seconde dans ses fonctions, mais le président ou le leader de la compagnie, ce sera l'homme (homme, 22 ans).

La problématique de l'entreprenariat diffère selon les composantes de la communauté juive et la diversification des entreprises dépendrait du pays d'origine des immigrants :

> Par exemple, les Marocains qui sont venus ici étaient des artisans, il y a beaucoup de coiffeurs, d'importateurs de jeans marocains, dans l'industrie de la mode, les boutiques... Les Hongrois sont principalement dans le textile, dans l'immobilier, dans les entreprises (homme ashkénaze, 61 ans).

Le niveau de scolarisation élevé des nouvelles générations les orienterait vers les professions libérales et le secteur tertiaire :

> Maintenant, avec l'éducation qu'on a, il y a une grande partie des Juifs qui ne voudraient pas être en affaires et surtout pas dans les petites affaires, qui voudraient travailler pour une grande compagnie, ou pour eux-mêmes, comme professionnels, avocats, médecins, comptables, etc. (homme ashkénaze, 36 ans).

Dans la mesure où l'entreprenariat permet le développement, grâce à l'appui financier, des institutions communautaires, sa fonction sociale est jugée favorablement :

> Il a un rôle très positif, parce qu'en fin de compte ce sont les premiers qui lèvent la tête dans une communauté, ce sont les pre-

miers qui économiquement sont des leaders. Et ils veulent être un modèle. Certains d'entre eux, je parle de la communauté séfarade du Québec, ont aidé les organisations et les institutions à se lever, économiquement parlant, avec de l'argent, et ils ont eux-mêmes participé à l'évolution de ces organismes (femme séfarade, 43 ans).

L'existence d'une enclave ethnique économique ne fait pas l'unanimité, plusieurs notent les désavantages dans l'embauche limitée à des coreligionnaires. « Chez les Juifs, c'est toujours un peu plus compliqué », dira une femme leader :

> Il y a la tentation d'engager des gens de sa propre communauté. Mais, quand on regarde ça de plus près, on se rend compte que les gens n'en ont pas forcément envie. Les grosses affaires, c'est très multi. C'est sûr qu'au niveau des postes de pouvoir ou des postes de décision, on retrouvera certainement des affinités, je dirais, ethniques (homme séfarade, 36 ans).

Le segment séfarade, malgré son arrivée plus récente, semble faire preuve d'un dynamisme économique marqué. Si l'on se fie aux données d'une récente étude faite par les Hautes études commerciales et rapportée par un des leaders, le taux d'entreprenariat chez les séfarades serait « spectaculaire ». Ce dynamisme s'expliquerait par leur volonté d'autonomie et de réussite, ce qui permettrait de renforcer l'image positive de la communauté :

> Les séfarades ont voulu très vite sortir de l'influence de leurs grands frères ashkénazes. Donc, ils ont voulu mettre sur pied leurs propres business (homme séfarade, 36 ans) ;

> L'entreprenariat est pour les immigrants juifs un des lieux importants de déploiement de leur estime et de la reconnaissance publique. Ils vont s'accrocher à développer l'entreprise et à essayer d'être le plus visibles possible et de faire de l'argent (femme séfarade, 41 ans).

Le mimétisme ne serait pas étranger à cette tendance : « Par exemple, dit un interviewé, un Marocain se lance dans les vêtements ? ils se lancent tous dans le vêtement. Résultat : il y a des hyperconcentrations, ils se concurrencent entre eux probablement. »

La place des femmes juives dans l'économie — surtout parmi les ashkénazes — serait encore limitée même si, pour les séfarades, le travail du couple serait privilégié et si quelques femmes semblent entrevoir une percée encore faible dans le domaine économique, surtout dans le secteur alimentaire :

> Il y a des femmes intéressées à entrer sur le marché du travail, qui mettent sur pied toutes sortes de petites entreprises à la maison. Il y en a d'autres qui ont commencé à être traiteurs à la maison, elles ont commencé à faire la nourriture pour une famille qui est au travail, puis elles font toutes sortes de cuisines, pour la maison, parce que les femmes travaillent. Il y a beaucoup de femmes qui sont entrées dans le domaine des services (femme ashkénaze, 45 ans).

L'esprit d'entreprise, qui s'inscrit dans l'histoire et la culture libanaises — où la fonction d'intermédiaire économique, culturel et social au Moyen-Orient est centrale —, inciterait les membres de ce groupe, d'origine urbaine et de toutes les confessions, à s'adapter rapidement en situation d'immigration et à réussir dans le commerce, privilégiant leur indépendance économique comme principe fondamental :

> Le Liban est toujours présenté comme un carrefour. C'est un intermédiaire, économiquement, socialement et aussi culturellement. C'est un polyglotte, un commerçant, un intellectuel, un banquier, un entrepreneur. Les Libanais jouent ce rôle au Moyen-Orient et cela fait partie de leur personnalité (homme, 37 ans) ;

> Déjà au Liban, la libre entreprise est très forte. Le Libanais ne voyage pas depuis peu, c'est un peuple qui voyage beaucoup, qui bouge beaucoup. Il y a un adage populaire chez nous qui dit : là où tu tombes, fleuris. Alors ils fleurissent partout. Du point de vue business, les Libanais s'adaptent facilement, ils ont cette

capacité de s'adapter, les entrepreneurs, je veux dire. Ils décortiquent le système, ils le comprennent très bien et ils s'adaptent. Et ils brillent là-dedans (femme, 33 ans).

L'entreprenariat libanais, bien que dominant dans le domaine du textile, tendrait à se diversifier tant dans les PME que les grandes entreprises :

> Vous n'avez pas idée combien il y a de choses ici qui sont libanaises. Ça s'est développé extraordinairement. Il y a des immeubles complets, des condominiums extraordinaires... Les commerces, les petits et les grands (femme, 54 ans).

Les leaders d'origine libanaise ne croient pas au rôle de l'entreprenariat ethnique dans l'intégration des nouveaux arrivants. L'entreprise libanaise pourrait devenir un milieu favorisant une période d'adaptation pour la main-d'œuvre d'origine libanaise, mais elle pourrait aussi freiner l'intégration et favoriser l'exploitation des travailleurs, en leur offrant des salaires moindres :

> C'est contre l'intégration à la société. Si vous voulez avoir une société saine, il faut qu'il y ait une fluidité de l'emploi. Que les entrepreneurs, dont l'origine remonte je ne sais pas à quand, puissent employer des gens dont l'origine remonte ailleurs. Autrement, ce que vous créez, ce sont des ghettos (femme, 61 ans).

Les femmes semblent sous-représentées au sein des entreprises, même si un début de transformation des mentalités se fait jour, avec le développement d'entreprises dans la restauration, le vêtement ou les services de traiteur :

> La femme libanaise ne travaille pas. Parce que, pour elle, son travail, c'est son foyer, ses enfants, son mari, la vie de tous les jours. Ce n'est pas une femme de carrière. Aller travailler, c'est faire un très grand pas. Il y a des hommes qui vont encourager leur femme, mais c'est une minorité. L'homme libanais est un homme très possessif et très égoïste. Et il n'accepterait jamais que

sa femme devienne sa concurrente, il veut toujours pouvoir la
dominer, et pour pouvoir la dominer, il faut qu'il ait la supériorité
financière. Pour lui, une femme qui travaille est une femme libre
et indépendante (femme, 41 ans) ;

Je crois que c'est en train de changer parce que les générations
d'aujourd'hui sont moins centrées sur l'idée qu'on va finir l'école
et on va se marier et on va avoir des enfants. Elles cherchent une
carrière, une indépendance. Et ça, c'est le mouvement des femmes
en réalité qui se produit, même dans toutes les communautés
(homme, 51 ans).

L'entreprenariat ethnique serait, si l'on en croit les leaders,
dans une phase dynamique d'expansion liée à la diversification
des créneaux de production et de services. Cependant, le rôle
d'intégration que pourraient jouer ces entreprises ne fait pas
l'unanimité, même si elles permettent d'améliorer l'image des
groupes ethniques et contribuer à l'essor de l'économie
québécoise

* * *

Tout comme les autres pays capitalistes avancés, le Québec
accueille les groupes d'immigrants dans un contexte économique caractérisé par une segmentation poussée, ce qui
freine leur insertion. Le témoignage des leaders, en particulier
ceux d'origine haïtienne et libanaise, fait apparaître la complexité des problèmes qui se posent aux nouveaux immigrants.
Les facteurs structurels et contextuels de type économique
(segmentation du marché du travail et conjoncture économique marquée par la récession et le chômage) sont amplifiés
par certaines conditions prémigratoires (origine socioéconomique, formation de la main-d'œuvre, culture du travail dans
le pays d'origine, niveau d'éducation), mais aussi par d'autres
facteurs propres à la société d'accueil, en particulier la discrimination, la non-reconnaissance des diplômes et les résistances

des corporations professionnelles à intégrer les nouveaux arrivants ayant des qualifications élevées.

Les leaders expriment des inquiétudes communes, au-delà des particularités ethniques ou racisées, en ce qui concerne l'entreprenariat. La crise accentue la dimension ethnique, ce qui accroît la concurrence à la fois inter et intragroupe. La discrimination semble prendre des formes individuelles et institutionnelles (systémiques), mais plusieurs soulignent également les rapports d'exploitation et les préjugés qui prennent place au sein même des groupes ethniques. Ces analyses ne correspondent pas au climat de rectitude politique ambiant qui entoure ces débats et qui tend à occulter ces dimensions.

Cette complexité se traduit également dans les solutions que les leaders avancent. Qu'il s'agisse de formation professionnelle, de services d'accueil, de syndicalisation de la main-d'œuvre précaire et captive dans des segments spécifiques du marché du travail, du rôle des entrepreneurs des minorités ou des politiques étatiques de lutte contre la discrimination, les points de vue, tout en n'étant pas toujours convergents, dénotent un malaise face aux politiques économiques et aux blocages structurels perçus dans la société québécoise. Les limites et les contradictions dans les politiques d'immigration et les conditions économiques locales, liées à l'absence d'une formation cohérente de la main-d'œuvre, l'acceptation du travail non déclaré répandu dans certains groupes ethniques, l'opportunisme des syndicats actuels incapables de prendre en considération les exigences des nouveaux membres, nécessitent une réévaluation qui ne peut se faire sans la participation de l'ensemble des parties concernées. Il faut noter ici que la volonté politique d'établir une justice sociale à travers les programmes d'accès à l'égalité suscite des questions quant aux effets des politiques de gestion de la diversité ethnoculturelle sur la catégorisation des groupes, un problème éthique et scientifique relevé par plusieurs chercheurs sur les relations raciales[14].

---

14. M. Banton, *Racial Consciousness*, Longman, 1988 ; J. Solomos, *Race Relations Research and Social Policy : A Review of Some Recent Debates and Controversies*, Coventry, University of Warwick, Center for Research in Ethnic Relations, n° 18, 1989.

3

LANGUE ET ÉDUCATION

La conservation de la langue d'origine et la mise sur pied d'un
système d'éducation qui aide à transmettre les éléments socioculturels ou religieux fondamentaux semblent souvent être
pour les groupes ethnoculturels des objectifs importants. Il
arrive cependant qu'ils entrent en conflit avec ceux définis par
l'État. Des recherches ont montré que les pays nouvellement
indépendants adoptent souvent des politiques qui visent à définir un nouveau cadre linguistique applicable dans le contexte
national (par exemple, l'arabisation ou la swahilisation), ce qui
s'accompagne de l'adoption de lois et de mesures linguistiques
correspondantes[1]. Le nouveau cadre se définit généralement en
rupture avec les modèles linguistiques antérieurs et vise à
renforcer ou à créer une identité nationale aux dépens des

---

1. Voir, par exemple, J. Fishman, *Language and Nationalism* : *Two
Integrative Essays*, Rowley, Newbury House, 1973 ; F. Coulmas (dir.), *With
Forked Tongues : what are National Languages Good for ?*, Ann Arbor, Karoma,
1988 ; W. O. O'Barr, J. F. O'Barr (dir.), *Language and Politics*, La Haye,
Mouton, 1976.

groupes minoritaires dont les langues se voient dépréciées, interdites ou encore reléguées à un enseignement mineur, même si elles se maintiennent par transfert intrafamilial ou sociétal[2]. Cet étouffement peut donner naissance à des revendications accompagnées de luttes ouvertes pour la réappropriation de la langue, qui peut être alors reconnue au plan régional (le cas catalan, par exemple). L'immigration de groupes linguistiques importants (par exemple, hispanique aux États-Unis) peut aussi déclencher des conflits importants, tout comme dans les pays où coexistent deux langues nationales. Au contraire, dans certains contextes, ces langues minoritaires peuvent être revalorisées et trouver leur place dans un cadre bilingue ou multilingue.

La question linguistique est intimement liée à l'école, appareil essentiel dans l'unification identitaire, la promotion de l'appartenance nationale et la construction des frontières entre espace public et espace privé. Langue et école permettront notamment au citoyen de s'identifier à une « communauté imaginaire[3] ». Cependant, les politiques d'éducation varient. Si, en France, l'école républicaine et laïque, ciment de l'identité nationale assimilatrice, coexiste avec un réseau privé d'écoles surtout religieuses (modèle qui tend actuellement à être remis en question au profit d'approches plus interculturelles[4]), ailleurs, les systèmes éducatifs tentent de s'adapter à la diversité

---

2. Voir, par exemple, C. H. Williams, *Linguistic Minorities, Society and Territory*, Multilingual Matters, Clevedon, 1991 ; W. Fase, K. Jaspaert, S. Kroon (dir.), *Maintenance and Loss of Minority Languages*, Amsterdam, J. Benjamins, 1992.

3. B. Anderson, *Imagined Communities*, New York, Verso, 1991 ; Y. Déloye, « État, nation et identité nationale : pour une clarification conceptuelle », dans N. Burgi (dir.), *Fractures de l'État-nation*, Paris, Kimé, 1994.

4. Voir H. Hannoun, *Les ghettos de l'école : pour une éducation interculturelle*, Paris, ESF, 1987.

ethnoculturelle en mettant au point des stratégies d'intégration, de multiculturalisme ou de ségrégation à travers la
création d'écoles ethnoculturelles séparées. Ces solutions ne
sont pas sans provoquer des polémiques qui touchent la définition des modèles, la formation des professeurs, sans oublier
les répercussions sur l'identité des enfants et leur rendement
scolaire[5]. Ces questions complexes lancent de nouveaux défis
socioculturels[6].

Au Québec, la question linguistique, la question scolaire et
les représentations construites autour des identités d'origine et
de l'appartenance québécoise sont sous-tendues par la question
nationale. L'État fédéral et l'État québécois ont historiquement
contribué à la construction d'identités éclatées qui se reprodui-
sent grâce à des institutions confessionnelles particulières.
Cette situation, actuellement remise en question par le milieu
de l'éducation, paralyse l'intégration des jeunes en dépit des
mots d'ordre officiels.

Dans le domaine linguistique, la faible attraction du Québec sur les mouvements migratoires, la primauté du référent
canadien et la prééminence de l'anglais dans le champ international expliquent la résistance au français, pourtant l'un des
symboles de la nation. Le contexte linguistique conflictuel[7]

---

5. Voir J. Lynch, C. Modgil, S. Modgil (dir.), *Cultural Diversity and the
Schools*, Londres, Falmer Press, 1992 ; H. Giroux, P. McLaren, *Between
Borders. Pedagogy and the Politics of Cultural Studies*, New York, Routledge,
1993.

6. Voir, par exemple, A. Fyfe, P. M. E. Figueroa (dir.), *Education for
Cultural Diversity : the Challenge for a New Era*, Londres, Routledge, 1993.

7. P. Cappon, *Conflits entre les Néo-Canadiens et les francophones de
Montréal*, Québec, Presses de l'université Laval, 1974 ; N. Assimopoulos,
J. E. Humblet, « Les immigrés et la question nationale : étude comparative
des sociétés québécoise et wallonne », *Studi Emigrazione - Études migrations*,
n° 86, 1987 ; Commission d'étude des questions afférentes à l'accession du
Québec à la souveraineté, *L'avenir politique et constitutionnel du Québec*,
Assemblée nationale, 1990 ; M. Labelle, « Politique d'immigration, politique

n'est pas sans affecter la définition de l'identité ethnique et nationale et les formes d'intégration à la société québécoise.

La dualité linguistique, inscrite dans la structuration confessionnelle du système scolaire québécois, soulève également des critiques, et explique une part des difficultés dans l'émergence d'un sentiment d'appartenance à la société québécoise.

Dans le champ de l'éducation, le discours de la différence et des particularismes ethnoculturels est dominant. La question de la cohésion sociale et de la culture nationale dans un tel contexte idéologique se pose pourtant de plus en plus, surtout pour ceux qui défendent l'intégration des immigrants et des minorités ethniques au nom d'une logique plus universaliste que celle qui a prévalu dans le contexte québécois, marqué par le multiculturalisme canadien. Là encore apparaît le rôle social et politique de l'ethnicité dans la société québécoise : la lutte entre les deux peuples fondateurs a ouvert un espace pour les minorités et a encouragé le maintien de l'ethnicité qui s'exprime dans les revendications linguistiques, scolaires et culturelles aux dépens d'une culture commune et publique, selon certains, d'une intégration nationale axée sur l'idée de citoyen-

---

d'intégration, identité du Québec », dans *Les avis des spécialistes invités à répondre aux huit questions posées par la Commission,* Québec, Commission sur l'avenir politique et constitutionnel du Québec, document de travail numéro 4, 1991 ; J. Langlais, P. Laplante, J. Lévy, *Le Québec de demain et les communautés culturelles,* Montréal, Méridien, 1989 ; J. Legault, *L'invention d'une minorité. Les Anglo-Québécois,* Montréal, Boréal, 1992 ; J. Brazeau, « Évolution du statut de l'anglais et du français au Canada », *Sociologie et sociétés,* vol. 24, n° 2, 1992 ; C. Painchaud, R. Poulin, *Les Italiens au Québec,* Hull, Critiques et Asticou, 1988 ; P.-A. Linteau, « Les Italo-Québécois : acteurs et enjeux des débats politiques et linguistiques au Québec », dans *Studi Emigrazione - Études migrations,* n° 86, 1987 ; D. Taddeo, R. Taras, *Le débat linguistique au Québec,* Montréal, Presses de l'université de Montréal, 1987 ; C. Painchaud, R. Poulin, « Italianité, conflit linguistique et structure du pouvoir dans la communauté italo-québécoise », *Sociologie et sociétés,* vol. 15, n° 2, 1985.

neté commune, selon d'autres. Les débats actuels en témoignent[8]. Nous verrons dans ce chapitre comment la question de la langue et de l'éducation se pose pour les leaders.

Langues et pratiques linguistiques

La question linguistique se pose avec plus d'acuité pour les groupes italien et juif que pour les groupes haïtien et libanais. Mais pour les uns comme pour les autres, les lignes de clivage linguistiques au sein des groupes ethniques déterminent souvent les positions politiques. Le discours des leaders témoigne dans cette perspective du caractère politique de la question linguistique au Québec, face à laquelle, bon gré, mal gré, les Québécois de toutes origines sont obligés de se situer.

Pour l'ensemble des leaders d'origine haïtienne interviewés, il apparaît clairement que l'intégration linguistique au français des membres de leur groupe ethnoculturel ne pose presque aucun problème. Les Québécois d'origine haïtienne se sentent spontanément proches du français et se sont assez naturellement et assez massivement insérés dans le secteur francophone. Cependant cette intégration linguistique doit être modulée en tenant compte de l'âge et des classes sociales :

> Pour les jeunes, le problème ne se pose pas, ou presque pas. C'est différent pour les adultes, parce qu'il y a un groupe de créolophones de quarante ans et plus qui ont plutôt tendance à rester entre eux ; ils sont beaucoup plus à l'aise en créole qu'en français. Mais il faut savoir aussi que tous les Haïtiens ou presque comprennent le français, même les créolophones (homme, 42 ans).

---

8. F. Ouellette, M. Pagé, *Pluriethnicité, éducation et société. Construire un espace commun*, Québec, IQRC, 1991 ; M. McAndrew, *Les relations école/communauté en milieu pluriethnique montréalais*, Montréal, Conseil scolaire de l'île de Montréal, 1989 ; M. L. Lefebvre, H. Ruimy-Van Dromme, *L'école et l'intégration des communautés ethno-culturelles au Québec : une étude des perceptions des leaders ethniques*, université du Québec à Montréal et université McGill, 1985.

Le rapport au créole est une question complexe. Pour beaucoup de parents, « la pureté, c'est le français », et cette conviction est à tel point ancrée dans les esprits que des interviewés affirment que plusieurs parents parlant le créole refuseront même d'utiliser cette langue avec leurs enfants. Les raisons tiennent autant à l'expérience migratoire elle-même qu'au statut du créole en Haïti : « Le créole était considéré comme la langue de la basse classe, tandis que le français est la langue de l'élite, des gens bien », dira une femme leader. Certains pasteurs protestants refusent d'ailleurs de parler créole et insistent sur la maîtrise du français. Sauf exception, leurs activités publiques se déroulent en français :

> J'encourage les gens, autant que faire se peut, en français et aussi à améliorer leur français. Lorsqu'on est la minorité visible, ce qui va vous faciliter la tâche c'est de pouvoir vous exprimer très bien dans la langue de Racine, et même dans la langue de Shakespeare. Parler très bien le français c'est un atout (homme, 49 ans).

Cette attitude peut, selon certains, se révéler préjudiciable pour les enfants. En effet, il arrive que des parents créolophones imposent le français, qu'ils connaissent mal, comme langue d'usage dans la famille — ce qui peut rendre difficile pour les enfants l'apprentissage scolaire. La survalorisation du français peut aussi rendre plus difficiles les efforts d'alphabétisation des adultes créolophones qui, parfois, refuseront d'être alphabétisés dans leur langue maternelle et désireront que les cours leur soient donnés en français — ce qui contribue pourtant à ralentir leur apprentissage.

Les créolophones ont donc des besoins linguistiques importants, particulièrement pour les enfants scolarisés dont la connaissance du français est surestimée, ce qui cause parfois des problèmes au moment de l'évaluation de leur niveau scolaire. La proximité linguistique du créole rend par ailleurs difficile l'apprentissage correct du français car il y a souvent

confusion entre les deux idiomes. Les programmes de francisation et d'alphabétisation, malgré des modifications importantes pour résoudre ces problèmes, demeurent pour certains
insuffisants. L'usage du français par les nouveaux immigrants
pourrait aussi être freiné par l'influence de la norme qui
entoure la qualité et la pureté de la langue française en Haïti,
d'où la crainte de commettre des erreurs et de se faire ridi-
culiser. L'influence coloniale de la France sur le plan intellectuel et culturel qui traverse toutes les couches sociales de la
population haïtienne explique cette situation : « En Haïti,
quand on parle français, on sort de la cuisse de Jupiter. » La
survalorisation du français fait que beaucoup d'Haïtiens critiquent sévèrement la langue parlée au Québec, dont les normes
apparaissent insuffisantes en regard du français standard.

L'attrait de l'anglais sur des jeunes qui refusent de se laisser
imposer une seule langue s'expliquerait par l'influence de la
musique et de la culture rock, le poids des communautés
haïtiennes installées aux États-Unis, la montée des sectes protestantes et la culture « black ». Cette tendance à l'anglophonie
est d'ailleurs encouragée par les parents qui voient également
dans l'anglais un vecteur important de promotion sociale et
économique, même parmi les nouveaux immigrants :

> Ils disent que plus on connaît de langues plus on s'enrichit, mais
> je pense qu'en fait ils se rendent compte que l'anglais a priorité.
> Et puisqu'ils sont venus pour améliorer leur condition, tant qu'à
> apprendre une langue, surtout quand on n'est pas d'origine latine,
> c'est plus facile d'apprendre l'anglais et c'est presque un emploi
> assuré. De sorte que si j'avais à apprendre une langue aussi difficile
> que le français et que je savais qu'en arrivant sur le marché du
> travail ce qu'on me demanderait, c'est de connaître l'anglais
> d'abord, peut-être que j'aurais choisi moi aussi l'anglais (femme,
> 51 ans).

L'acceptation progressive du français par les Québécois
d'origine italienne, au moins dans le domaine scolaire et des

155

affaires, s'explique par l'adaptation à la réalité politique et sociale du Québec. C'est ainsi que de plus en plus de jeunes dans les professions libérales reconnaissent l'importance du français dans leur pratique. Le nombre d'italo-francophones aurait de ce fait été sous-estimé. Même si, économiquement, les Québécois d'origine italienne ont pu choisir l'anglais, culturellement, ils auraient toujours été, selon les leaders, plus proches des francophones, comme l'atteste la proportion importante des mariages exogames avec eux, beaucoup plus nombreux qu'avec les anglophones. Les « anciens conflits » témoigneraient donc, selon une interviewée, davantage de rivalités économiques que d'un manque d'affinité socioculturelle :

> Les immigrants et les allophones se sont trouvés entre, d'un côté, des gens qui ont le pouvoir économique, les anglophones, et, de l'autre, des gens qui n'ont pas le pouvoir économique. Alors qu'est-ce qu'ils font ? Ils choisissent le côté qui va leur donner du pain sur leur table. Même si culturellement ils ont plus d'affinités avec les francophones (femme, 34 ans).

Le progrès du français parmi la jeune génération ne signalerait cependant pas pour autant un véritable rapprochement avec la « communauté francophone ». Beaucoup seraient plutôt de fervents partisans du libre choix en matière linguistique au nom des droits de la personne. Si on reconnaît souvent que le français doit être imposé aux nouveaux immigrants, il n'y a pas unanimité :

> Ce ne sont pas les immigrants qui peuvent protéger le français. Les immigrants ne sont pas placés dans les lieux de pouvoir et de décision. Ce sont les Québécois qui ont le pouvoir, qui sont dans les lieux décisionnels. S'ils veulent sauvegarder cette spécificité, ils devront prendre les mesures nécessaires. Et pourquoi les immigrants seraient-ils contre ça ? J'ai quitté mon pays. Une fois ici, que je parle français ou anglais, quelle est la différence pour moi ? (femme, 44 ans).

Malgré la reconnaissance du français comme langue dominante au Québec, l'anglais continue d'exercer une attraction importante. La géographie joue dans cette préférence, car « les immigrants viennent en Amérique ». En second lieu, les écoles franco-catholiques ont déjà refusé les enfants d'immigrants, contribuant ainsi à leur anglicisation. Enfin, les nouveaux arrivants ont été amenés à prendre position dans des débats dont ils ne comprenaient pas toujours les enjeux, comme ce fut le cas dans le conflit de Saint-Léonard :

> Les Italiens étaient en train de défendre les écoles anglaises. Peut-être que notre communauté était vulnérable à la manipulation sur le plan linguistique. Peut-être que nos parents croyaient que pour réussir dans le pays, spécialement sur le plan économique, il fallait apprendre l'anglais. Et c'était peut-être une pensée simpliste, mais d'où est venue cette pensée ? C'est venu de ce que les Italiens avaient entendu dire ou compris (femme, 40 ans).

Le choix des écoles anglaises correspondait pour certains parents à des objectifs économiques et de promotion sociale car « dans leur tête, l'anglais était la langue des affaires, donc la langue de la réussite ». Ce sont d'ailleurs ces motifs, selon un mémoire conjoint du Congrès national des Italo-Canadiens et de la FILEF devant la commission Bélanger-Campeau, qui ont amené dans le passé les enfants de la communauté italienne vers les écoles anglaises. C'est ainsi qu'une grande proportion des enfants de ces immigrants ont fréquenté l'école anglaise et conservent maintenant l'anglais comme langue d'usage. Le phénomène a été renforcé par l'insertion dans un milieu de travail alors dominé par les anglophones.

Langue de l'économie et du travail, l'anglais exerce sur les immigrants un attrait décisif, permettant une plus grande mobilité et assurant du même coup une meilleure sécurité économique. Une interviewée note « l'obsession » qu'ont de l'apprentissage des langues de nombreux immigrants,

« passeport » de promotion sociale. À cause d'impératifs économiques extrêmement puissants, il semble « utopique de
vouloir vivre en français seulement » ; si, ajoute-t-elle, on doit
« apprendre le turc pour manger, on apprendra le turc ».

Ce contexte socioéconomique favorise le bilinguisme
anglais-français, sinon le trilinguisme anglais-italien-français
chez beaucoup de Québécois d'origine italienne, sans que ne
s'établisse cependant une équivalence de statut entre ces trois
langues. En effet, si le français paraît de plus en plus s'imposer
comme langue d'usage dans certains secteurs économiques ou
à l'école, il ne semble pas pour autant adopté dans la vie familiale ou sociale de l'ensemble du groupe à Montréal. Malgré des
changements certains, une hiérarchie des langues d'usage existe
toujours : « L'anglais est la langue la plus importante, ensuite la
langue maternelle et ensuite le français », cela en dépit de
certains changements :

> J'ai de plus en plus l'impression que les jeunes considèrent que le
> français est aussi important que l'anglais. Pour eux l'anglais est
> toujours en première place, *ex aequo* avec le français, quand ils
> sont vraiment très lucides. Mais le français est rarement en pre-
> mière place (homme, 43 ans).

Ce trilinguisme n'est pas sans créer des problèmes d'apprentissage, car aucune de trois langues ne serait véritablement
maîtrisée par les jeunes d'où l'usage d'un dialecte « italo-
anglais » problématique.

Le contexte sociolinguistique propre au Québec contribue
aussi à moduler le rapport à la langue d'origine. L'italien reste
la langue d'usage dans une proportion importante de familles
italiennes et il se maintient jusqu'à la première communion
comme langue de communication chez les enfants :

> Ils parlent toujours italien à la maison. La première et la deuxième
> année, ils parlent facilement l'italien, à partir de la troisième
> année, ils assimilent ou l'anglais ou le français. Les enfants qui se

préparent pour la communion (ils ont environ sept ans) se confessent toujours en italien. Ceux qui se confessent pour la préparation de la confirmation, vers onze ans, uniquement ou anglais ou en français (homme, 53 ans) ;

Les adultes qui sont arrivés ici à l'âge de vingt, trente ou quarante ans et qui sont très âgés ou qui ont une cinquantaine d'années maintenant n'ont pas fréquenté les écoles anglaises ici et n'ont pas appris l'anglais. Ils ont appris le français avec leurs voisins et sur les lieux de travail. Donc, très souvent, quand ils arrivaient à la maison, ils devaient parler l'italien avec leurs enfants qui fréquentaient les écoles anglaises. Voilà pourquoi l'italien a été très populaire et il l'est encore. À Montréal, il paraît qu'il y a à peu près 70 % des familles italiennes qui ont conservé l'italien comme langue de communication à la maison ; à Toronto, il n'y a pas de bilinguisme ; et seulement 35 % à 40 % des familles italiennes ont conservé l'italien comme langue de communication (homme, 43 ans).

La préservation importante de la langue d'origine fait qu'il est d'ailleurs possible pour certaines catégories sociales, par exemple des femmes qui n'ont jamais appris le français ou l'anglais, de vivre exclusivement en italien à Montréal :

À la maison, tout le monde parle italien ; elles vont faire les achats dans les magasins italiens ; elles vont dans les églises italiennes. Quand elles ont appris les mots nécessaires pour pouvoir se faire comprendre au travail, elles n'ont pas besoin d'apprendre plus. Elles ne liront jamais un livre en français. Elles n'écouteront jamais une conférence (femme, 48 ans).

La langue d'origine est d'ailleurs institutionnellement favorisée. Le programme d'enseignement de l'italien, subventionné par les gouvernements italien, canadien et québécois, et financé par les élèves, atteindrait près de six mille personnes et serait en nette progression. Ce contexte global explique que c'est à Montréal que le groupe italien conserverait le mieux et le plus longtemps sa langue d'origine, que ce soit sous une forme standardisée ou dialectale, comparativement à d'autres communautés :

> J'ai participé à la conférence italienne sur l'immigration à Rome. Là-bas le seul groupe de participants qui échangeaient entre eux en italien, c'était le groupe de Montréal. Les autres du Canada parlaient en anglais, ceux de l'Argentine, du Brésil, la langue du pays (homme, 55 ans) ;

> Je suis allé avec mes enfants de sept, huit et dix ans en Italie, j'y suis resté trois mois. J'y rencontrais d'autres amis qui venaient de New York, de Chicago, d'autres endroits des États-Unis et de Toronto. Ils amenaient leurs filles qui ne parlaient pas un mot d'italien. Ils se sont fait critiquer par les parents ! (homme, 55 ans).

L'importance de la référence à l'italien et à la communauté italienne se saisit bien lorsqu'on comprend que « les Italiens ne sont pas avec les francophones, ils ne sont pas avec les anglophones, ils sont avec les Italiens avant tout ». Si peu d'interviewés ont pu fournir de données chiffrées à l'appui de cette conviction, presque tous attribuent cette situation particulière aux rapports entre le français et l'anglais au Québec, à « cette guerre entre les deux ». Or, comme l'évoque le proverbe, quand deux chiens se disputent, c'est le troisième qui prend l'os. Il semble cependant que la communauté aura désormais plus de difficulté à conserver sa langue d'origine si on prend acte de l'évolution démographique de la société québécoise et de la place qu'occupe maintenant le français.

La question de la langue ne semble pas être un point d'ancrage essentiel de l'identité juive. Dispersés dans plusieurs pays, les Juifs n'auraient pas à proprement parler une langue « d'origine », « fondatrice », autre que l'hébreu — ou pour certains le yiddish — à défendre, et ils s'efforceraient d'apprendre la langue du pays où ils s'insèrent :

160

Pour un Juif, la langue n'est pas importante. La nature du Juif est son histoire. Et il a été tellement dispersé partout qu'il a dû apprendre la langue là où il habitait et ça faisait partie de son éducation. Mon père, par exemple, parlait sept langues (femme ashkénaze, 45 ans).

Cette affirmation comporte une implication importante : langue et culture ne sont pas liées ; elle a aussi des conséquences considérables sur la compréhension de la question linguistique et nationale au Québec.

La centralité de l'anglais dans le groupe juif doit être comprise à partir d'une perspective historique et socioéconomique. Le pouvoir économique que détenait la minorité anglo-québécoise et la très forte prédominance de l'anglais dans les milieux de travail et de vie en général expliquent que les Juifs des premières vagues d'immigration aient adopté massivement la langue anglaise et se soient intégrés au milieu anglophone, à quelques exceptions près. Le français ne pouvait guère être associé à la langue du pouvoir, d'autant plus qu'il n'était nullement nécessaire à l'intégration économique et sociale. La décision de l'Église catholique de refouler, pendant des décennies, les enfants non catholiques vers les écoles protestantes de langue anglaise a aussi joué un rôle important dans l'anglicisation des enfants juifs et, par conséquent, de toute la communauté. La fermeture manifestée par les commissions scolaires catholiques, le jeu politique des commissions scolaires protestantes, ainsi que la mise sur pied d'un réseau d'écoles juives et l'obtention de subventions de l'État pour leur financement sont des dimensions importantes de la question linguistique et elles en déterminent les enjeux.

Un autre facteur renvoie à la compréhension du Canada : les Juifs immigraient en Amérique du Nord, un continent anglophone, dans un pays en majorité anglophone, lié de surcroît à la couronne britannique. Langue du pouvoir économique et politique, l'anglais est aussi devenu un moyen de communiquer avec les instances politiques :

> Il y a une règle : le Juif parlait la langue du gouvernement qui l'a laissé entrer au pays. C'est une règle historique. Il faut s'approcher du pouvoir. Et je parle la langue du pouvoir, parce que je peux exister plus aisément si je suis près du pouvoir que si j'en suis éloigné. C'est une mesure défensive. C'était une règle absolue dans tous les pays de la diaspora, que ce soit la Tchécoslovaquie, que ce soit l'Allemagne. L'exemple typique est celui du Juif qui parlait hongrois en Slovaquie parce que la Slovaquie appartenait à la Hongrie ; aussitôt que la Tchécoslovaquie est née, en 1919, ils ont tâché tout de suite de commencer à parler tchèque (homme ashkénaze, 63 ans).

Ainsi, tant que les lois québécoises ne sont pas venues encourager puis rendre obligatoire l'apprentissage du français, et que les séfarades n'ont pas remis en question par leur simple présence la représentation qu'ils se faisaient d'eux-mêmes, les Juifs du Québec sont demeurés, comme ceux du reste du Canada, anglophones. Le bilinguisme était alors conçu non comme la maîtrise des deux langues officielles du pays, mais comme la connaissance de l'anglais en plus de la langue du pays d'origine :

> Le bilinguisme n'était pas une question d'anglais et de français, pour eux c'était un multiculturalisme anglophone : ce qu'ils ont appris à l'école et la culture du pays qu'ils ont quitté. C'est comme avec les Ukrainiens au Manitoba : le bilinguisme au Manitoba c'est l'anglais et l'ukrainien (homme ashkénaze, 63 ans).

La nécessité de maintenir entre eux des liens très étroits pour s'assurer une protection collective et préserver une identité en tant que peuple en diaspora joue aussi un rôle important. Ces liens, ils les tissent de manière serrée par le biais de structures communautaires qui dépassent les frontières du Canada et du Québec pour couvrir l'ensemble de l'Amérique du Nord. L'anglais est donc devenu, comme le dit un leader, la langue commune de communication à l'intérieur de « ce grand cercle d'organisation communautaire juive qui existe en Amérique du Nord, sous le nom de Federation of Jewish Welfare Organization, et qui est vraiment le parapluie de tout ce qui est représenté comme vie communale juive en Amérique du Nord ».

L'anglais, langue de promotion et de travail, a aussi affecté en partie le segment séfarade :

> Dans l'esprit des Juifs marocains, parler anglais, c'est une promotion. Comme on valorisait le français au Maroc, on valorisait aussi l'anglais. C'est l'Amérique, c'est l'Angleterre... Donc, c'était tout à fait naturel qu'on glisse (homme séfarade, 55 ans).

Le système scolaire contribue d'ailleurs à l'anglicisation. Les jeunes séfarades apprennent l'anglais à l'école et ont tendance, en particulier ceux qui fréquentent le réseau des écoles protestantes, à utiliser davantage l'anglais que le français à l'extérieur de la maison. Plusieurs explications sont avancées de ce phénomène qui déroute quelque peu les parents : l'environnement anglophone, la facilité d'apprentissage et de maîtrise de l'anglais par rapport au français, les liens avec le groupe ashkénaze et, encore là, la question de la langue du travail, du commerce notamment. On pourrait y ajouter ce quelque chose d'indéfinissable que l'un de nos interlocuteurs appelle « l'attrait étrange » de l'anglais chez les jeunes, qui pourrait bien correspondre à un certain « réalisme » face à un marché du travail et à un milieu social où le fait de ne parler que le français constitue encore un handicap :

> La communauté séfarade était francophone. Elle continue de l'être, mais à travers les jeunes, au plan linguistique, au plan du commerce, chez ceux qui évoluent avec la communauté ashkénaze ou qui ont des filiales à Toronto ou ailleurs, elle est en train de s'intégrer à l'anglais. Je regarde mes enfants, je regarde leurs

copains séfarades ; entre eux, c'est en anglais que ça se passe. Il y a, d'autre part, ceux qui sont déjà en affaires qui sont à un niveau supérieur, avec des filiales à Toronto, à New York ou ailleurs. Plus souvent qu'autrement ça se passe en anglais (homme séfarade, 48 ans).

Si la plupart des leaders juifs s'entendent pour dire qu'il est normal de respecter la volonté d'affirmer le fait français au Québec, des nuances importantes colorent toutefois cette position de principe. Pour les séfarades, parlant à leur arrivée le français, langue de culture prestigieuse, et sensibles aux revendications linguistiques de la majorité francophone, la prédominance du français apparaît comme normale et nécessaire. Cela explique que très tôt ils ont décidé de mettre en place leurs propres structures éducatives, favorisant leur spécificité de Juifs séfarades francophones. La création de l'école Maïmonide en 1969, où les enfants sont éduqués en français, s'inscrit dans cette perspective.

Du côté ashkénaze, la reconnaissance du fait français au Québec semble maintenant répandue. Ce pragmatisme s'est affirmé dès le milieu des années soixante-dix, lorsque des parents juifs anglophones, soucieux d'assurer à leurs enfants une meilleure intégration au marché du travail au Québec, ont commencé à réclamer l'enseignement du français dans le réseau des écoles juives. Depuis, le français est devenu obligatoire, ce qui permet d'obtenir des subventions gouvernementales, et les classes d'accueil favorisent l'apprentissage de cette langue :

Les écoles juives, même privées, reçoivent beaucoup de subventions du gouvernement. Mais pour avoir ces subventions, il faut qu'elles se conforment à certains règlements. Cela veut dire que beaucoup est enseigné en français, même dans les écoles dites anglophones (femme ashkénaze, 41 ans) ;

Tous les enfants des nouveaux immigrants qui arrivent vont à l'école française, même ceux qui vont dans le réseau juif vont dans les écoles juives françaises (femme ashkénaze, 41 ans).

Le choix de la francisation est lié cependant essentiellement à l'acceptation de la réalité contemporaine du Québec et non pas à une affection particulière pour le français. La loi 101 et l'affirmation subséquente de l'identité québécoise et du fait français ont, selon un leader, entraîné dans les milieux anglophones juifs des bouleversements tels qu'ils ont déclenché une « crise d'adaptation ». Le tournant pris par le Congrès juif canadien à la fin des années quatre-vingt et les effets produits par cette nouvelle orientation illustrent bien cette crise. Cet organisme, l'un des plus anciens et des plus importants de la communauté juive du Canada, en décidant de reconnaître l'affirmation de l'identité francophone du Québec, a provoqué parmi certains de ses membres de vives tensions.

La résistance au français se manifesterait surtout chez les ashkénazes plus âgés qui, mis devant l'obligation de maîtriser le français, ont considéré cette langue comme une langue étrangère que l'on essayait de leur imposer. Réflexe de protection et de défense, cette position serait un des indices des difficultés d'adaptation à une nouvelle réalité en rupture avec des modèles antérieurs. Une large section du groupe juif anglophone se dresserait d'ailleurs contre toute obligation d'utiliser le français au lieu de l'anglais, ce qui serait considéré comme un déni de leurs droits. En dépit de l'adoption de mesures législatives pour promouvoir et protéger le fait français au Québec, plusieurs, et notamment des propriétaires d'entreprises établies depuis longtemps, ne ressentent aucunement la nécessité, vis-à-vis du milieu des affaires, leur clientèle ou même leurs employés, de parler le français. À défaut d'en éprouver le besoin ou d'y voir des avantages, ils demeurent donc unilingues anglais en voie de minorisation.

En effet, les rapports avec l'anglais et le français créent une situation qui favorise le développement d'un bilinguisme presque généralisé. L'ensemble des interviewés avancent qu'aujourd'hui tous les jeunes de la communauté juive sont bilingues (anglais et français), qu'ils soient ashkénazes ou séfarades. En ce qui concerne les adultes, on souligne que 60 % d'entre eux environ parleraient les deux langues officielles du Canada. Ce bilinguisme permettrait de meilleures chances d'intégration au marché du travail et la communauté juive renforcerait cette tendance en offrant des services bilingues dans ses organismes communautaires et, surtout, en encourageant l'utilisation du français au sein du Congrès juif canadien.

Plusieurs interviewés notent, par ailleurs, que la volonté de francisation n'écarterait pas nécessairement les formes d'exclusion qui ont cours dans la société québécoise :

> Je crois qu'aujourd'hui les jeunes sont tous bilingues. Le problème, c'est que cela n'aide pas. Mes enfants parlent parfaitement français, et pourtant ils se sentent encore ostracisés. Simplement parce qu'ils ne sont pas canadiens-français (femme ashkénaze, 50 ans).

En raison de l'influence que la France a exercée sur leur pays, le français a pour les leaders d'origine libanaise un statut important. Il constitue, avec l'arabe, l'une des langues d'usage dans ce groupe. La connaissance du français est cependant plus répandue dans les classes favorisées. L'immigration libanaise au Québec s'expliquerait d'ailleurs par des raisons linguistiques et culturelles liées au français, sauf pour une minorité dont la langue seconde est l'anglais :

> La communauté libanaise ou proche-orientale en général a choisi le Québec spécialement pour deux raisons : premièrement, c'était pour continuer l'éducation, cette belle éducation qu'ils ont eue au Moyen-Orient, au Liban, l'éducation française, et pour la religion catholique. Et ils trouvaient cela dans cette province, la belle province de Québec. Lorsqu'ils sont entrés ici, ils ont trouvé cette même atmosphère, un bon accueil. Ils se sont sentis chez eux et ils n'ont pas eu de difficulté (homme, 58 ans).

L'influence de l'anglais provient aussi de conditions historiques, liées à des raisons économiques et à l'accueil réservé aux immigrants au Québec, notamment dans le réseau scolaire québécois. Ainsi, une partie des immigrants libanais (surtout la communauté arabe chrétienne orthodoxe) s'est anglicisée au début du siècle à la suite du refus de la Commission des écoles catholiques de Montréal d'admettre ses enfants dans le réseau catholique français :

> Ceux qui sont arrivés entre 1850 et 1920 se sont intégrés pour la plupart, surtout ceux qui sont restés à Montréal, du côté des commerçants, et les commerçants étaient plutôt les Anglais que les Français. Deuxièmement, les Arabes qui sont venus ici n'étaient pas facilement acceptés dans le système d'éducation français, qui était plutôt contrôlé par les religieux catholiques, parce que la plupart des immigrants originellement n'étaient pas catholiques, ils étaient orthodoxes. Alors ils sont allés dans les écoles protestantes, qui étaient toutes anglaises. Si les gens étaient grecs catholiques ou catholiques, ils étaient acceptés dans les écoles françaises (homme, 51 ans).

L'attrait pour l'anglais est aussi vif chez les nouveaux arrivants, qui, pour des raisons économiques, se tournent vers cette langue qui demeure essentielle sur le marché du travail :

> Je connais des Libanais qui parlaient français à qui on a refusé l'emploi parce qu'ils ne parlaient pas anglais. C'est vraiment bizarre. Par exemple les Italiens, qui sont supposés être plus proches des Français, qui devraient apprendre le français, ne nous engagent pas si on ne parle pas anglais (homme, 53 ans).

Si la plupart des leaders font référence au trilinguisme de la communauté libanaise, plusieurs s'empressent toutefois de souligner que la grande majorité des Québécois d'origine libanaise parlent surtout français et arabe : « Beaucoup n'ont que le français comme deuxième langue après l'arabe. »

Le bilinguisme arabe-français ou arabe-anglais — ou le trilinguisme —, au Québec, s'inscrit, de l'avis de certains leaders, dans l'héritage libanais. En effet, la relative facilité d'intégration linguistique des immigrants libanais se comprendrait par l'évolution historique et la spécificité linguistique du Liban (du moins d'avant la guerre civile), notamment les particularités de son système scolaire où l'on encourage l'apprentissage de l'anglais ou du français. Cette tendance trouve pour une bonne part ses assises dans le passé colonial du Liban, soumis à la fois à l'influence française et anglo-américaine, d'où l'existence d'un double réseau scolaire linguistique franco-arabe et anglo-arabe. Le bilinguisme du système scolaire libanais va de pair avec la dualité confessionnelle : le réseau français est catholique et le réseau anglais est protestant. La différenciation entre les pratiques linguistiques des chrétiens et des musulmans d'origine libanaise au Québec trouverait ainsi son explication dans les caractéristiques du système scolaire du pays d'origine.

Le maintien de l'arabe comme langue maternelle, et même comme langue seconde, chez les jeunes de la deuxième génération, se heurterait à des difficultés. Deux facteurs expliqueraient ce phénomène. D'abord, les « Libanais ou les Arabes », contrairement aux Italiens ou aux Grecs par exemple, ne parlent pas arabe entre eux, subissant encore les contrecoups du colonialisme intellectuel propre au Liban. Ensuite, sensibles aux préjugés entretenus au Québec contre les Arabes, ceux qui veulent s'intégrer à la société québécoise cessent de parler arabe entre eux et avec leurs enfants :

> Ça m'a étonnée de voir qu'un Italien, même s'il est né ici, parle italien. Il en est de même des Grecs, des Vietnamiens, des Chinois. Mais un Arabe, il parle anglais ou français, il ne parle pas arabe. Je pense que la racine de ça, c'est le colonialisme, le colonialisme intellectuel. Ici, l'Arabe ou quelqu'un qui a un nom arabe

est mal vu, il y a des préjugés contre les Arabes. Les gens ne sont pas très bien informés. Pour eux, un Arabe, c'est un bédouin, celui qui a toujours le couteau dans le dos du monde. Les parents vont donc parler avec leur enfant une langue seconde, pas leur langue maternelle (femme, 44 ans).

Pour lutter contre ces préjugés et contrer l'acculturation, quelques leaders souhaitent qu'on enseigne l'arabe aux jeunes enfants. Parler une autre langue que sa langue maternelle oblige à recourir à un code qui ne peut intégrer la partie émotive de la personnalité. Cette situation n'est pas sans créer des conflits d'identité dans la nouvelle génération qui ne parle pas arabe, mais qui vit néanmoins à la maison selon les normes culturelles arabes :

> À la maison, l'enfant entend ses parents parler arabe ou français ou anglais. Mais les chansons sont arabes, la nourriture, c'est la nourriture arabe, l'éducation, les normes (il ne faut pas sortir, il faut faire ça...) sont toutes arabes, la mentalité est tout à fait arabe. Pourtant il parle français ou anglais. À l'école, il va acquérir une autre mentalité, une autre culture. Et là, vraiment, c'est un conflit psychologique pour l'enfant. Il y a des gens ici qui demandent l'enseignement coranique et l'enseignement de l'arabe. Avec l'islam, l'arabe, c'est la conscience. Ce ne sont pas tous les Libanais qui veulent enseigner l'arabe à leurs enfants. Mais on dirait qu'il y a un retour à ça. Il faut apprendre l'arabe pour que les enfants des immigrants qui arrivent maintenant puissent parler avec les grands-parents, les tantes, quand ils retourneront au Liban, et qu'il n'y ait pas de fossé entre eux (femme, 44 ans).

S'il semble de plus en plus admis que le français est la langue du Québec — bien que la qualité de cette langue reste problématique aux yeux de certains leaders —, l'anglais est toujours considéré comme la langue essentielle dans le champ économique et comme élément de progrès socioéconomique. La connaissance des deux langues serait donc en augmentation. Quant aux langues d'origine, elles constituent toujours pour certains groupes un marqueur référentiel important, malgré les retards qu'elles peuvent causer dans l'intégration socioculturelle.

Les lois linguistiques

Avec l'adoption de lois linguistiques, une nouvelle dynamique s'est mise en place. La loi 101 a introduit de nouveaux rapports de force de nature politique et le français est considéré moins comme une langue de cohésion et d'intégration nationale que comme la langue de la majorité.

La plupart des leaders d'origine haïtienne sont d'accord avec la loi 101 qui, loi non polémique à leurs yeux, n'a pas suscité de débats particuliers. Plusieurs raisons expliquent cette acceptation : le français est une langue déjà connue et beaucoup de Québécois d'origine haïtienne se sont spontanément identifiés à la « révolution québécoise », substitut des luttes menées en Haïti. La mise en place de la législation linguistique a été considérée comme l'une des pierres angulaires de ce projet collectif, même si elle ne résout pas complètement les tensions linguistiques. Car les acquis de la loi 101 seraient actuellement menacés pour certains à cause, entre autres, des indications contradictoires données aux immigrants :

> On sait que les gens, une fois arrivés ici, vont s'établir dans tel et tel quartier. Là, il y a des écoles pour les accueillir. Ce que je reproche à ces services, c'est qu'ils ne donnent pas un message clair relativement au fait français au Québec. On dit : vous êtes au Québec, on parle français. Mais on ne met pas en place des mécanismes clairs. La loi 101 a fait énormément de bien, c'est vrai. Elle a motivé les gens à vouloir s'intégrer à la majorité francophone. Mais il y a eu dégradation, énormément, parce qu'il n'y a pas eu d'efforts soutenus de la part du gouvernement pour mettre sur pied des structures beaucoup plus stables et beaucoup plus adéquates (femme, 38 ans).

Cette loi risque par ailleurs de rendre le bilinguisme difficile ou d'avantager les anglophones aux dépens des autres groupes :

> Cette loi est une très bonne chose, pour autant qu'elle n'empêche pas de s'exprimer autrement. Je crois qu'il faut préserver la qualité du français, mais je ne voudrais pas qu'on empêche les jeunes de devenir bilingues. Qu'ils apprennent le français, mais qu'ils apprennent aussi l'anglais éventuellement. Même que le francophone doit apprendre l'anglais, l'Anglais aussi apprendre le français. Moi je suis pour le bilinguisme (homme, 49 ans).

La loi 178 a suscité moins de réactions, quelques leaders déplorant qu'elle revienne inutilement relancer un débat que la loi 101 avait déjà réglé. Selon une femme leader, alors que celle-ci avait un caractère incitatif, celle-là est, avant tout, une loi coercitive, « une loi matraque particulièrement difficile à accepter pour les immigrants qui ont fui des régimes autoritaires ».

Si la plupart des leaders d'origine italienne reconnaissent qu'il importe de protéger le français et de réduire les frictions avec la majorité, plusieurs, au nom de la protection des droits individuels d'expression, n'en conservent pas moins de fortes réserves vis-à-vis des lois linguistiques et vis-à-vis de l'unilinguisme officiel français.

La question des lois linguistiques leur rappelle les événements de Saint-Léonard (1967-1968) quand les débats autour de la liberté du choix de la langue d'enseignement avaient mené à des affrontements, parfois violents, entre la population d'origine italienne et les francophones[9]. Ainsi, un interviewé précise qu'on oublie trop souvent « qu'avant la loi 101, il y

---

9. Voir P. Cappon, *op. cit.* ; D. Taddeo, R. Taras, *op. cit* ; P.-A. Linteau, article cité.

avait la loi 22, qui était pire ». Aujourd'hui, la question linguistique est envisagée plus calmement même si la loi 101 ne suscite aucun enthousiasme. De rares leaders, proches du Parti québécois, se rallient sans condition à la loi 101 qui a permis d'endiguer la progression de l'anglais. Pour certains, par contre, elle apparaît historiquement déphasée, ce qui a contribué à un véritable « gâchis linguistique » et à un déni des droits des minorités :

> Vous n'avez pas adopté la loi 101 au bon moment. Pour nous, vous l'avez votée au moins vingt ans trop tard. Même plus, peut-être trente, parce que nous sommes arrivés ici par bateaux pleins, pendant les années cinquante, ensuite massivement pendant les années soixante. Et si la loi 101 avait été votée avant l'arrivée massive des italophones et des autres immigrants, nous aurions tous fréquenté des écoles françaises. Les écoles seraient maintenant pluriethniques, mais on y parlerait français. Nous aurions des problèmes, bien entendu, au niveau social, au niveau de la cohabitation des groupes, mais au moins il n'y aurait pas ce problème très émotif qu'est celui de la langue dans les écoles et ailleurs (homme, 43 ans).

Certains déplorent son caractère coercitif, alors qu'il serait plus profitable de faire respecter et aimer la langue et la culture françaises. La maîtrise de l'anglais, langue de l'économie mondiale et langue d'usage du continent nord-américain, risque aussi d'être affectée, sans que la loi n'assure une véritable francisation des immigrants. Comme le note une interviewée, si la loi 101 a « réglé le problème des enfants » en rendant obligatoire l'inscription des enfants immigrants à « l'école française », elle n'a cependant pas résolu la francisation des nouveaux arrivants qui ne bénéficient pas toujours de possibilités de formation adéquate et qui sont confrontés aux exigences du marché du travail. Enfin, à l'extrême, une femme leader évoquera, à propos de la loi 101, les dangers d'un nationalisme qui peut mener à une forme de fascisme :

Je suis d'accord que cette province maintienne sa culture et qu'elle fasse en sorte qu'il y ait des réglementations pour que sa singularité et sa différence restent. Mais je ne suis pas d'accord pour forcer les choses, parce que j'ai peur des nationalismes trop avancés, j'ai peur du fascisme (femme, 34 ans).

Aussi bien les sympathisants du Parti québécois que ceux du Parti libéral réprouvent la loi 178, jugée plus brimante que la loi 101. D'une manière générale cependant, les leaders ont préféré ne pas se mêler d'un débat qui leur paraissait relever exclusivement des rapports entre Québécois d'origine canadienne-française et Anglo-Québécois.

La plupart des leaders juifs interviewés s'accommodent de la loi 101. Chez les séfarades, la majorité y sont favorables et certains auraient même voulu la voir renforcée. Dans un article du *Devoir*, l'un des éminents leaders de la communauté affirmait que la position des séfarades est plus facile à définir que celles des ashkénazes[10]. Pour ce qui est de la langue, en effet, les intérêts des séfarades n'entrent pas, selon lui, en conflit avec ceux des Québécois d'origine canadienne-française. C'est d'ailleurs justement parce que le Québec est francophone qu'ils sont venus s'y installer. Un interviewé note que « la culture française est vraiment menacée ici », ce qui oblige les Québécois du groupe majoritaire à réagir pour contrer la menace.

Nous sommes dans une province à majorité française, je veux respecter les gens, je veux respecter cette majorité. Ce qui est important pour nous, c'est de respecter le Québécois et de vivre avec lui. De le respecter, donc à notre tour d'être respectés (femme séfarade, 48 ans).

Si la loi 101 a permis d'assurer des fondations plus solides au français, elle a aussi enlevé des droits aux francophones eux-mêmes :

---

10. M. Ohana, « Un rabbin francophone prend fait et cause pour le français », *La Presse*, 27 février 1990.

Faite pour embêter les anglophones, elle n'a fait qu'embêter les francophones eux-mêmes. En fait, elle nous a enlevé des droits. Les anglophones pouvaient envoyer leurs enfants dans les écoles soit anglaises, soit françaises, mais nous, francophones, nous ne pouvions envoyer nos enfants que dans les écoles françaises (femme séfarade, 41 ans).

Pour certains leaders ashkénazes, la loi 101 est « un mal nécessaire » destiné à dissiper toute ambiguïté :

J'ai toujours été en faveur de toute loi qui établit d'une façon assez claire que le Québec était francophone. Donc, l'idée d'avoir des lois sur le fait que le Québec est une société où on parle français, je trouve que c'était nécessaire, une sorte de mal nécessaire (homme ashkénaze, 45 ans).

Plusieurs leaders cependant, sans forcément s'y opposer, manifestent des réserves sur son caractère contraignant. Ils témoignent par ailleurs du fait que de nombreux anglophones de leur communauté voient dans cette loi une simple abrogation des droits et libertés :

Il y a parfois nécessité de mettre en place des mécanismes législatifs pour assurer la pérennité d'une langue. Et le problème est difficile. Beaucoup de membres de ma communauté ne sont pas du tout d'accord avec moi et croient que la loi 101 abroge les droits humains. Je crois que c'est une abrogation des droits et libertés des minorités anglophones et des autres. Je comprends qu'à certains moments, dans n'importe quelle société, les droits et les libertés doivent tenir compte du contexte général. Je crois que la loi 101 est un mal nécessaire (homme ashkénaze, 43 ans).

L'unilinguisme officiel au Québec entrerait aussi en contradiction avec le caractère multiethnique et multiculturel du Canada, associé à une politique de bilinguisme. Par ses lois sur la langue, le Québec irait à l'encontre de ses propres intérêts et réduirait ses capacités de survie en se privant de la richesse essentielle que représentent les deux langues. Il priverait en outre sa population, notamment les jeunes, d'une source primordiale de mobilité et de diversité de choix (lieux d'étude, de travail, de vie).

C'est cependant moins la loi 101 que la loi 178 qui pose le plus de problèmes à la quasi-totalité des leaders selon qui la langue et la culture ne peuvent être imposées, tout comme on ne peut légiférer sur l'intégration. Les droits collectifs apparaissent alors en conflit avec les droits individuels que la loi 178 remet en question. C'est là d'ailleurs la principale réserve formulée par les leaders qui trouvent très délicat de trancher la question de la protection du français au Québec. Cette opposition est arrimée à la question du nationalisme québécois qui suscite de nombreuses craintes : rejet, ostracisme, discrimination, antisémitisme seraient en germe dans cette loi associée à des exemples tirées de l'histoire. La remise en question d'un droit naturel ou de droits acquis, signe de xénophobie, ne peut donc être acceptée.

Selon d'autres, en revanche, en voulant trop protéger l'usage de l'anglais au Québec, les Juifs anglophones s'enfoncent dans un débat qui va à l'encontre de leurs propres intérêts, contribuant ainsi au maintien de l'aliénation de la population « canadienne-française, d'autant plus que cette loi n'est pas toujours perçue comme brimant les droits fondamentaux de façon outrageante » :

> Moi, je dis aux Juifs anglophones qu'ils rendent un mauvais service à la communauté juive parce que l'anglais n'est pas une composante fondamentale du judaïsme. On peut très bien être juif en français, nous n'avons pas reçu l'anglais au Sinaï. Si par contre on devait m'interdire de prier dans les synagogues, là je me dresserais avec eux. Or non. Nos écoles sont subventionnées, nous, on est bien, pourquoi est-ce qu'on va crier, se faire les défenseurs d'une cause qui n'est pas une cause juive ? Ce sont là des considérations dont il faut tenir compte quand on est un leader. Et ce n'est pas ramper, ce n'est pas être traître, c'est avoir une vision des choses (homme séfarade, 55 ans).

Les leaders d'origine libanaise se disent d'accord avec la loi 101 qui ne soulèverait pas de problèmes particuliers dans une communauté fatiguée des conflits :

> Les Libanais ne se sentent pas vraiment personnellement visés. Ils pensent que c'est le problème des Québécois, des Canadiens. Peut-être qu'on est canadiens aussi, mais on a eu tellement de problèmes en tant que libanais, on ne veut pas revivre les problèmes de quelqu'un d'autre. On en a assez (femme, 41 ans).

L'approbation de la loi 101 s'appuie généralement sur trois types d'arguments : l'intégration des immigrants, le fait qu'au Québec l'on parle français et la nécessité de protéger cette langue en Amérique du Nord. La loi clarifie l'intégration linguistique des immigrants en les obligeant à apprendre la langue de la majorité :

> Ceux qui veulent s'intégrer suivent l'opinion générale, c'est-à-dire, si on est au Québec, il faut que la langue française soit première, si nous sommes en Ontario, il faut que la langue anglaise soit première. Celui qui se rapproche de la langue française se trouve donc en accord avec l'opinion générale. Alors on suit l'opinion publique générale en sympathisant, dans le sens qu'on croit que c'est juste et normal et c'est tout à fait nécessaire que la langue française soit première (homme, 58 ans).

Tout en étant conscients de la situation précaire du français, quelques leaders croient néanmoins qu'une réglementation ne suffit pas pour défendre une culture si celle-ci n'est pas soutenue par un dynamisme endogène et par un projet de société plus global qui harmoniserait l'ensemble des politiques scolaires, culturelles, familiales et migratoires. La protection du français ne pourrait d'ailleurs pas se régler au seul niveau québécois ; il faut l'envisager au niveau global de la francophonie.

En même temps, la loi risque de limiter le bilinguisme, pourtant essentiel sur le marché du travail. À cet égard, la langue doit être considérée comme un outil de communication et non seulement comme un aspect de l'identité nationale :

> Oui, il faut protéger le français en Amérique du Nord. Mais il faut faire la part des choses : vivre en français, oui, mais aussi apprendre l'anglais sans problème (femme, 33 ans) ;

> Certains sont pas mal agacés par ça. Ils ne peuvent pas comprendre que le nationalisme soit lié à une question de langue. Ils le comprennent, mais ça les agace un peu. Nous, nous avons appris deux autres langues en plus de notre langue maternelle, et on reste libanais. Pourquoi le Québécois refuse-t-il d'apprendre l'anglais alors que ça peut être un outil ? La langue est perçue comme un outil plutôt que comme une identité (femme, 44 ans).

Quelques leaders, favorables à la loi 101, souhaitent un bilinguisme obligatoire dans l'enseignement, s'élevant contre le faible apprentissage de l'anglais, alors que la connaissance de plusieurs langues procure des avantages certains :

> Ne pas obliger les Québécois à apprendre l'anglais est une erreur grave. Parce que c'est un outil de défense et je dirais même de combat. Parce que vous êtes une minorité dans un continent anglophone, et on ne peut dominer que lorsqu'on connaît les armes de l'autre. Il fallait que vous soyez excellents en français et très bons en anglais pour dominer et pour battre les autres (femme, 54 ans) ;

> Presque tous les chrétiens libanais parlent anglais et français. Ils aiment le français davantage parce que c'est plus facile pour eux, et puis ils rigolent quand on parle de la loi 101, ils disent que les Canadiens n'ont pas de problème, il vaut mieux parler les deux langues et qu'il n'y ait pas de problème. Tout ce qu'on a passé pendant la guerre, nous, c'étaient des problèmes. Alors ça, ce n'est pas un véritable problème. Et c'est plus enrichissant de parler les deux langues (femme, 58 ans).

Si la loi 101 ne suscite donc pas de résistances, car elle favorise le français, la loi 178 apparaît plus critiquable car elle irait à l'encontre du libre choix en matière linguistique et des droits de la communauté anglophone. Discriminatoire et coercitive, elle pourrait aussi avoir des répercussions négatives sur les investisseurs ou les immigrants éventuels, sans faire avancer la cause du français.

La question scolaire

La question scolaire révèle les rapports de force qu'implique la structuration du système d'enseignement selon des lignes confessionnelles et linguistiques. Le rôle politique de l'ethnicité s'exprime ici, faute d'un système scolaire public et laïque, intégrateur, au même titre qu'une langue nationale, ce dont plusieurs leaders sont bien conscients.

En général, ils notent plus d'ouverture aux groupes ethniques à la Commission des écoles protestantes du Grand Montréal qu'à la Commission des écoles catholiques de Montréal, ce qui s'expliquerait par la composition diversifiée du personnel dirigeant et enseignant. Pour les leaders d'origine haïtienne, cette diversité facilite l'intégration, par un processus d'identification des jeunes et des parents au sein des écoles franco-protestantes, et permet de mieux combattre le racisme. L'engagement d'agents de liaison pour améliorer la communication entre l'école et les parents jouerait dans ce sens un rôle non négligeable. L'accent mis sur le bilinguisme et le pluralisme ou le multiculturalisme interviendrait aussi, tout comme l'offre de meilleurs services (maternelle quatre ans toute la journée, transport en autobus d'écoliers, service d'études surveillées). La commission protestante permet l'apprentissage précoce de la langue anglaise (en première année plutôt qu'en quatrième), etc. Des leaders soulignent aussi l'influence du choix religieux avec la multiplication au cours des trente dernières années d'Églises protestantes américaines en Haïti.

Les méthodes éducatives seraient aussi supérieures et offriraient une meilleure discipline, compte tenu de l'origine des professeurs et des directeurs :

> Les écoles protestantes sont plus disciplinées que les écoles catholiques. Ensuite, elles sont plus petites. Mon fils a fait ses études dans une école secondaire publique protestante. Quand il manquait, on m'appelait pour me le dire et il y avait une discipline. On ne pouvait pas fumer dans l'école, il y avait des règlements. Mais les écoles de la commission scolaire catholique sont différentes. Or l'Haïtien en général aime la discipline. Et l'Haïtien va manger du pain et du beurre tous les jours pour envoyer son enfant dans une école privée. D'ailleurs, il y a beaucoup d'Haïtiens dans des écoles privées catholiques ici. Parce que l'Haïtien voit l'éducation comme le meilleur héritage qu'on puisse laisser à un enfant. Il fera tout pour donner à l'enfant ce qu'il y a de mieux (homme, 49 ans).

La mauvaise qualité du français dans le système public catholique inciterait également les parents à envoyer leurs enfants à la Commission des écoles protestantes du Grand Montréal (où les professeurs seraient davantage des francophones d'origine autre que canadienne-française), au Collège français, à Stanislas, à Marie-de-France, etc., ou autres écoles privées, plutôt que d'exposer les enfants à l'influence du « parler Québécois », en justifiant d'ailleurs ces orientations par le fait que le système d'éducation en Haïti se rapproche de celui de la France.

Pour les leaders d'origine italienne, les enfants des immigrants de leur groupe ont été refusés dans les commissions scolaires catholiques francophones. Ils fréquentent donc encore en majorité le système scolaire anglophone, à l'exception des enfants soumis à la loi 101, les uns dans des écoles anglaises avec immersion en français, les autres dans les écoles privées anglaises. Les enfants d'investisseurs seraient dispensés, eux, de s'inscrire à l'école française.

L'attrait qu'éprouvent les immigrants en général pour les écoles protestantes francophones s'expliquerait par le fait qu'elles sont « laïques et que la pluralité religieuse y est une réalité, alors que les écoles catholiques accordent des permis aux enfants juifs et musulmans qui, de ce fait, sont étiquetés ». La qualité des cours d'anglais, la composition diversifiée du personnel et le système didactique constitueraient d'autres avantages, absents dans les écoles catholiques.

La non-maîtrise du français — ou même de l'anglais — chez les jeunes qui fréquentent les écoles monoethniques où l'on parle un mélange d'anglais et de dialecte italien constitue un problème certain qui réduit l'accès à l'université et l'intégration au marché du travail :

> Comment un enfant vivant avec grand-papa et grand-maman dans un quartier où en général la vie se passe dans un dialecte sicilien, calabrais, molisan..., comment cet enfant réagit-il quand il se retrouve à l'école, française ou anglaise, peu importe ? Toutes les recherches ont démontré qu'il y a une brisure culturelle. Il ne maîtrise pas sa langue maternelle, comment en assimiler une deuxième ? C'est le premier prix à payer... Mais le problème se poursuit. À l'école secondaire, il parlera français dans la classe, anglais dans la cour, italien dans le quartier. Et cela est vrai pour l'ensemble des immigrants, pas juste pour les Italiens (homme, 41 ans).

Les enfants auraient été acceptés dans des écoles de quartier de seconde catégorie qui n'offraient pas de possibilité de côtoyer les Anglo-Britanniques ou les autres anglophones. Fréquenter des écoles anglophones dans des quartiers francophones aurait aussi favorisé l'isolement social et culturel. D'ailleurs, certains croient qu'on répète la même erreur avec les enfants de migrants d'aujourd'hui.

L'anglicisation de la majorité des Juifs québécois s'expliquerait par les difficultés à faire admettre leurs enfants dans le réseau scolaire francophone, d'où l'importance du réseau anglophone ou des écoles juives séparées. L'orientation vers les écoles anglophones se reproduira dans les années soixante avec l'arrivée des immigrants séfarades :

> Jusque dans les années soixante-dix, la Commission des écoles catholiques de Montréal refusait les enfants qui n'étaient pas de confession catholique. Or les Juifs avaient justement choisi le Québec parce que la culture était francophone et les écoles publiques. Cela a été un choc de se rendre compte qu'ici les écoles publiques étaient confessionnelles. Les enfants ont donc vécu dans le réseau anglophone et se sont anglicisés. Les profs aussi (femme séfarade, 36 ans).

Malgré la place que les écoles privées juives font au français, l'enseignement de cette langue serait encore lacunaire tant l'attraction de l'anglais reste forte :

> Les enfants qui vont dans les écoles juives anglaises apprennent le français, comme seconde langue, mais ils sont dirigés vers les écoles secondaires anglaises, vers des universités anglaises et puis ils font leur chemin en anglais. On a rarement vu un de ces enfants devenir soudainement parfaitement bilingue ou même fonctionner en français (femme séfarade, 43 ans).

Aujourd'hui la moitié ou à peine plus que la moitié des enfants juifs fréquenteraient la vingtaine d'écoles privées juives subventionnées par le gouvernement du Québec, le reste se distribuant dans les écoles protestantes anglaises ou françaises et les collèges privés non juifs. Chapeautées par l'Association des écoles juives, une des agences des services communautaires juifs (Allied Jewish Community Services), ces écoles — quelquefois pluriethniques au plan du personnel ou des élèves — s'inspirent de tendances diverses qui vont de l'orthodoxie au judaïsme réformé et intègrent à des degrés variables des cours de langue et d'histoire (hébreu ou yiddish, Torah, etc.). Si plusieurs leaders estiment que ce système contribue au maintien de l'identité et de la culture juives, certains lui reprochent son ethnicisation trop poussée qui se fonde sur une philosophie différente du *melting pot* américain et empêche les contacts interethniques :

> Nous voulons donner une identité particulière aux enfants et nous croyons que cette identité les fait plus forts dans leur rencontre avec les autres ; si on se connaît, on accepte les autres davantage, parce qu'on comprend que tout le monde a une identité propre. Mais c'est vraiment un défi : comment créer des occasions de contact, de se connaître l'un l'autre, pas seulement par des visites ? Il faut combattre cette idée de solitudes (femme ashkénaze, 46 ans) ;

> Le système scolaire de jour de la communauté juive de Montréal est le plus complet et le meilleur d'Amérique du Nord. Ce succès s'explique, pour une part, par les subventions qu'accorde le gouvernement du Québec, ce qui est une expression très claire de l'acceptation de notre communauté dans cette province et des transformations qui s'y sont produites au cours des dernières décennies. D'autre part, la communauté juive de Montréal est l'une des plus pratiquantes et des plus orthodoxes d'Amérique du Nord. L'éducation joue donc pour elle un rôle central, d'où son développement remarquable (homme ashkénaze, 43 ans).

Le renouveau de l'intérêt pour les écoles juives serait lié à la résurgence de l'ethnicité traditionnelle et symbolique, et au déclin du secteur public, même si le secteur protestant est considéré comme plus ouvert, plus habitué aux immigrants et aux minorités, ce qui se reflète dans la composition du corps professoral. La qualité de l'enseignement y serait aussi meilleure :

> C'est probablement un personnel enseignant plus jeune, plus dynamique, c'est certainement aussi peut-être une certaine ouverture d'esprit qu'ont eue les protestants vis-à-vis des francophones. Parce qu'il faut le reconnaître, ils nous ont très bien reçus. Qu'ils essayent de freiner maintenant la croissance, je le comprends, j'aurais peut-être agi comme eux (femme séfarade, 41 ans).

Refusés dans le secteur public franco-catholique en raison de leur appartenance religieuse, les premiers immigrants libanais se sont intégrés au secteur anglophone. Aujourd'hui, les enfants fréquentent davantage le secteur francophone public ou les institutions scolaires privées françaises (collèges Stanislas, Marie-de-France) ou anglaises.

Les arguments en faveur du secteur public protestant reprennent ceux des autres groupes de leaders : composition multiethnique du personnel, meilleure qualité des services, accueil plus chaleureux, langue française mieux parlée, meilleur enseignement de l'anglais. Les écoles privées, à part les avantages dans le domaine de l'intégration des langues, permettraient la non-mixité, le maintien des normes de discipline strictes et la continuité avec le système d'enseignement au Liban.

Les leaders dans leur ensemble sont donc enclins à considérer les écoles protestantes comme plus adéquates dans leur accueil des groupes ethniques et leur pédagogie que les écoles catholiques, plus réticentes et moins bien préparées à la confrontation avec la diversité ethnoculturelle et le pluralisme.

Écoles monoethniques, pluriethiques, laïques

Les données sur les effectifs scolaires de la région métropolitaine de Montréal montrent le caractère pluriethnique des écoles, aussi bien celles du secteur français que celles du secteur anglais, et la forte diversité ethnolinguistique de certaines d'entre elles. Ainsi, dans l'île de Montréal, cinquante-cinq écoles (quarante-trois au primaire, douze au secondaire) ont une clientèle scolaire majoritairement allophone[11].

Pour la majorité des leaders, les écoles composées d'enfants issus essentiellement des minorités ethniques, sans contact avec les enfants de la majorité, favorisent les ghettos, empêchent l'intégration et sont sources de conflits :

---

11. Conseil supérieur de l'éducation du Québec, *Pour un accueil et une intégration réussis des élèves des communautés culturelles*, Montréal, CSEQ, 1993.

Parce qu'on va créer dans cette société deux catégories de personnes, et lorsqu'on remplira des formulaires, on vous demandera probablement : avez-vous suivi des cours à tel endroit ? L'objectif est de vivre dans une société multiethnique, mais avec le même cheminement. Et il faut au moins qu'on travaille pour l'intégration de tous les groupes dans une même société, mais ne pas essayer de les mettre côte à côte (homme d'origine haïtienne, 44 ans) ;

Les Italiens se tenaient ensemble car les Québécois francophones ne les connaissaient pas et ne savaient pas comment réagir. C'était il y a quarante ans et c'était compréhensible. Mais maintenant, si on dit que les communautés culturelles doivent se côtoyer et s'intégrer à la majorité francophone, on ne devrait pas les isoler dans leur ghetto avec leur propre réseau scolaire. Si on veut que les jeunes des communautés culturelles apprennent de la majorité, que la majorité francophone apprenne sur les communautés culturelles et que les deux puissent vivre en harmonie, il ne faut pas rester chacun dans son coin (homme d'origine italienne, 22 ans).

Des leaders juifs reconnaissent les effets négatifs de la « ségrégation dans les écoles », sans croire pourtant que cela joue sur leur communauté : « Parce que pour les Juifs et peut-être les musulmans l'identité religieuse et l'identité ethnique sont fondues l'une dans l'autre. »

Je crois qu'actuellement les écoles multiethniques sont très bonnes dans la mesure où elles sont capables d'apprendre aux enfants à se respecter, à se comprendre et à s'accepter mutuellement. Cela est sain. Mais si le groupe a un besoin particulier de transmettre à ses membres une tradition religieuse ou un certain passé, alors l'école peut avoir besoin, pour un temps, d'une base ethnique (femme ashkénaze, 46 ans).

Les écoles monoethniques sont aussi considérées comme des ghettos où les enfants seraient soumis à un « bourrage de crâne » de traditions des pays d'origine.

Plusieurs s'opposent aussi aux subventions accordées aux écoles ethniques au nom d'un sentiment d'appartenance qué-

bécoise, de citoyenneté québécoise à construire. L'école doit
être « non confessionnelle, publique, sans discrimination ; et
une école ethnique devrait être subventionnée par l'ethnie elle-
même, mais pas à n'importe quel prix », dit un leader d'origine
libanaise.

> Des écoles publiques pour tout le monde, sans religion. Le Qué-
> bec doit avoir des écoles de quartier, non religieuses, des écoles
> françaises, que tout le monde fréquente. Si on a des écoles privées,
> c'est un droit, mais il ne faut pas encourager les gens à y aller avec
> des subventions. Même chose avec les écoles ethniques. Si les
> écoles ethniques sont là, c'est la réalité, mais ce n'est pas une réa-
> lité qu'il faut encourager. Il doit y avoir un certain sentiment
> d'appartenance québécoise, de citoyenneté québécoise, et les
> écoles publiques sont peut-être l'institution la plus importante
> pour ça. Le problème au Québec, ce qui manque, c'est l'aspect
> intégrateur (homme ashkénaze, 45 ans) ;

> Le fait qu'il y ait des écoles privées fait une différence. La personne
> défavorisée n'aura jamais la possibilité d'acquérir une bonne édu-
> cation (parce qu'on pense toujours que dans le système privé
> l'éducation est meilleure). Par le fait même qu'il y a des écoles
> privées et qu'on disperse un peu notre argent et nos enfants, bien,
> évidemment, le système public en pâtit (femme séfarade, 41 ans) ;

> Ça ne facilite pas l'intégration que de faire des ghettos dans les
> écoles. Et je trouve même que c'est dangereux. Il me semble que
> l'école est là pour former la société de demain. On ne peut se
> permettre de faire des clivages à l'école pour ensuite s'étonner qu'à
> l'adolescence ou à l'âge adulte ils se maintiennent et se perpétuent
> (homme séfarade, 48 ans).

Les écoles monoethniques ou multiethniques suscitent des
positions ambiguës. Il semble en tout cas que les écoles à forte
concentration ethnique empêchent l'émergence d'une culture
publique commune et favorisent le maintien d'identités
éclatées, ce qui freine le sentiment d'appartenance pleine et
entière à la société.

185

Les politiques scolaires confessionnelles du Québec devraient donc, pour une majorité de leaders, être totalement repensées. Ces structures seraient en effet aujourd'hui désuètes et sources de préjugés, alors que la laïcité et la séparation de l'Église et de l'État constitueraient à cet égard un principe fondamental à promouvoir. L'élimination de la confessionnalité comme fondement des commissions scolaires permettrait une plus grande ouverture socioéducative en obligeant à un découpage entre la sphère privée et la sphère publique :

> Il faudrait mettre fin au système confessionnel et recommencer à zéro, inviter les gens qui s'intéressent à l'éducation à bâtir de nouvelles structures. Le problème vient aussi du fait qu'on a des politiques d'intégration des immigrants qui renforcent la ghettoïsation. On a un système où on encourage les gens à résider dans un quartier où ils se retrouvent entre eux. Ce n'est pas quelque chose qu'on doit encourager (homme ashkénaze, 45 ans).

Tout en défendant la non-confessionnalité, certains leaders d'origine italienne souhaitent cependant que les écoles disposent d'une certaine latitude pour définir les arrangements qui conviennent à leur clientèle. De même, pour quelques leaders juifs, un système laïque avec un libre choix en matière d'écoles privées religieuses ou ethniques serait un des moyens de contrer la fragmentation sociale :

> C'est le système confessionnel qui a fait cette division, ce n'est pas la langue. Ce sont les attitudes et les valeurs qu'on a eues qui ont fait cette différence dans la communauté. Je suis vraiment pour le système public, non confessionnel. Mais en même temps, je dis qu'on doit avoir le choix d'assurer sa culture à l'intérieur du système (femme ashkénaze, 45 ans) ;

> Je suis certain, que dans deux générations, le système scolaire sera principalement français au Québec. Et je crois que la communauté juive est tout à fait capable de vivre avec ce défi, parce que les Juifs en France parlent français, en Hollande, ils parlent

néerlandais. Ainsi c'est plutôt un préjugé traditionnel que les Juifs ont envers le danger de francisation parce que normalement le Juif peut s'adapter à un milieu qui le tolère et qui le considère comme un égal. Et n'oublions pas que le Juif est au Québec depuis deux cent trente ans (homme ashkénaze, 61 ans).

D'autres, par contre, se prononcent en faveur du statu quo et contre l'enseignement public laïque pour tous :

> Pour quelques-uns, c'est une solution, mais du point de vue juif, ça ne donne pas la substance de notre tradition, et pour moi, ce n'est pas une réussite si les Juifs ne font que vivre les uns à côté des autres, ne font qu'aller à la synagogue de temps en temps. Il y a une tradition à connaître (femme ashkénaze, 42 ans).

Ces arguments sont aussi repris par des leaders d'origine libanaise pour qui la mise sur pied d'écoles monoethniques libanaises assurerait la préservation de la langue arabe, en particulier pour les musulmans pour lesquels, soutient un prêtre catholique, langue et religion sont liés, comme pour les Juifs. Quelques leaders de toutes confessions pensent que le Coran et l'arabe devraient être enseignés à l'école publique au nom de la liberté d'expression religieuse et linguistique, et évoquent la constitution canadienne et l'expérience des Arméniens, des Juifs et des Grecs qui ont leurs propres institutions scolaires. Ainsi, quelques leaders manifestent leur appui aux revendications d'un groupe de pression musulman qui demandait à la commission scolaire de Brossard en 1990 d'offrir des cours d'arabe aux élèves d'origine libanaise et de permettre l'enseignement du Coran aux musulmans.

Il semble donc se dégager un large consensus selon lequel le système scolaire actuel est inadéquat pour répondre aux besoins sociaux. L'école laïque ou déconfessionnalisée pourrait favoriser l'intégration. Cependant le statut des écoles religieuses reste encore à débattre, compte tenu de la spécificité de certains groupes à cet égard.

Décrochage scolaire et délinquance

Le décrochage scolaire et la délinquance préoccupent à des degrés divers les leaders. C'est dans le groupe haïtien que l'inquiétude est la plus forte. Les ratés du système scolaire et le décrochage contribuent grandement à la délinquance et aux problèmes d'intégration. Dès leur arrivée, plusieurs jeunes immigrés ont connu des problèmes d'adaptation à cause de la différence entre le système scolaire haïtien et le système québécois. N'ayant pu surmonter les difficultés initiales, incapables de suivre le rythme de la classe, ils ont accumulé les retards puis se sont orientés vers des « voies de garage » ou ont fini par abandonner l'école :

> Les enfants qui ont commencé leur scolarité en Haïti ont beaucoup de difficultés une fois ici, en raison de la différence entre les deux systèmes. Le type de classement ne jouait pas en leur faveur, parce que la question d'âge scolaire en Haïti n'a aucune valeur. Alors ces enfants sont mal classés ici, généralement. Et, étant donné leur niveau de scolarité, comparativement à leur âge, ils ne pouvaient pas suivre. C'est ce qui explique l'abandon scolaire (homme, 56 ans) ;

> L'abandon scolaire joue un rôle très important dans la délinquance juvénile. L'enfant qui arrive à l'école et qui ne peut pas vraiment s'intégrer, s'adapter parce qu'il se sent rejeté, ne peut pas suivre. Et comme il n'arrive pas vraiment à s'intégrer dans la classe, il n'attendra pas longtemps pour quitter l'école. C'est ce qui arrive dans bien des cas où les jeunes sombrent dans la délinquance (homme, 48 ans).

Le problème du décrochage, auquel se greffent les difficultés d'entrée sur le marché du travail et les formes de discrimination, a une forte incidence sur la délinquance et la formation de gangs criminels. Ces phénomènes, qui, selon les leaders, se retrouvent dans l'ensemble de la société québécoise, ne toucheraient toutefois qu'une minorité de Québécois d'origine haïtienne et seraient le reflet de problèmes sociaux qui affectent avec plus d'acuité les couches défavorisées de leur communauté. La stigmatisation due au racisme globalisant expliquerait que la communauté haïtienne semble spécialement pointée du doigt dans l'opinion publique. De ce point de vue, ces problèmes apparaissent comme la résultante d'un faisceau de facteurs qui échappent en grande partie au contrôle des instances communautaires : crise d'identité, difficultés familiales, chômage et blocages dans le marché du travail.

La criminalité (prostitution, drogue, vols par effraction) en milieu haïtien s'accompagne d'une guerre intense entre les gangs. Il semble que les jeunes délinquants se retrouvent autant parmi les nouveaux arrivants que parmi les jeunes nés au Québec. Les témoignages des leaders indiquent toutefois une surreprésentation de jeunes originaires de milieux défavorisés, bien que certains soient issus de familles plus aisées, notamment proches de milieux duvaliéristes. Influencés par les modèles et les valeurs de la société américaine et l'attrait qu'exerce l'argent, les délinquants auraient recours à ces conduites pour accéder rapidement à la richesse. La délinquance constituerait en ce sens une « stratégie d'intégration à la société » dans la mesure où elle ouvre une voie d'accès aux biens matériels :

> C'est quand même la société qui offre ce modèle aussi. S'il n'y avait pas des réseaux de drogues, de prostitution, les jeunes n'embarqueraient pas. Il y a une révolte contre la société qui ne donne pas un emploi, mais elle est en même temps une façon très rapide de se faire de l'argent, qui est quand même une valeur assez importante dans la société occidentale (femme, 40 ans).

Les conflits entre jeunes issus de milieux défavorisés d'origines diverses ne seraient pas non plus négligeables. Le gang devient un « exutoire » pour ces jeunes, un moyen de se valoriser et d'échapper aux problèmes qui les assaillent :

189

Ils font des gangs, mais si on veut expliquer ça sociologiquement, il faudra dire qu'ils se valorisent par rapport au groupe. Ils forment un groupe pour se défendre contre les autres groupes. Comme tous les jeunes de tous les pays un peu. Ils voient l'avenir en noir — sans jeu de mots — : les parents qui ne les comprennent pas, l'école qu'ils fuient, le Québécois qui lui dit va-t-en chez toi mon vieux. Alors ils se sentent seuls. Donc comme exutoire, ils commencent à prendre de la drogue, à vendre de la drogue, à être *hightop*, et puis à être agressifs (homme, 52 ans).

Et le système judiciaire, marqué par des pratiques discriminatoires, amplifierait la criminalité :

Le problème est particulièrement aigu dans notre communauté. On s'en est rendu compte quand ça a pris une ampleur démesurée. Maintenant, je ne sais pas comment on va réussir à le contenir. On a arrêté beaucoup de jeunes, des jeunes adultes de dix-neuf, vingt, vingt-cinq ans. Or, on remarque qu'ils deviennent aigris : ils se rendent compte qu'ils sont punis beaucoup plus sévèrement pour un même délit que le jeune Blanc. Même si Blancs et Noirs ont été complices dans un délit, le jeune Noir subit des conséquences beaucoup plus graves que le jeune Blanc (femme, 49 ans).

Les solutions nécessiteraient une meilleure organisation communautaire pour encadrer les jeunes, mais surtout la mise en place de politiques d'intégration plus adéquates. Les incitations aux études, la préparation au marché du travail, un encadrement plus formel, constituent à cet égard des pistes à explorer. L'élimination de la discrimination directe et indirecte dans l'éducation, le marché du travail et les services publics est un enjeu fondamental.

Les leaders d'origine italienne sont partagés sur l'ampleur des problèmes auxquels les jeunes de leur groupe sont confrontés. Pour les uns, les problèmes de drogue auraient augmenté en même temps que les divorces et le manque de communication intrafamiliale. La délinquance juvénile et l'abandon scolaire seraient aussi en progression. Pour d'autres, pourtant, les conduites déviantes, en particulier l'usage de la drogue, seraient faibles et les gangs ne toucheraient pas beaucoup les jeunes grâce au contrôle et à la vigilance qu'exerce la famille. L'attachement à la famille et la faible rébellion auraient le même effet. La transformation des rapports hommes-femmes dans le sens d'une plus grande égalité chez les jeunes contribuerait, de son côté, à atténuer les tensions intergénérationnelles.

Pour les leaders juifs, le décrochage scolaire serait peu répandu dans la communauté, où un pourcentage élevé de jeunes poursuivent des études supérieures. La valorisation de l'éducation ainsi que les fortes pressions qu'exerceraient les parents sur leurs enfants pour qu'ils réussissent leurs études expliqueraient ces résultats.

Les problèmes de déviance ne seraient pas non plus sérieux. Selon les leaders ashkénazes et séfarades, l'abus de drogue, la prostitution, l'alcoolisme ou le décrochage scolaire se manifesteraient avec beaucoup moins d'intensité dans leur groupe que dans l'ensemble de la société québécoise ou dans les autres groupes ethniques. Il n'y aurait pas de « dislocation familiale » ou de *generation gap*, et les rapports au sein des familles resteraient assez harmonieux. La tendance des jeunes Juifs québécois à se fréquenter entre eux, les modes de socialisation, l'influence du milieu familial, ou encore le rôle important de prévention joué par les institutions de la communauté et l'encadrement qu'elles fournissent aux jeunes expliqueraient ces caractéristiques. La fréquentation des écoles juives où ces problèmes n'ont pas atteint le même niveau que dans les écoles publiques interviendrait aussi :

> Mes enfants me disent qu'il y a de la drogue, mais ce n'est pas encore un problème important comparativement à ce qui se passe dans les autres groupes. Les enfants en sont plus conscients que je ne le suis. Et je sais que c'est une des raisons pour lesquelles les

parents envoient leurs enfants dans des écoles juives. Il y a moins de délinquance aussi et moins de fugueurs (femme ashkénaze, 46 ans).

Ceux qui passent par les écoles publiques seraient plus exposés — « évidemment, ils sont comme tout le monde », dira un leader, qui poursuit :

> Ceux qui vont à l'école juive et qui restent dans le milieu familial sont préservés. Je ne dirais pas que c'est idéal, je ne dirais pas qu'ils ne vont pas faire les fous, ce sont des jeunes, ça peut leur arriver. Mais ça n'ira pas jusqu'à la délinquance (homme séfarade, 55 ans).

Cet optimisme n'est pas partagé par tous. Plusieurs notent une progression de ces problèmes liée aux transformations socioculturelles du groupe juif :

> Il y a eu un temps où la communauté juive était fière de compter peu de problèmes d'alcoolisme et de divorce. Nous n'avions pas tous ces maux sociaux, comme on les appelle aujourd'hui. Mais maintenant nous sommes au même niveau que les autres. Le taux de divorce est élevé, et enfants et parents boivent. La vie d'aujourd'hui est différente de celle où nos parents devaient se battre pour survivre. La communauté juive était alors une communauté d'immigrants, ce qui n'est plus le cas (femme ashkénaze, 50 ans).

L'abus des drogues serait plus accentué chez les jeunes juifs de milieux aisés que chez ceux de milieux pauvres, contrairement à ce qu'on observe dans l'ensemble de la société, soutient une autre interviewée ashkénaze, qui signale la mise sur pied récemment, dans sa communauté, de deux programmes portant sur la toxicomanie. La délinquance juvénile, encore faible, pourrait progresser au cégep où la ségrégation entre les groupes ethniques est marquée :

> Il y a le problème des gangs, oui, et je fais juste référence à mon secondaire et à mon collège où j'ai toujours vu des gangs juifs comme les gangs haïtiens ou italiens. Pour se sentir en sécurité, si on sort par exemple d'une école privée, on aura tendance à rester

avec notre groupe de pairs. C'est très insécurisant d'arriver dans une grande institution, je pense au cégep, et en plus de se familiariser avec d'autres groupes que l'on a seulement croisés dans la rue ou dans l'autobus (femme séfarade, 29 ans).

Pour la majorité des leaders d'origine libanaise, les jeunes n'auraient pas de problèmes particuliers, ce qui s'expliquerait par le contexte moral, familial et religieux dans lequel ils sont élevés. L'autorité paternelle, très forte, ainsi que la cohésion familiale serviraient à dissuader ce type de conduites qui restent mal vues :

> Ils n'ont pas ça parce que la famille, c'est la dictature, la discipline. Chez les Arabes, le père, à l'intérieur de la maison, joue le rôle du bon Dieu. À l'extérieur, il faut le respecter. Puis la drogue, c'est mal vu. C'est très mal vu d'avoir un couteau, de s'associer avec des gangs. Le père prendra des mesures disciplinaires sévères (homme, 30 ans).

Le contrôle social communautaire constitue une seconde arme de dissuasion. La délinquance, la drogue ou l'abandon scolaire sont peu répandus, car ils n'affectent pas seulement l'individu mais aussi la communauté comme le soulignent des interviewés musulmans et chrétiens :

> Il existe très peu de ces problèmes-là. Chez nous, c'est interdit par la loi canonique, la loi religieuse. On explique tous les méfaits de ces problèmes-là sur les individus et sur la société, et on tient à les expliquer à nos enfants (homme, 53 ans) ;

> Il y a des gens qui prennent de la bière ou de l'alcool, ils fument aussi, mais on a toujours critiqué ces comportements. J'ai toujours parlé, dans la mosquée, contre les drogues, l'alcool, même contre la cigarette. Parce que ces choses ne sont pas bonnes pour la santé, et elles font mourir les gens plus vite (homme, 42 ans) ;

> Et grâce à Dieu, on n'a pas de problèmes de gangs, ni de drogue. Peut-être qu'il y en a, mais très peu, parce que ça se sait très vite. Il suffit que il y ait un petit incident pour que toute la communauté libanaise le sache (femme, 58 ans).

193

Les valeurs religieuses, tant musulmanes que chrétiennes, inculquées aux enfants servent à assurer la conformité socio-culturelle et réduisent donc la délinquance et la formation de gangs, bien que des cas isolés soient liés à l'absence d'un enca-drement social suffisant. Les problèmes que vivent les jeunes sont surtout les conséquences de la guerre vécue au Liban et des conflits de culture et de générations. Des jeunes Libanais qui ont immigré récemment pourraient présenter des profils différents de ceux de leurs compatriotes issus des vagues d'im-migration plus anciennes. Les traumatismes psychologiques consécutifs à la guerre ont aussi laissé des séquelles socio-affectives importantes qui peuvent freiner, chez certains, l'inté-gration à la société québécoise.

Les problèmes de décrochage scolaire et de délinquance varient donc selon les groupes ethnoculturels. Ils semblent cependant plus graves dans le groupe haïtien. Ses leaders y voient la confirmation des difficultés d'intégration qu'il éprouve actuellement.

* * *

On constate, chez les leaders, des convergences certaines sur les questions linguistiques et scolaires, qui sont des pièces importantes dans l'émergence d'un sentiment d'appartenance et d'identification à la société québécoise. La concurrence entre les langues d'origine, le français et l'anglais semble être entrée dans une phase nouvelle marquée par la reconnaissance du français comme langue dominante au Québec, bien que l'an-glais continue d'exercer une attraction indubitable en tant que langue de promotion socioéconomique et d'ouverture sur le monde. Ce consensus, malgré des nuances entre les groupes ethnoculturels, semble suggérer que les tensions linguistiques qui ont marqué les rapports entre les instances gouvernemen-tales et les groupes ethniques qui, pour des raisons historiques et pragmatiques, avaient opté pour l'anglais, se sont atténuées. Cela semble confirmé par l'acceptation de la loi 101 en tant que système de référence dans la définition des orientations linguistiques. Il n'en est pas toujours de même pour la loi 178. La nette réprobation qu'elle inspire provient de son caractère coercitif qui entre en conflit avec des droits déjà établis et qui présente une dimension autoritaire rebutante.

La reconnaissance de l'importance du français ne signifie pas le renoncement à l'anglais comme langue essentielle dans le contexte nord-américain. Le souhait d'un bilinguisme fonctionnel — déjà réalisé dans les faits — n'apparaît pas comme une position idéologique en réaction au français, mais comme le résultat d'une évaluation pragmatique du contexte contemporain où l'anglais est perçu non comme la langue du pouvoir économique canadien, mais bien plutôt comme une langue internationale, celle du commerce et des échanges scientifiques. En ce sens, elle s'impose comme une dimension incontournable de l'accession à un mieux être économique.

L'apprentissage de la langue du pays d'origine et sa conservation semblent faire l'objet d'une évaluation contradictoire. Pour les leaders d'origine italienne et haïtienne, cela peut retarder la maîtrise du français et de l'anglais, et, par conséquent, l'intégration des enfants. Pour les leaders d'origine libanaise, il semble que leur groupe ait tendance à ne pas faire usage de l'arabe, ce qui entraîne l'abandon relatif de cette langue.

La question scolaire suscite de vives critiques. Tout en mettant l'accent sur la meilleure adéquation des structures de la Commission des écoles protestantes du Grand Montréal dans l'accueil et la prise en considération des besoins des groupes ethnoculturels, comparativement à celles de la Commission des écoles catholiques de Montréal qui a des difficultés à intégrer la dimension pluriethnique dans ses structures, les leaders tendent à remettre en question les réseaux séparés, basés sur la confession. Ce système bloque en effet le développement d'une culture publique commune, selon les uns, d'appartenance nationale, selon les autres, et maintient la dimension religieuse dans la sphère publique, ce qui semble incompatible avec les fondements d'une société moderne. En ce sens, l'existence de réseaux d'écoles ethniques, subventionnées par l'État, semble contribuer au mouvement centrifuge que les leaders constatent au sein de la formation québécoise, amplifié par l'incapacité des écoles multiethniques à hâter l'intégration des immigrants et des enfants issus des groupes ethnoculturels. La mise en place d'un nouvel arrangement scolaire plus apte à rapprocher les groupes ethnoculturels de la majorité apparaît souhaitable, même s'il reste à trouver les modalités qui permettraient aux groupes pour qui la dimension religieuse est importante de maintenir leurs traditions.

Le décrochage scolaire et la délinquance, selon l'évaluation des leaders, ne semblent pas avoir la même ampleur pour les uns et pour les autres. C'est chez les Québécois d'origine haïtienne qu'ils semblent les plus criants, et à un moindre degré chez les Québécois d'origine italienne, même s'ils sont perçus partout en progression. En partie liés à des conditions prémigratoires, au contexte scolaire et social, ces problèmes apparaissent comme le produit d'une situation défavorisée où les normes familiales et sociétales propres à chaque groupe ethnoculturel sont en voie de restructuration, ce qui peut augmenter les problèmes d'anomie amplifiés par le fait que la société québécoise est elle-même en pleine reformulation de ses assises socioculturelles.

4

RÉFÉRENTS ETHNOCULTURELS, ETHNOCENTRISME ET RACISME

Dans la plupart des démocraties occidentales, l'affirmation politique de l'ethnicité constitue une question politique brûlante dans la mesure où elle semble mettre en danger la cohésion du tissu social, et, parfois, le fondement même des États-nations[1]. Mais si les uns font à cet égard preuve de nuance et de modération, d'autres considèrent ces phénomènes comme un retour au primordialisme et au tribalisme. Les polémiques qui en résultent ont relancé le débat sur les questions identaires, la citoyenneté et la nation[2].

Les interprétations des phénomènes d'ethnicité varient autant que celles qui portent sur la culture. À la définition de

---

1. C. Young, *Ethnic Diversity and Public Policy: an Overview*, United Nations Research Institute for Social Development, 1994.

2. A. Schlesinger, *La désunion de l'Amérique. Réflexions sur une société multiculturelle*, Paris, Nouveaux Horizons, 1993; W. Kymlicka, W. Norman, «Return of Citizen: a Survey of Recent Work on Citizenship Theory», *Ethics*, vol. 104, n° 2, 1994; D. Schnapper, *La communauté des citoyens. Sur l'idée*

l'ethnicité selon des critères objectifs (référents historiques, territoriaux, politiques, linguistiques, culturels, organisationnels, etc.) que proposent les uns, s'oppose une vision subjectiviste de la même réalité où, selon d'autres, le sentiment d'appartenance, les processus d'auto ou d'altéro-inclusion ou exclusion sont déterminants au niveau symbolique. Quoi qu'il en soit, l'ethnicité ne repose ni sur l'hérédité ni sur une socialisation incontournable et absolue, mais sur un processus complexe, basé sur des stratégies multiples (abandon, conservation, sélection, réorganisation, réinterprétation des traits identitaires)[3].

En ce sens, les populations issues de l'immigration, reconnues ou non comme groupes ethniques et groupes racisés, acquièrent dans nos démocraties occidentales des identités nouvelles (par le biais de la catégorisation sociétale), le plus souvent sur la base de relations sociales inégalitaires, et non à partir de traits culturels primordiaux ou de différences génétiques. En même temps, ces groupes résistent, récupèrent des identités attribuées, ou au contraire adoptent les conduites et les attitudes des pays d'accueil. Les immigrants et les groupes ethniques participent d'ailleurs à l'élaboration de la culture nationale. Les frontières externes et internes de l'ethnicité varient donc selon les contextes, les environnements sociaux et politiques, et les relations sociales qui les traversent. De plus, les liens entre diasporas alimentent les conceptions de l'ethnos (race, ethnicité, nation) que se font les groupes[4].

---

moderne de nation, Paris, Gallimard, 1994; C. Taylor, *Multiculturalisme. Différence et démocratie*, Paris, Aubier, 1992; N. Burgi (dir.), *Fractures de l'État-nation*, Paris, Kimé, 1994.

3. D. Schnapper, *La France de l'intégration. Sociologie de la nation en 1990*, Paris, Gallimard, 1991.

Les représentations que les groupes ont d'eux-mêmes et des autres se basent sur des rapports sociaux marqués par les inégalités et ils impliquent de ce fait la construction de frontières symboliques ou matérielles. C'est pourquoi l'ethnicité peut porter l'ethnocentrisme et le racisme, formes qui tendent à se redéployer dans les conditions de restructuration démographique, économique et sociopolitique au niveau mondial[5].

Les hypothèses avancées pour expliquer ces phénomènes ne font pas l'unanimité. Le racisme ne serait-il que la forme viciée, projetée sur l'« autre », de l'ethnocentrisme ou en serait-il distinct[6] ? Le racisme d'ailleurs n'est pas non plus homogène. Le racisme inégalitaire de type colonial repose sur la conviction qu'il y a plusieurs races biologiques hiérarchisées et qu'un universel (un ethnos, un modèle, une référence), celui de la race dominante, par laquelle les autres races ne peuvent être que dominées. L'argumentaire de ce racisme et sa logique d'action fonctionnent sur la hiérarchisation, la discrimination et l'infériorisation du dominé et de l'étranger. Pour le racisme différencialiste (que d'autres appellent racisme caché ou latent), en revanche, il y a autant d'universels que de cultures (et derrière les cultures, des races). C'est un racisme de la différence, fondée sur le relativisme culturel, qui permet le rejet des autres cultures au nom de la défense de la pureté et de la spécificité de la sienne. La logique d'action est ici celle de la mise à distance et de l'exclusion[7].

---

4. L. Bash, N. Glick Schiller, C. Szanton Blanc, *Nations Unbound*, Langhorne Gordon and Breach Science, 1994; P. Gilroy, *The Black Atlantic. Modernity and Double Consciousness*, Harvard, Cambridge University Press, 1993.

5. Wallerstein, I., « Culture as the Ideological Battleground of the Modern World-System », *Theory*, Culture and Society, vol. 7, 1990.

6. P. J. Simon, «Ethnisme et racisme ou "l'école de 1492"», *Cahiers internationaux de sociologie*, vol. XLVIII, 1970.

7. M. Wieviorka, *L'espace du racisme*, Paris, Seuil, 1991. Voir également les débats dans M. Wieviorka (dir.), *Racisme et modernité*, Paris, La Découverte, 1992.

La crise économique, politique et culturelle des démocraties occidentales s'accompagne d'une recrudescence de la
xénophobie et du racisme violent. Le déclassement social en
période de crise économique et culturelle, la façon dont l'État
égalitaire et redistributeur oriente les politiques publiques et la
crise d'identité qui affecte les groupes sociaux, liés aux conditions de production de la xénophobie (propagande des partis
politiques, techniques des médias, etc.), en constituent les
principaux facteurs d'explication[8].

Le racisme apparaît en ce sens comme une maladie sociale
de la modernité[9], elle qui, en principe, devait dissoudre racisme
et particularismes. Le nationalisme lui-même serait porteur
virtuel de racisme, un excès qui, en période de crise, permettrait aux États-nations de projeter une clôture symbolique
absolue de la société nationale impossible dans les faits[10].

Les problèmes d'identité, de racisme et d'ethnocentrisme
que connaissent les États-nations constitués se posent de façon
différente dans la société québécoise, dont la population
canadienne-française, assujettie à l'empire britannique, a été
confrontée à des formes de racisme inégalitaire par le passé. Les
politiques dominantes du multiculturalisme de l'État fédéral
tout comme celles des gouvernements québécois successifs
continuent de jouer un rôle dans le maintien des spécificités
ethniques, en intervenant sur les frontières entre les groupes en
concurrence économique et sociale, ce qui peut influer sur les

---

8. G. Noiriel, *Le creuset francais: histoire de l'immigration: XIXe-
XXe siècles*, Paris, Seuil, 1988; G. Kepel, *La revanche de Dieu*, Paris, Points
actuels, 1992. Voir aussi M. Wieviorka (dir.), *Racisme et xénophobie en Europe*,
Paris, La Découverte, 1994.

9. A. Touraine, «Le racisme aujourd'hui», dans M. Wievorka (dir.),
Racisme et modernité, op. cit.

10. E. Balibar, «Y a-t-il un "néo-racisme"», dans E. Balibar, I. Wallerstein
(dir.), *Race, nation, classe. Les identités ambiguës*, Paris, La Découverte, 1988.

formes d'ethnocentrisme et de racisme qui existent entre les différents segments qui composent la société québécoise.

Le chômage, la pauvreté et la marginalisation de larges fragments de la population ne sont pas sans amplifier les contradictions entre les groupes et aiguiser les conflits. Ceux-ci se voient en outre exacerbés par la polarisation autour de la question nationale et de l'avenir démographique problématique du Québec. L'ethnocentrisme et le racisme, dans ses formes inégalitaires et différencialistes, trouveront donc à s'exprimer dans le contexte québécois.

La synthèse des sondages sur les attitudes racistes des Québécois et des recherches sur le racisme[11] porte à croire que le racisme, cet innommé, existe bel et bien et qu'il ne fait l'objet d'aucune stratégie d'intervention réelle. Par contre, le rapport du Comité d'intervention contre la violence raciste[12] indique que, si le Québec n'est pas une société fondamentalement raciste, comparativement à d'autres, il « n'est pas à l'abri d'importantes manifestations de racisme », en ce sens que des attitudes et des « pratiques sociales » encouragent des comportements et provoquent des incidents qui ont ce caractère. Il semblerait donc que les rapports interethniques soient devenus plus conflictuels depuis quelques années, particulièrement dans la région de Montréal à la suite de la récession et du débat constitutionnel. Cela dit, les formes de racisme politique que

---

11. M. Alcindor, *La lutte contre le racisme au Québec et au Canada: stratégie d'intervention planifiée ou escarmouche contre l'innommé*, université du Québec à Montréal, novembre 1992, texte ronéoté.

12. Ce comité, formé de membres du Centre maghrébin de recherche et d'information, de la Commission des droits de la personne du Québec, du Congrès juif canadien (région du Québec) et de la Ligue des droits et libertés, a publié ce rapport à l'issue d'une consultation à laquelle ont participé une soixantaine de personnes représentant une vingtaine d'organismes divers. Voir Gouvernement du Québec, *Violence et racisme au Québec*, rapport du Comité d'intervention contre la violence raciste, juin 1992.

d'autres pays connaissent sont actuellement absentes de la scène québécoise.

Nous verrons dans ce chapitre comment se construit l'identité ethnoculturelle selon les leaders des groupes retenus, et comment ils jugent l'état des relations ethniques, du racisme et de la discrimination.

Référents ethnoculturels et rapports intracommunautaires

Invités à définir l'ethnicité ou l'identité d'origine haïtienne, italienne, juive ou libanaise dans le contexte québécois, les leaders se livrent à un travail d'interprétation et de réinterprétation où ils tentent d'identifier un « noyau dur » et une combinaison de traits sociohistoriques (référents territoriaux, historiques, linguistiques, institutionnels) et psychoculturels (valeurs, normes) qu'ils croient spécifiques ou particuliers à leur groupe d'appartenance. Ces deux perspectives ne sont d'ailleurs pas mutuellement exclusives et des éléments des deux ensembles se retrouvent souvent intimement liés, tout comme la synonymie de la culture, de l'ethnicité et de l'identité est fréquente.

Par ailleurs et contrairement aux opinions largement répandues, les groupes ethnoculturels ne sont pas monolithiques. Ils sont eux aussi traversés par des conflits internes, et ces tensions découlent des lignes de clivage complexes que tracent les différences de classe, de région, de nation, d'histoire. La multiplicité des vagues d'immigration, les divergences dans l'orientation politique et religieuse ou communautariste, les différences dans les pratiques linguistiques, les oppositions dans les modèles d'intégration à la société d'accueil nourrissent ces oppositions. Le discours des leaders illustre la complexité de la reconstruction identitaire de leur ethnicité.

Pour la plupart des leaders d'origine haïtienne, le fait d'appartenir au premier pays à majorité noire ayant conquis son indépendance par les armes, l'un des principaux jalons de l'histoire d'Haïti, est d'une importance capitale dans la définition de leur identité de diaspora. La lutte de libération contre l'esclavage, fait fondateur de la nation, alimente le sentiment d'appartenance nationale.

Le rapport à Haïti, terre d'origine, est donc considéré comme essentiel. Tous évoquent leur attachement profond, « patriotique », à leur « terre natale », leur « île », leur drapeau. L'appartenance nationale est première, seule une minorité se définissent avant tout en tant que noirs estime une interviewée :

> L'Haïtien tient à sa nationalité, il tient, au fond, consciemment ou inconsciemment, à se démarquer des Noirs, non par manque de solidarité, mais parce que ça lui apporte un réconfort. Et c'est un sacrifice de lui demander de renoncer à être haïtien pour être simplement un Noir (femme, 40 ans).

Plusieurs soulignent la fierté et l'attachement « charnel », « viscéral » des Québécois d'origine haïtienne — qui peut déboucher sur un sentiment de supériorité — à leur pays, à leurs origines africaines, à l'égard desquelles par ailleurs il existe une forte ambivalence :

> Ils croient qu'ils sont toujours les meilleurs. C'est une notion qui n'a jamais disparu chez nous, même chez les gens de l'arrière-pays, la notion de supériorité a toujours été là. À une époque, on s'était même cru — ça a changé, j'en suis bien content — supérieurs aux Africains (homme, 44 ans).

Ce fort sentiment d'identité nationale ne fait cependant pas oublier la racisation[13] historique dont les Haïtiens ont été

---

13. Le processus de racisation suppose que des catégories de population, de diverses origines nationales ou ethniques, sont subordonnées et réduites, sous le travail idéologique du racisme, à la catégorie de race.

et sont encore l'objet : « Ne pas accepter l'assujettissement au regard de l'autre », ne pas être défini seulement ou d'abord comme noir, tel est l'un des principes auxquels adhéreraient beaucoup de Québécois d'origine haïtienne, ce qui compliquerait les rapports avec d'autres populations racisées du Québec :

> La discrimination que je subis, ce n'est pas parce que je suis haïtienne, mais généralement parce que je suis noire. La difficulté que j'ai avec les Noirs anglophones — quelques-uns en tout cas — c'est que, eux, ils acceptent implicitement que le regard du Blanc les définisse (homme, 44 ans).

Le caractère syncrétique de la culture haïtienne constitue un autre trait fondamental qui dérive de la rencontre de plusieurs influences dans la construction de l'aire caribéenne :

> La culture haïtienne est une rencontre entre la culture africaine et ce qui nous rapproche de la culture occidentale, le français. Pour certains, il y a encore une parcelle de la culture indienne, sur le plan de l'alimentation et de la langue, sans oublier, depuis le dernier quart de siècle, l'influence américaine (homme, 56 ans).

L'histoire d'Haïti traduirait d'ailleurs le conflit entre une bourgeoisie occidentalisée qui se réclame de la civilisation française et une majorité qui s'identifie à ses racines africaines :

> Un Haïtien, c'est d'abord et avant tout quelqu'un qui est rattaché à la culture africaine. Une culture négroïde d'abord et avant tout. Pas parce qu'il rejette l'autre, mais parce que ce sont les racines (homme, 45 ans).

Cette opposition s'exprime aussi dans la langue, le créole, langue de la population plus défavorisée, par opposition au français, langue de l'élite. La revalorisation du créole, symbole de la culture réprimée, qui serait en cours en Haïti, mais aussi au Québec, constituerait l'un des signes du processus de réappropriation culturelle :

C'est parfois une coquetterie que de s'exprimer en créole, tout le temps, à tort et à travers. C'est vrai que le créole est né de la nécessité de communiquer avec le maître blanc, mais c'est ce qui nous reste. En fait tous ceux qui ont malmené le peuple dans l'histoire politique d'Haïti l'ont fait à partir de leur savoir du français (femme, 51 ans) ;

En situation d'immigration, dès qu'un Haïtien ouvre la bouche, qu'il soit de peau très blanche ou très noire, on le reconnaît parce qu'il a cet accent inimitable quand il parle français (homme, 48 ans) ;

Un Haïtien qui m'appelle au téléphone pour demander n'importe quoi est content lorsqu'il reconnaît l'accent, il dit : ah vous êtes haïtienne ! Et il se sent en confiance parce que c'est le petit village, malgré tout, c'est l'appartenance bien plus que : ah vous êtes noire ! Ce qui le réconforte, c'est la communauté qu'il a, c'est au niveau de l'haïtianité (femme, 40 ans).

La revalorisation du créole n'est pas toujours envisagée de façon positive. Pour certains, cette langue est marquée d'« un relent de l'idéologie duvaliériste » selon laquelle l'Haïtien authentique doit être issu de parents noirs et faire usage du créole dans sa vie quotidienne.

En ce qui concerne la religion, il y a aussi des divisions. Les deux grandes religions, le protestantisme et le catholicisme, sont en concurrence avec le vaudou, une religion syncrétique. On observe dans le groupe haïtien une adhésion grandissante à certains groupes religieux (adventistes, témoins de Jéhovah, mormons, etc.). Ils attireraient beaucoup les couches populaires, continuant ainsi le mouvement amorcé en Haïti ou s'inspirant du courant noir américain.

Les avis sont partagés quant au rôle de la religion dans le contexte migratoire. Pour certains, la religion ne joue pas un rôle important dans l'adaptation des immigrants. Pour d'autres, par contre, elle peut se révéler positive dans l'adaptation et l'intégration des nouveaux arrivants, en procurant un réseau social qui peut être utile dans les moments difficiles :

> Les gens ont parfois des problèmes. Qui les aide alors, qui les oriente ? Un pasteur, un prêtre. Les gens se réunissent à l'église, ils prient en créole, ils font la messe en créole, ils se sentent vraiment bien, ils sentent qu'ils sont chez eux. Ils assistent à la messe comme en Haïti. Pour ceux qui croient, le maintien de la religion, c'est un aspect positif (femme, 41 ans).

Cette influence serait beaucoup plus notable chez les protestants, très prosélytes, où le pasteur, en tant que leader, aurait un rôle important qui freinerait l'intégration des Haïtiens à la société d'accueil et maintiendrait des normes sociales conservatrices, tout en exploitant leurs ouailles par des demandes d'argent répétées :

> Je pense que les églises haïtiennes n'intègrent pas les gens. Chaque fois qu'on va dans une église haïtienne, c'est comme si on était en Haïti. L'intégration des enfants à la société québécoise n'est pas le propos ni le souci du pasteur. Dans une église haïtienne on ne travaille que pour les adultes. Or les adultes ont comme référence le pays d'origine. Ce n'est pas un milieu intégrateur, un milieu où on puisse avoir certaines ouvertures réelles à la société d'accueil (homme, 44 ans) ;

> Les pasteurs sont conservateurs et perpétuent des situations de répression familiale. Ils ont énormément de pouvoir sur leurs fidèles. Ce sont les vrais leaders en quelque sorte. C'est un leadership vraiment conservateur qui vise à diriger la vie des fidèles, eux-mêmes très soumis à leur pasteur. Ils vivent dans leur univers d'église, oublient tout ce qui se passe dans leur propre communauté et dans la société d'accueil. Il commence à y avoir sans doute quelques pasteurs plus ouverts, mais en grande majorité les gens sont comme asservis (femme, 51 ans).

Ces Églises qui tendent à prôner le regroupement des Haïtiens entre eux favorisent la ghettoïsation et le fractionnement communautaire. Les femmes joueraient un rôle actif dans ces sectes et auraient une influence très forte au sein des Églises adventistes, participant aux conseils d'administration. Elles peuvent aussi prêcher et occuper des postes de direction dans les écoles protestantes du dimanche.

L'Église catholique, qui n'est pas en reste, a mis sur pied un lieu de rencontre, permettant l'établissement de liens inter-personnels, d'échange d'idées, d'informations et d'entraide. Une certaine érosion de la pratique religieuse, même si les croyances fondamentales demeurent, surviendrait avec la durée du séjour au Québec, en particulier parmi les catholiques, qui constituent la majorité de la population haïtienne de Montréal. Cette désaffection serait notable surtout parmi les jeunes qui ont intégré les modèles nord-américains plus sécularisés. Ailleurs, l'imposition du choix religieux des parents crée bien souvent des conflits entre les générations.

La pratique du vaudou serait présente à Montréal surtout dans la classe paysanne haïtienne qui trouve dans ce culte une source de réconfort. Interdit par les autres religions, surtout le protestantisme, le vaudou ne constituerait pas un phénomène très répandu et sa pratique reste discrète. Des cérémonies ou des manifestations vaudoues sont organisées à des périodes déterminées à l'intérieur de la communauté (Toussaint et Vendredi Saint). Les femmes, dont le statut est plus élevé que dans la religion catholique, auraient une fonction rituelle importante.

La culture haïtienne se définirait ensuite par un ethos qui renvoie à certains traits (de classe) jugés typiques — la joie de vivre, la manière de vivre, le goût de la danse :

> Cette façon d'être, cette joie de vivre, d'être heureux d'exister, quelles que soient les conditions dans lesquelles on se trouve, c'est un trait typique. Le peuple haïtien est un très bon peuple. C'est d'ailleurs pour ça qu'on a eu beaucoup de dictatures. J'ai l'impression que les gens du peuple se disent : pourquoi se battre pour

avoir plein d'argent, plein de fla-fla, plein de choses ? Ils se contentent d'être heureux près d'une rivière, d'être heureux entre eux à jouer aux cartes, à repasser leurs souvenirs, à chanter, à danser (homme, 48 ans).

Autres traits du noyau dur symbolique considérés comme marquants de la culture ou de l'ethnicité haïtienne : la solidarité à toute épreuve, l'esprit d'entraide unissant les membres d'une même famille ou des personnes qui partagent certaines affinités, qu'un leader qualifie d'esprit de clan (*moun pa'm*). Cette solidarité s'exprimerait à certaines occasions de la vie et unirait en particulier les personnes originaires d'une même région, d'une même localité, autour de l'haïtianité. L'éducation centrée sur l'autorité parentale, la discipline rigide en matière de relations sexuelles, l'importance de l'école, instrument de mobilité sociale, font aussi partie des normes valorisées du comportement.

La conception haïtienne de la famille se caractérise, selon un leader, par le rôle dominant de l'homme dans le couple et la réserve de la femme, même si les rôles traditionnels jugés aliénants sont remis en question :

Il y a des attitudes qui ne sont pas admissibles chez les femmes ; une femme, c'est réservé, dans le sens qu'elle ne dit pas n'importe quoi. Une femme ne fume pas, ne boit pas de boissons fortes. Il y a des normes culturelles (femme, 49 ans) ;

C'est une culture qu'on a héritée de l'esclavage, de la colonisation, c'est une culture qui est nôtre, mais dans laquelle on aurait intérêt à changer énormément de choses. Quand on lutte contre la répression, il faut dénoncer ces choses-là, il ne faut pas les garder sous prétexte que c'est culturel (femme, 51 ans).

La structure familiale haïtienne connaîtrait au Québec un ensemble de modifications. La monoparentalité, déjà présente en Haïti, augmenterait ici, mais elle serait plus problématique, car l'unique parent doit répondre seul aux besoins économiques de sa famille sans le soutien du réseau familial élargi. Ce sont les femmes qui jouent ce rôle ; les hommes restent à la périphérie du foyer ou s'en éloignent :

> En Haïti, on disait que c'était la femme qui était le « poteau mitan ». C'est encore le cas au Québec. Il y a vraiment une... pas une dévalorisation, mais ce sont elles qui sont là, qui continuent à lutter, qui continuent à porter la charge (femme, 40 ans) ;

> Même avec la loi de leur côté, les femmes au Québec restent souvent seules avec les enfants, et cette monoparentalité provoque des conflits entre la mère et le jeune (homme, 52 ans).

Dans les familles plus nucléarisées, les rôles sexuels sont transformés. L'autorité du mari perd de son importance principalement en raison du mouvement d'émancipation de la femme. La société d'accueil offre aux femmes haïtiennes la possibilité d'acquérir une plus grande autonomie financière, ce qui crée des tensions significatives à l'intérieur du couple, incapable de s'adapter à cette mutation dans les rapports d'autorité :

> L'intégration des familles est assez difficile à Montréal. En général, la femme haïtienne ne travaille pas. C'est l'homme qui gagne le pain, et c'est lui qui décide. Arrivés au Québec, les choses changent. La femme et l'homme travaillent tous les deux. Cela creuse un fossé entre les générations et aussi entre l'homme et la femme (homme, 49 ans) ;

> Le rapport hommes-femmes, c'est un rapport de domination. Arrivé ici, le mari, qu'il le veuille ou non, perd un peu de son autorité, à cause de la valorisation de la femme, qui commence à travailler, devient plus autonome. Le mari est frustré, il ne peut pas mener sa femme comme il le voudrait. Et cela provoque beaucoup de divorces (homme, 56 ans).

La perte de pouvoir serait pour les hommes encore plus difficile lorsque les femmes deviennent les pourvoyeuses principales, ce qui inverse le rapport économique normatif dans le pays d'origine, contribuant à la séparation du couple.

La violence, tant verbale que physique, devant laquelle les femmes réagiraient peu et qui pourrait accompagner ces tensions ne serait pas, selon les leaders, différente de ce qui est rapporté dans les autres groupes ethniques. Le taux de divorces ou de séparations semble être à la hausse, et le nombre d'enfants dans les familles haïtiennes, deux ou trois, commencerait à ressembler à celui des familles québécoises.

L'intégration à la société québécoise n'est pas sans modifier la perception de la culture d'origine et susciter des interrogations sur la pertinence des notions de culture et d'identité haïtiennes au Québec. Un processus de reconstruction de l'identité et d'élaboration culturelle au sein de la diaspora haïtienne serait en train de s'effectuer, ce qui donne naissance à une identité et à une culture distinctes de celles du pays d'origine, certains évoquant une culture « synthétique », d'autres, une culture « métissée », une culture de diaspora, transnationale, qui évoluerait en intégrant à des formes culturelles typiquement haïtiennes divers éléments de la culture québécoise.

Quelques leaders jugent prioritaire l'intégration à la société québécoise et la nécessité d'éviter à tout prix d'être « un Haïtien dépaysé », « déraciné ». Insister sur l'ethnicité haïtienne serait dans ce sens un désir alimenté de l'extérieur par la discrimination :

> Quand on vous enferme dans un carcan ethnique, ce n'est sûrement pas pour vous aider. C'est surtout pour vous dominer, pour vous identifier à une couche bien définie de la population. Cela crée certaines barrières. Et c'est peut-être parce qu'on veut nous discriminer qu'on veut nous distinguer (homme, 48 ans).

La situation politique en Haïti et la solidarité avec le pays d'origine demeurent des axes importants de la vie du groupe. En dépit de la reconstruction de l'haïtianité au Québec autour de la catégorie de communauté culturelle ou de communauté noire, le conflit entre l'influence africaine et l'influence occidentale qui a marqué la culture haïtienne, tout comme la polarisation entre une bourgeoisie occidentalisée se réclamant de la civilisation française et une majorité s'identifiant à ses origines africaines continuent de se maintenir à Montréal. Ce conflit renvoie à une structure de classes caractérisée par des attitudes, des modes d'expression, des habitudes et des valeurs différentes[14]. Si les préjugés subsistent après l'immigration, plusieurs parlent néanmoins de rapprochement de couches sociales différentes dans leur lutte contre le racisme :

> Il y a parfois un conflit parmi ceux qui sont du même pays, entre ceux qui étaient des « Occidentaux » et ceux qui arrivent maintenant. Or, comme la société ici regroupe tout le monde sous le même vocable d'haïtiens, on se dit : bien, je ne peux pas continuer à être différent si je suis haïtien... Donc on finit par se rapprocher. Il y a des gens qui sont très proches les uns des autres ici et qui ne le seraient peut-être pas dans leur pays d'origine (homme, 52 ans).

Les conditions dans lesquelles s'effectue l'immigration interviennent aussi comme facteur de tensions intergénérationnelles. La « migration en chaîne », typique de la nouvelle immigration des couches populaires haïtiennes, contribue à la désorganisation de nombreuses familles. Les problèmes que pose la réunification des familles après des délais de séparation allant jusqu'à dix ans sont alors considérables. Les enfants se retrouvent, à leur arrivée, dans un milieu dépourvu économiquement, face à des « étrangers » dont ils acceptent difficilement l'autorité soudaine, d'autant plus qu'ils voient très vite la possibilité de s'y soustraire :

> Les parents les ont laissés petits et maintenant ce sont de jeunes adultes. Il n'y a plus de communication entre eux. Il y a des gens

---

14. M. Labelle, *Idéologie de couleur et classes sociales en Haïti*, Montréal, CIDHICA et Presses de l'université de Montréal, 1987 (2ᵉ éd.).

211

qui ont été séparés depuis dix ans. L'enfant rentre dans un milieu complètement différent. Le père ou la mère pensent toujours qu'ils s'adressent à des enfants, et la façon de parler, vous savez, en Haïti, l'éducation, l'autoritarisme... Alors les jeunes se révoltent, ils savent aussi que le système leur permet de se soustraire à ça et ils en abusent (homme, 44 ans).

La plupart des jeunes d'origine haïtienne qui vivent depuis longtemps au Québec ou qui y sont nés se considèrent d'abord comme québécois alors que pour leurs parents, ce sont encore des Haïtiens. Le sentiment d'être québécois pourrait être lié au rejet du pays d'origine ou à l'ambiguïté du message véhiculé par les parents sur Haïti : « En Haïti, c'était la misère, c'était les macoutes qui tuaient le monde, c'était des assassinats en pleine rue, etc., les coups d'État. » La dévalorisation de la culture d'origine pourrait aussi ajouter au malaise qui accompagne la définition de l'identité :

> Il y a des parents qui ne valorisent pas la culture haïtienne, ni le créole. Alors les jeunes qui vivent ici, dans une communauté non valorisée, n'ont pas de points de repère solides ; c'est ce qui crée beaucoup de difficultés pour l'identité de ces jeunes. Ils ne sont pas des Québécois de vieille souche, et culturellement ils ne sont pas haïtiens. C'est un très gros problème (femme, 41 ans).

Les jeunes d'origine haïtienne, à l'instar des jeunes des autres groupes d'immigration récente, vivraient donc les contradictions entre deux systèmes de valeurs : celui, inculqué dans le cadre familial, de la société d'origine d'où sont issus les parents et celui de l'école et du groupe d'amis. Le personnel des institutions scolaires véhicule souvent une image négative des parents haïtiens, ce qui contribue à la dévalorisation de la culture d'origine.

Ce conflit d'identité est accentué par le sentiment de rejet qu'éprouvent ces jeunes qui se considèrent pourtant comme québécois, aggravant une identité cassée :

On lui dit : depuis quand tu es arrivé toi ? toi, tu es arrivé quand ? Juste une petite question banale comme ça. « Je suis né ici, je ne suis pas arrivé. » On vient de le blesser. Et lui qui pensait qu'il était québécois, on vient de lui demander quand est-ce qu'il a immigré (homme, 45 ans) ;

Dans la rue, ils sont des Haïtiens, on les voit, on leur dit qu'ils sont des Haïtiens. En même temps, ils sont des Québécois parce qu'ils ne connaissent pas Haïti. Alors ça crée une espèce de coupure entre ce qu'ils sont vraiment et ce que les gens leur disent qu'ils sont (homme, 52).

Dans le cas italien, en raison de l'unification linguistique et nationale tardive de l'Italie, les références ethnoculturelles sont souvent plus locales que nationales :

Après l'unité politique, en Italie, on n'a pas encore atteint l'unité culturelle... Jusqu'à il y a vingt ans, on avait beaucoup de peine à se comprendre entre Siciliens, Sardes, Romains, Milanais... Et encore maintenant, il y a des villages à cinq, dix kilomètres l'un de l'autre, dont les dialectes sont mutuellement incompréhensibles. Les coutumes, la façon de voir l'existence, même si on a la même école publique : il y a de très fortes différences dans la culture italienne. Et quand je dis culture italienne, je ne veux pas dire la culture officielle (homme, 57 ans).

Le contrôle de la famille, le rôle traditionnel des femmes et l'importance des traditions religieuses interviendraient aussi comme éléments de la spécificité du groupe italien.

La famille joue non seulement un rôle important dans le maintien de la culture et de valeurs attribuées à la région d'origine, mais elle a aussi une fonction affective et sécuritaire essentielle. Plus conservatrice que celle que l'on retrouve actuellement en Italie, elle véhiculerait des valeurs patriarcales rigides. La répression sexuelle s'exercerait essentiellement sur les femmes, qui doivent reproduire le système de valeurs de la mère patrie :

Ils vivent encore avec l'attitude morale de l'époque de leur immigration. Et il faudra beaucoup de temps pour que ça change (femme, 36 ans) ;

La structure familiale est restée plus traditionnelle ici qu'en Italie. Une jeune femme d'ici, même si elle a fait des études universitaires, qui, après vingt ans, va visiter ses cousins en Italie, reste étonnée devant la libéralisation des mœurs. Elle se sent comme une vieille demoiselle, et parfois elle se sent mal à l'aise parce que même ses cousins se moquent d'elle et la trouvent dépassée (homme, 57 ans).

La solidarité familiale, étendue aux proches parents, reste importante, et les enfants sont soutenus financièrement. Beaucoup de femmes, même parmi les jeunes, ne renoncent pas aux modèles traditionnels et continuent de suivre les normes relatives aux rôles sexuels. Elles sont soumises à l'autorité du mari et elles sont responsables de l'organisation familiale, du budget et de la socialisation des enfants. L'homme occupe la sphère publique.

Plusieurs leaders ne partagent pas cette vision trop statique de la famille italienne et relèvent des problèmes semblables à ceux de la société québécoise :

Avant, l'image qu'on avait de la famille, c'était que tout le monde était uni, on restait toujours près de ses parents, et quand on se mariait, c'était pour la vie. Aujourd'hui, on respecte toujours ses parents, mais on ne reste pas accroché à eux, et il y a des divorces (homme, 22 ans).

Avec l'entrée des femmes sur le marché du travail, ce qui a augmenté leur autonomie financière et leur poids décisionnel dans le couple et la famille, les rapports homme-femme se sont modifiés :

Arrivées ici, les femmes ont dû souvent travailler, et ce travail leur a donné un pouvoir économique, et même une voix. Dans ma famille, la voix de ma mère est plus importante que celle de mon père, même si c'est lui qui est en apparence le chef. Mon père a toujours le prestige, mais je dirais que c'est ma mère qui prend les décisions (femme, 40 ans).

L' influence des modèles culturels extérieurs a amplifié la recherche d'une certaine liberté, ce qui a parfois entraîné une plus grande évolution chez les femmes que chez les hommes, qui sont restés plus attachés aux valeurs italiennes. L'égalitarisme tend cependant à progresser parmi les jeunes générations.

La règle d'endogamie tend aussi à s'atténuer. Le taux de divorce selon certains serait le même que dans la société en général, et peut-être plus fréquent parmi les jeunes. La violence conjugale reste un sujet tabou et un fait caché, surtout parmi les générations plus âgées :

> La violence existe. Du côté francophone, elle est connue parce qu'on en parle. C'est bien d'en parler. Plus on en parle mieux ça vaut parce que les gens informés commencent à sortir de leur silence (femme, 64 ans).

La religion catholique aurait perdu de son importance en tant que facteur d'adaptation et de cohésion communautaire, rôle qu'elle a rempli dans les débuts de l'immigration. L'église servait alors de principal lieu de rassemblement et remplissait une fonction déterminante dans l'organisation sociale et culturelle, mais aussi dans l'orientation politique et idéologique du groupe, le curé faisant le lien entre la petite communauté et la société d'accueil. L'impact de la religion est aujourd'hui moins important, mais on assisterait à une diversification des appartenances religieuses (témoins de Jéhovah, pentecôtistes). La pratique religieuse serait plus assidue parmi les personnes âgées et les femmes que chez les jeunes de vingt et trente ans. La messe dominicale serait devenue un prétexte de rencontre, une occasion de sortie. Les paroisses organisent des activités familiales les week-ends, des clubs pour l'âge d'or et continuent d'avoir une importance considérable.

Les leaders relèvent ensuite une certaine manière de vivre, une gastronomie unique, une manière particulière « d'échanger avec les gens ». « L'amour pour les arts » et « l'amour pour la musique » sont tout autant caractéristiques, tout comme l'engagement politique et la vitalité de la communauté. Ces traits, auxquels il faudrait ajouter la référence à la mafia, les allusions aux grands mariages, le fait de vivre à Saint-Léonard, les stéréotypes sur les « femmes habillées en noir » ou « les hommes petits », sont cependant pour certains des clichés ou des lieux communs que véhiculent ceux qui ne sont pas d'origine italienne.

Selon plusieurs, le fait que les Italiens de Montréal incarnent une culture fossilisée, déphasée par rapport à la culture italienne contemporaine, serait une conséquence des politiques multiculturalistes canadiennes :

> Ils véhiculent la culture de l'Italie d'il y a trente ou quarante ans. Ils la traînent ici. D'un autre côté, ce serait dommage de la perdre. En effet, il y a des groupes italiens qui viennent ici pour voir comment se prononcent certains des mots qu'ils ont oubliés maintenant, pour voir le type de folklore qu'ils ont oublié là-bas. La même chose arrive pour le dialecte, pour le patois. Ceux qui partent d'ici et s'en vont en Italie doivent savoir qu'ils vont émigrer une deuxième fois. Ils pensent trouver les gens tels qu'ils les avaient laissés, ce n'est pas vrai. C'est une nouvelle émigration (homme, 51 ans).

Cependant la majorité est plutôt encline à penser que la culture italienne est en transformation — une « culture immigrée », comme le dit un leader —, bien que le rapport à l'Italie et la « nostalgie » du pays d'origine demeurent vivaces.

Les oppositions entre Italiens du Sud et Italiens du Nord se sont prolongées dans le contexte québécois, même si plusieurs notent que les caractéristiques générales de l'italianité tendent à atténuer les contrastes régionaux. Les méridionaux d'origine paysanne qui arrivaient massivement dans les années cinquante se confrontaient aux Italiens du Nord qui se moquaient de leur infériorité phénotypique (plus petits, plus trapus, plus bruns, etc.), intellectuelle, culturelle (moins intelligents, moins développés, moins instruits) et linguistique (accent rocailleur). Ce mépris, soutenu par l'histoire de la civilisation italienne présentée comme le fait des gens du Nord, en faisait des « exclus de l'histoire ». Les préjugés s'exprimaient avant tout sur les lieux de travail, dans la construction, où les originaires du Sud étaient ouvriers, alors que les gens du Nord faisaient des métiers plus spécialisés. Les mariages exogames étaient rares, mais s'ils étaient mal vus par les uns, ils constituaient, pour les autres, une voie de progrès social. Ces mariages n'étaient pas sans susciter des conflits internes liés aux diffé-rences dans la hiérarchie des valeurs surtout dans la sphère sociosexuelle (machisme, violence conjugale, confinement et contrôle des femmes). L'arrivée de la mafia avec l'immigration, légale et illégale, renforçait les préjugés : « Nous étions les Québécois des gens du Nord », dira un leader. Même si l'oppo-sition entre ces deux segments est moins vive dans le contexte montréalais, il semble qu'elle continue à jouer dans la construction de l'identité italienne.

Ce groupe connaîtrait également des conflits de génération et de valeurs culturelles. La connaissance que les jeunes ont de leur culture d'origine est souvent faible et ils éprouveraient, selon un leader, « presque une honte d'être italiens ». Les jeunes filles seraient particulièrement touchées par ces conflits culturels. Les problèmes d'intégration, accentués par le con-traste entre milieu familial et milieu scolaire, s'accompagnent d'une rupture linguistique et culturelle qui n'est pas sans jouer sur la définition de leur identité, coincée entre les référents italiens et nord-américains.

Dans le cas juif, l'identité ethnoculturelle présente des configurations variées. Elle regrouperait des éléments disparates où des interprétations biologisantes — mais minoritaires — de la judéité se juxtaposent à des références sociohistoriques ou culturelles. Ainsi, le façonnement de l'ethnicité juive serait lié à un trait héréditaire, à un marqueur chromosomique, ou à la transmission de l'ethnicité juive par la mère, la filiation constituant le plus petit commun dénominateur de l'identité :

> Pour moi, une personne juive, c'est une personne qui est née d'une mère juive. Ça c'est la base. Et ça ne me dérange pas si elle est religieuse, non religieuse, pratiquante, non pratiquante. Il y a quelque chose de spirituel en elle qui fait qu'elle est juive. Après ça, qu'est-ce que ça veut dire d'être un juif, évidemment, les opinions sont très variées (homme ashkénaze, 36 ans).

Pour la plupart cependant, l'identité juive se construit à travers diverses représentations dans lesquelles on peut distinguer les référents religieux, historiques, communautaires, le rapport à Israël et l'expérience de l'antisémitisme[15]. Ces lignes de force peuvent se chevaucher ou au contraire s'exclure :

> C'est une communauté où il y a des cercles concentriques : certains sont éloignés du centre, d'autres sont dans un cercle religieux, d'autres dans un cercle culturel, d'autres dans un cercle sioniste, d'autres pour qui Israël c'est le lien. On peut avoir un sioniste qui ne va jamais à la synagogue, quelqu'un qui aime beaucoup la littérature, la musique, etc., mais qui n'a rien à faire avec Israël. Il y a tous ces cercles, et il y a certains individus qui, à cause de leur naissance, comme moi, ne sont vraiment ni dans l'un ni dans l'autre (homme ashkénaze, 45 ans).

---

15. A. Rodal, « L'identité juive », dans P. Anctil, G. Caldwell (dir.), *Juifs et réalités juives au Québec*, Montréal, Institut québécois de recherche sur la culture, 1983. Voir également M. Elbaz, « D'immigrants à ethniques : analyse comparée des pratiques sociales et identitaires des Sépharades et Ashkénazes à Montréal », dans J. C. Lasry, C. Tapia (dir.), *Les Juifs du Maghreb. Diasporas contemporaines*, Montréal et Paris, Presses de l'université de Montréal et L'Harmattan, 1989.

La famille apparaît comme une institution centrale dans la transmission de l'identité juive. Elle est la base de la culture juive, dit un leader, plus importante sans doute que la synagogue. Ses formes et son organisation vont refléter l'influence des pays d'origine, mais aussi les transformations liées aux migrations.

La cohésion familiale est renforcée par les rituels du sabbat et des fêtes, qui favorisent le maintien des liens familiaux :

> Il y a beaucoup de fêtes qui tiennent la famille ensemble. Ce ne sont pas seulement les grandes, mais les fêtes hebdomadaires également. Le vendredi soir, le partage du repas est un rituel important. Et je me rappelle, enfant, même si mes parents n'étaient pas religieux, je n'avais pas le droit de sortir avec mes copines. On se rendait chez mes grands-parents et on mangeait avec eux (femme ashkénaze, 64 ans).

À l'intérieur de la famille, le rôle et le statut des femmes sont perçus comme contradictoires. Si elles occupent une position centrale reconnue, leur statut reste ambigu, tendant cependant vers une plus grande subordination à l'égard des hommes dans les milieux plus traditionnels ou séfarades :

> Je pense que les femmes séfarades jouent un rôle central dans la famille. Le problème se situe dans la reconnaissance de ce statut. C'est un statut de compagne, dans le meilleur des cas, ou d'inférieure. Mais il y a vraiment une division des rôles. Et c'est toujours fait dans le cadre d'un jeu de pouvoir qui me semble beaucoup plus subtil que celui de la simple soumission de l'une à l'autre. Beaucoup plus subtil parce qu'il y a une reconnaissance (femme séfarade, 41 ans) ;

> Il y a un paradoxe dans la maison : ce sont encore les hommes les chefs de la famille, mais dans beaucoup de cas c'est la femme qui a le pouvoir. Que l'homme occupe souvent la position la plus forte, ce n'est pas particulier à la communauté juive. Cela se retrouve dans toutes les religions : plus c'est traditionaliste ou

219

orthodoxe, moins il y a d'égalité pour les femmes (femme ashkénaze, 42 ans).

Le rôle de la mère est considéré comme essentiel dans la transmission de l'identité et des valeurs fondamentales au-delà des différences entre ashkénazes et séfarades et des transformations dans la configuration familiale. C'est elle qui porte « le fardeau de toutes les douleurs du monde », selon les termes d'un leader :

C'est le noyau dur de l'identité, la composante fondamentale de la judaïté. Et comme beaucoup de l'éducation passe par la mère, c'est quelque chose qui est encore extrêmement prégnant. La mère, c'est le sein et l'affect, le père, le théorique, l'intellectuel, l'enseignement. Or l'enseignement on peut l'oublier, le perdre, s'en débarrasser, pas le sein maternel... (homme séfarade, 36 ans).

L'arrivée des femmes sur le marché du travail, les idées du mouvement féministe ont eu des conséquences sur la division sexuelle des tâches et les rôles sexuels. Dans certains cas, ces changements ont amplifié les rapports d'exploitation, donnant naissance à des revendications de la part des femmes, en particulier dans le milieu séfarade :

Il y a des transformations de la famille traditionnelle séfarade dans le contexte québécois. La femme par son travail s'est fait valoir. Ici, elle prend de l'importance, s'implique, travaille, donne son point de vue, s'instruit, a moins d'enfants. On voit que les familles se transforment (femme séfarade, 48 ans) ;

Le mouvement féministe a eu un impact sur les femmes séfarades. Je ne sais pas s'il y a des mouvements féministes proprement séfarades, mais dans leurs attitudes, leurs agissements, elles ont changé. Elles sont toutes libérées aujourd'hui. Elles ne se laissent plus faire. On voit beaucoup plus de divorces aussi (femme séfarade, 41 ans) ;

Les rapports entre hommes et femmes dans la communauté séfarade au Québec ont changé par rapport aux structures du pays d'origine. Les femmes ont profité d'un système où elles peuvent s'émanciper. Sexuellement, professionnellement. Elles ont pris appui sur ce qui existait ici (homme séfarade, 46 ans).

Les rapports de couple tendent à l'égalité, surtout chez les plus jeunes. Les tensions peuvent se dénouer par le divorce, et la règle d'endogamie commence à être remise en question. « Je vois des changements réels entre maris et femmes, dit une femme leader. Plus d'hommes participent aux tâches ménagères et à l'éducation des enfants. »

Plusieurs décèlent aussi des convergences entre les modèles familiaux juifs et « québécois » ou d'autres groupes ethniques, tant dans la structure, le divorce que le taux de natalité :

En réalité, aujourd'hui, il n'y a pas grande différence entre la famille juive et la famille non juive. Il y a le même taux de natalité, de familles monoparentales, de divorce. Les différences sont peut-être qu'on a plus d'occasions de réunion de la famille que dans la société en général (femme ashkénaze, 42 ans) ;

On se rend compte que plus l'immigration est ancienne, plus on adopte les comportements de la communauté québécoise : natalité à la baisse, rapports qui changent dans la famille, etc. (homme séfarade, 36 ans).

Ces transformations dans la structure familiale ont réduit l'importance du réseau de parenté, qui se réactive dans les moments de crise, en particulier chez les séfarades :

À des moments cruciaux, la solidarité de la famille élargie joue encore beaucoup. Je pense que ce sont des valeurs centrales qui sont partagées avec l'ensemble de la société québécoise (femme séfarade, 41 ans) ;

Dans la communauté séfarade, la famille dépasse le cadre de la famille nucléaire. La famille élargie, ce sont tous ceux qui de près ou de loin ont un contact avec la famille, pas nécessairement et uniquement des oncles et tantes, ça peut être le meilleur ami de

221

mon oncle qui a été admis dans la famille et qui maintenant en fait partie (femme séfarade, 29 ans).

Les tensions familiales peuvent s'accompagner de violence physique, sujet jusqu'ici plutôt tabou, mais auquel les institutions communautaires ont tenté de répondre :

Il y a un problème de violence qui était jusqu'à récemment nié. Je pense qu'il y a les mêmes problèmes probablement que dans le reste de la société. Il reste que, l'année dernière, on a ouvert un foyer pour femmes battues juives. Il y a donc des problèmes. Il y a aussi la question de la protection de la jeunesse dans la communauté qui se pose (femme ashkénaze, 41 ans).

Les mouvements migratoires des Juifs ashkénazes ont eu comme conséquence d'accentuer le problème des personnes âgées qui se sont retrouvées seules, d'où la mise en place d'institutions d'accueil, contrairement aux séfarades chez qui les liens de proximité avec les aînés semblent s'être mieux maintenus.

Pour les leaders identifiés aux courants religieux orthodoxes, c'est la religion qui constitue l'essence de l'identité juive. Se conformer aux préceptes de la Torah devient alors un critère essentiel, même si on reconnaîtra comme juifs ceux qui ne sont pas pratiquants — concession absente chez les ultra-orthodoxes. Sans s'inscrire nécessairement dans une perspective orthodoxe, plusieurs reconnaissent l'importance de la pratique religieuse ou de l'adhésion à des valeurs et à des traditions héritées de la religion, même si elles sont sécularisées. L'identification au judaïsme est alors plus culturelle ou ethnique que purement religieuse :

Nous sommes un groupe religieux, ethnique et culturel tout à la fois. Et il est très difficile de distinguer entre ces aspects. La Torah est une œuvre religieuse, un document religieux, qui en même temps règle la vie quotidienne de la communauté. Cela est particulièrement vrai chez les orthodoxes, mais même dans les familles qui vivent de manière plus séculière, la Torah est centrale dans la définition de soi (homme ashkénaze, 43 ans).

On constate de nombreuses variations dans les pratiques et les idéologies religieuses. Le groupe juif est divisé en tendances multiples issues du développement historique différent des ashkénazes et des séfarades :

> Il y a une partie de la communauté qui est très orthodoxe. Il y en a d'autres qui pratiquent beaucoup moins, mais qui sont affiliés d'une façon ou d'une autre à une synagogue. D'autres qui vont y aller quelques fois par année, mais qui vont à l'occasion adopter un point de vue très religieux (femme ashkénaze, 41 ans) ;

> Les Juifs eux-mêmes ne sont pas conscients de toutes les tendances. Ils pensent que la leur est représentative de toute la communauté. Il y a des ultra-orthodoxes, des orthodoxes, des conservateurs, des reconstructionnistes, des réformistes... (femme séfarade, 43 ans).

Contrairement au monde ashkénaze, on ne retrouve pas, chez les séfarades, de ruptures idéologiques donnant naissance à des groupes religieux séparés, mais plutôt un continuum de pratiques plus ou moins intenses :

> Les différents mouvements religieux n'existent pas chez les séfarades. Chez nous, les gens sont plus ou moins pratiquants. Les distinctions se font entre le plus et le moins (homme séfarade, 48 ans).

Les traditions et les rituels varient, dans la communauté séfarade, selon le pays d'origine (Maghreb, Moyen-Orient) et il y a des antagonismes à l'intérieur de la communauté juive marocaine portant sur les juridictions respectives du rabbinat et de la CSQ.

Le groupe juif de Montréal est considéré comme plus attaché à l'orientation orthodoxe que ceux de Toronto ou des États-Unis, caractéristique que les leaders attribuent à la profondeur historique des mouvements migratoires et au contrôle de l'orthodoxie :

> Aujourd'hui, la très grande majorité des synagogues sont ortho-doxes, même si beaucoup de leurs membres ne le sont pas. La communauté à Montréal a été historiquement gérée par un système rabbinique orthodoxe. Aux États-Unis et à Toronto, c'est différent. Aux États-Unis surtout, les réformistes, les conservateurs sont beaucoup plus forts (homme ashkénaze, 36 ans) ;

> Nous n'en sommes ici qu'à la deuxième ou troisième génération. Nous sommes donc beaucoup plus attachés aux racines de l'an-cienne Europe où les traditions du judaïsme réformé n'existaient pas. Dans deux générations sans doute, le judaïsme réformé sera aussi fort qu'aux États-Unis (femme ashkénaze, 45 ans).

L'identité juive ne se réduirait cependant pas à l'appar-tenance religieuse. Elle fait appel à une histoire, une mentalité, des traditions, un mode de vie :

> La culture juive, c'est beaucoup plus qu'une religion. Pour moi, les traditions, c'est relié à l'histoire du peuple juif. Quand on fait quelque chose durant les fêtes, ça symbolise quelque chose, un événement important dans l'histoire du peuple juif, la survie du peuple durant et après la guerre par exemple (homme ashkénaze, 41 ans).

Le sentiment d'appartenance peut aussi s'alimenter au réseau institutionnel de la communauté juive du Québec :

> La communauté a une vie culturelle assez active, à travers les écoles, à travers la Young Men Hebrew Association. On a une manie pour les conférences, la bibliothèque, d'autres organisations qui ont toutes sortes d'activités. Les synagogues ont aussi de temps en temps des conférences. Il y a beaucoup de cours, de culture, de littérature, de traditions (femme ashkénaze, 41 ans) ;

> Nous sommes très attachés à nos institutions. Peut-être un peu moins aujourd'hui que par le passé, mais nous avons des maisons

d'accueil pour personnes âgées, l'hôpital général juif, des services, l'association de l'âge d'or, etc. (femme ashkénaze, 50 ans).

Pour la majorité des leaders juifs, le pôle de référence essentiel reste Israël. Sa survie serait une préoccupation dominante dans la communauté et l'identification à cet État essentielle pour assurer la transmission de la culture et sa pérennité malgré les critiques adressées aux politiques israéliennes :

> Il y a un attachement vraiment très fort. Qu'on soit d'accord ou non avec le gouvernement, le lien avec Israël reste essentiel, tout comme le maintien de son existence, de sa pérennité (femme ashkénaze, 46 ans).

Le rejet du sionisme est le fait d'une minorité qui désapprouve la politique menée par Israël à l'égard des Palestiniens, et plusieurs soulignent les nombreuses contradictions au sein de la communauté entre le soutien au nationalisme israélien et les réticences à reconnaître le nationalisme québécois.

La mémoire de l'antisémitisme joue un rôle dans la construction de l'identité et la culture juives, en particulier le souvenir de l'annihilation des Juifs — la *shoah* — pendant la seconde guerre mondiale, tout comme, maintenant, le conflit israélo-arabe et les manifestations d'antisémitisme contemporaines.

Au plan psychoculturel, plusieurs traits sont jugés typiques, par exemple le sens des responsabilités, la curiosité intellectuelle et l'engagement dans les causes sociales et envers la famille, comme en témoignerait la participation des Juifs au mouvement pour les droits civiques aux États-Unis et au mouvement syndical :

> Ce n'est pas par hasard que le mouvement des droits civiques dans le sud des États-Unis comptait un nombre élevé des Juifs. Et c'était la même chose dans le mouvement ouvrier. Tous les mouvements qui ont voulu faire progresser les droits de l'homme et les

libertés individuelles ont toujours attiré un grand nombre de Juifs (homme ashkénaze, 43 ans).

La fierté d'appartenir au peuple juif en raison de ses réalisations est un trait repris par plusieurs interviewés, tant séfarades qu'ashkénazes :

> On dépasse les autres, on est plus forts, on est plus organisés, nos bénévoles sont beaucoup plus généreux, beaucoup plus ! pas une fois, mais cent fois plus que n'importe quel groupe (homme séfarade, 46 ans).

On y ajoute le sens de l'organisation, l'intensité de l'activité communautaire, la force née de l'unité de la communauté et la générosité, résultat d'une discipline collective acquise dès le jeune âge. Cette évaluation positive est quelquefois tempérée par la critique d'aspects plus problématiques :

> On est fier d'appartenir au peuple juif, parce que c'est un peuple qui a inventé des choses extraordinaires, créé, ouvert des portes dans tous les domaines. Et en même temps, c'est opprimant d'être juif, c'est faire partie d'une minorité qui est parfois fermée, qui a une religion contraignante, qui semble exclure les autres. C'est une souffrance en même temps d'être Juif, c'est dur d'actualiser, d'être un Juif suivant la Bible comme il le faut (homme séfarade, 46 ans).

Des lignes de clivage intracommunautaires colorent aussi, au Québec, les représentations de la judéité. Dans les années trente, les Juifs québécois se distinguaient alors entre eux par leur origine nationale, ce qui nourrissait préjugés et tensions, liés aux visées assimilationnistes des vagues plus anciennes :

> Quand nous sommes arrivés, dans les années trente, il y avait les Hongrois, les Allemands, les Polonais... Et si vous pensez qu'ils s'entendaient, vous vous trompez ! Chacun de ces groupes avait sa propre synagogue et sa propre conception du monde. Depuis les choses ont changé (femme ashkénaze, 45 ans).

Ce type de conflit, qui s'est estompé à mesure que l'institutionnalisation plus unitaire s'est affirmée, a été remplacé, dans les années soixante, par le clivage entre ashkénazes et séfarades, qui se distinguent à plusieurs égards. La langue, la mentalité et le mode de vie, la pratique religieuse, le rituel liturgique, les fêtes, les habitudes alimentaires, les références culturelles, présentent en effet des contrastes marqués :

> C'est d'abord culturel. Être séfarade, c'est subir ou accepter l'influence espagnole, l'influence de tous ces grands savants qui ont forgé la culture séfarade. La culture ashkénaze est probablement aussi riche, je la connais très mal, mais c'est une influence totalement différente d'Europe centrale, de la vie de ghetto. La pratique face au judaïsme varie entre les séfarades et les ashkénazes. Peut-être que c'est plus difficile de parler de culture ashkénaze que de parler de culture séfarade, parce que le bassin méditerranéen est plus petit. Il y a des affinités très claires dans cette communauté entre ceux qui viennent d'Égypte, de Syrie, du Liban, de l'Iran, qui se sentent très bien ensemble et qui se reconnaissent. Les cuisines, les musiques se ressemblent. Alors que je n'ai pas ce sentiment quand je vais dans une synagogue ashkénaze (homme séfarade, 48 ans).

La prise de conscience de la spécificité séfarade, du moins chez ceux d'origine marocaine, a souvent eu lieu, au Québec, à la suite de contacts, difficiles, avec la communauté ashkénaze :

> On ne connaissait pas cette notion de séfarade et d'ashkénaze au Maroc. Pour nous, on était tous des Juifs. Et c'est ici qu'on s'est découvert le titre de séfarade, par le fait même qu'on ait eu à côtoyer des Juifs ashkénazes (femme séfarade, 41 ans) ;

> Les ashkénazes d'ici ne pensaient même pas qu'il existait des Juifs comme nous... ne parlant ni anglais, ni yiddish, ni hébreu (homme séfarade, 55 ans).

La tension entre ashkénazes, déjà établis, et disposant d'une importante infrastructure[16], et les nouveaux arrivants s'est aussi exprimée dans le type de structure sociale et d'organisation communautaire. Les conflits institutionnels qui en ont découlé ont nécessité des ajustements importants de la part des ashkénazes anglophones enclins à vouloir assimiler rapidement le segment séfarade :

> C'est une partie de la communauté très dynamique, jeune, et ça a demandé tout un ajustement. Il y a eu des années où c'était assez serré entre les deux parties ; il y avait un sentiment dans la communauté séfarade de n'être pas compris. Parce qu'au début on voulait les intégrer dans la communauté anglophone comme toutes les autres vagues qui sont arrivées avant, et on n'a pas prêté beaucoup attention au fait que c'étaient des francophones (femme ashkénaze, 41 ans).

Bien que la situation se soit améliorée depuis, des séfarades continuent de subodorer des visées assimilatrices chez les ashkénazes anglophones et affirment que leur groupe n'occupe pas la place qui lui revient au sein des institutions communautaires :

> Ils aimeraient qu'on s'assimile à leur groupe, qu'on mette de côté notre folklore et qu'on vive en tant que Juifs avec eux, qu'on fréquente leurs écoles et, surtout, qu'on se fie à leur jugement et qu'on adopte les mêmes attitudes qu'eux (femme séfarade, 48 ans) ;

---

16. J. Lévy, L. Ouaknine, «Les institutions communautaires des Juifs marocains à Montréal», dans J. C. Lasry, C. Tapia, *Les Juifs du Maghreb. Diasporas contemporaines*, Montréal et Paris, Presses de l'université de Montréal et L'Harmattan, 1989; D. J. Elazar, H. M. Waller, *Maintaining Consensus. The Canadian Jewish Polity in the Postwar World*, The Jerusalem Center for Public Affairs, University Press of America, 1990; M. Berdugo, Y. Cohen, J. Lévy, *Juifs marocains à Montréal*, Montréal, VLB, 1987.

Je pense que ça a évolué avec le Québec qui a évolué aussi. La communauté juive anglophone, qui est en déclin, a bien constaté que les séfarades étaient au contraire en train d'augmenter, puisque le fait français, au Québec, c'était important. Alors je pense qu'ils ont pris conscience de ça et ils ont essayé non pas d'assimiler, mais d'intégrer un peu mieux la communauté séfarade. Il demeure que c'est très centralisé, les services sociaux et les services communautaires. À mon avis, les séfarades n'occupent pas la place qu'ils devraient occuper dans la communauté juive en général, ne serait-ce qu'au plan numérique et au plan des gens qu'elle représente (homme séfarade, 48 ans).

Même si les conflits se sont atténués, des frictions subsistent quant à la reconnaissance du poids politique des séfarades, la légitimité de leur autonomie institutionnelle, leur participation aux prises de décision au sein de la communauté juive, et leur représentation politique.

Des préjugés existent de part et d'autre, admettent à peu près tous les leaders, l'un et l'autre groupe se renvoyant des images stéréotypées, alimentées par les rapports de force sur la scène politique ou économique québécoise, ou par des différences de valeurs culturelles réelles ou présumées, par exemple, quant à l'engagement communautaire plus discret des séfarades :

L'effort de guerre dans la communauté juive, c'est la collecte de fonds. Et les ashkénazes considèrent que les séfarades, proportionnellement à leur nombre et à leurs moyens financiers, ne contribuent pas assez. Deuxièmement, ils considèrent qu'ils sont moins impliqués au niveau du bénévolat, par exemple. Et puis il y a les différences culturelles. Un séfarade a besoin, dans un meeting, qu'il y ait des moments où on rigole, où on ne se prend pas au sérieux. Les ashkénazes arrivent avec des ordres du jour, on a l'impression qu'on est à la Knesseth en Israël. Ce n'est pas notre style (homme séfarade, 46 ans).

Ces préjugés, dans certains cas, sont comparés à ceux qui ont cours en Israël où des affrontements interethniques entre ashkénazes et séfarades ont eu lieu, et ils affectent également les loubavitch, à la visibilité trop grande et dont les traditions sont considérées comme figées, les immigrants juifs de Russie et d'Israël, ainsi que les Juifs d'origine éthiopienne :

> Ils proviennent d'une société très traditionaliste, très paternaliste, dominée par les hommes. Une société très primitive, presque tribale. Et ceux qui viennent s'installer ici ont beaucoup de difficultés à s'adapter à la vie moderne (femme ashkénaze, 42 ans).

Le retour à la pratique religieuse contribuerait aussi à établir de nouvelles lignes de clivage intracommunautaires entre traditionalistes et laïcs, tendances qui se retrouvent dans les grandes communautés juives dans le monde.

Les questionnements identitaires chez les jeunes ne semblent pas engendrer dans l'ensemble de crise importante, en particulier parmi les séfarades chez qui le conflit intergénérationnel serait faible, car les enfants partagent souvent la même perspective religieuse que leurs parents, ce qui assure une continuité culturelle, surtout lorsqu'elle s'accompagne d'une tendance au regroupement par quartiers. Les zones de friction semblent se développer à la suite de processus d'acculturation divergents, liés à un clivage nationalitaire et linguistique, les parents s'identifiant à la francophonie et au Québec, les jeunes, plus anglophones, se sentant surtout canadiens. L'entrée au cégep peut ainsi provoquer un questionnement identitaire profond, lorsque les jeunes séfarades se retrouvent en contact avec des jeunes d'autres groupes ethniques et de la majorité. Confrontés à une multiplicité de points de vue et à l'affirmation du nationalisme québécois qu'ils ne partagent pas souvent, ils se sentent alors remis en question dans leur identité et tendent à s'auto-exclure :

Au cégep, le Québécois connaît une phase d'affirmation nationaliste. Malheureusement, le fils d'immigrant qui est avec lui ne
peut pas s'affirmer de la même façon. Ma fille et ma femme sont
unanimes : quand on passe par le cégep, on se sent étranger au
Québec. C'est comme un caisson négatif de dépressurisation.
C'est l'inverse d'un caisson qui permet une phase d'adaptation.
L'immigrant qui est au cégep perd un peu d'identité par rapport
aux Québécois parce qu'il n'est pas assez nationaliste. Ma fille a
tendance à aller maintenant vers le milieu anglophone à cause de
ça (homme séfarade, 46 ans).

L'identité des Québécois d'origine libanaise présente aussi
des modèles hétérogènes. La place de l'arabité reste à cet égard
un élément de divergence dominant chez les leaders. Pour
certains, la culture libanaise d'origine à laquelle ils se réfèrent
est avant tout arabe et la langue son ciment essentiel :

> C'est arabe. Je ne peux pas dire que c'est libanais, c'est arabe. Pour
> moi, le Moyen-Orient, ça ne veut pas seulement dire le Liban, ça
> veut dire tous les pays ensemble. C'est un seul peuple qui habite
> dans différents pays et qui parle la même langue, mais avec
> certaines prononciations différentes. La manière de vivre, de man-
> ger, les traditions, c'est la même chose (femme, 52 ans) ;

> La langue est un aspect très important de la culture, et c'est la
> langue arabe qui est la culture au Liban, en ce sens que c'est la
> langue qui véhicule la culture (femme, 44 ans).

Pour d'autres, au contraire, la culture libanaise est une culture spécifique métissée d'influences diverses où se conjuguent
les apports occidentaux et les éléments locaux :

> Il y a une culture distincte, une histoire distincte, des institutions
> distinctes, un art de vivre distinct. Dans ce sens-là, je dirais qu'il
> y a une culture libanaise et elle se distingue d'ailleurs par la
> création artistique — nous avons des écrivains qui ont écrit en
> anglais, en français et en arabe. Ceux qui se sont exprimés en
> français ont essayé de marier un petit peu deux sensibilités, une

orientale et une occidentale. Tout ça c'est spécifique à la culture libanaise (homme, 54 ans) ;

La culture libanaise n'est pas française et elle n'est pas arabe non plus. D'abord, historiquement, malgré tout ce qu'on peut en dire, le Liban, avant la conquête arabe, n'était pas arabe. Pas plus que la Syrie et l'Égypte d'ailleurs. La culture libanaise n'est ni française, ni anglaise, ni arabe, elle est libanaise, tout comme la culture berbère en Afrique du Nord (homme, 54 ans) ;

Parce qu'elle est pluraliste, humaniste et qu'elle ne va pas poser de barrières à d'autres cultures, c'est une culture éminemment arabe et francophone, et française. C'est les deux. Les écrivains, ce sont des chrétiens qui ont réussi à sauver la culture arabophone en Égypte quand elle était en train de s'effondrer. Et ce sont des chrétiens francophones, enfin beaucoup, qui l'ont sauvée avec le théâtre, l'imprimerie. Et pour la plupart, ce sont des maronites d'ailleurs qui ont créé la culture arabe libanaise, à partir de l'Égypte. Nous ne sommes pas des Arabes. La culture libanaise a deux visages. Elle est arabophone et aussi francophone. C'est ça son identité. Elle a deux visages, un vers l'occident et un vers l'orient (femme, 54 ans).

Ces diverses influences culturelles ne sont pas sans provoquer des problèmes identitaires liés au colonialisme politique et économique. C'est ce passé colonial, selon une interviewée sunnite, qui explique la présence au Liban des différentes « missions culturelles » (française, anglaise, américaine, implantées depuis le démantèlement de l'empire ottoman) qui ont influencé le système d'éducation :

On n'est pas capable de définir notre identité. Je suis arabe par mon bagage historique, par ma langue, mais je suis également libanaise, aussi par mon bagage historique. Je suis d'origine musulmane. Est-ce que la religion vient avant comme identité, ou la nation, est-ce la patrie qui vient avant ? Le Liban, en tant qu'entité complète comme aujourd'hui n'a existé qu'une seule fois dans l'histoire, en 1700 et quelques ; 1920, ce n'est pas loin. Et ces gens qui vivaient sur la côte, avaient une identité plus arabisante parce qu'ils appartenaient à la Syrie qui était arabisante. Et les gens qui étaient dans le mont Liban, les maronites surtout, avaient un statut spécial. Je pense que pour avoir une identité libanaise on devrait faire beaucoup d'éducation sur l'histoire, la géographie, etc. Par contre, au Liban, malheureusement, et jusqu'à maintenant, on a laissé l'éducation à toutes sortes de missions culturelles, qu'elles soient évangéliques, françaises, catholiques, musulmanes, arabes, etc. Alors les enfants quand ils vont à l'école, ils appartiennent déjà à une idéologie quelconque, à une philosophie quelconque. Et puis cette identité n'est pas pareille, il y a trois millions de Libanais, mais nous n'avons pas tous la même identité (femme, 44 ans).

Le noyau dur de la culture libanaise d'origine consisterait avant tout en « un art de vivre » qui se reflète dans les relations entre les individus, dans le rapport au travail, dans le rapport à l'argent, dans l'ouverture à l'étranger. Elle se manifeste à travers le goût pour la beauté et les arts comme le chant, la danse et la poésie. Cet art de vivre signifie « savoir vivre » ou « prendre le temps » de vivre, façon d'être, opposée au modèle nord-américain, qui peut entraîner des difficultés d'adaptation et provoquer la nostalgie du pays d'origine :

> Ceux qui sont venus à cause de la guerre veulent maintenant retourner parce que c'est la paix. Ils veulent retourner parce qu'ils étaient tellement heureux là-bas. Et j'ai vu comment les gens sont à l'aise, ils ont une vie différente. Ici, on court, et ce qui est très important, c'est le dollar (homme, 67 ans).

Sens de l'hospitalité, générosité et fierté sont d'autres traits sur lesquels les leaders insistent même si cette fierté est parfois jugée sévèrement car elle refléterait un certain sentiment de supériorité, une prétention :

> Vous avez l'hospitalité, vous avez la générosité des Libanais, quand vous demandez à un Libanais de vous aider, il ne va pas vous dire non s'il le peut. Il va se donner toute la peine du monde pour vous rendre service. Ils sont plutôt affectueux avec tout le monde, ils

sont généreux, hospitaliers, ils ont beaucoup de fierté (femme, 58 ans) ;

Le Libanais se pense au-dessus de tout. C'est un roi, il réussit tout, il est imbattable, il a toujours raison et ce qu'il dit, c'est fini, on ne peut plus discuter (femme, 54 ans).

Le sens des affaires, le rôle d'intermédiaire économique et culturel est mis en valeur tout comme l'importance accordée à la famille, qui constitue un pôle de référence essentiel dans la structuration des rapports sociaux :

Dans la culture libanaise, tout commence avec la famille. La famille c'est tout pour nous. Et quand je parle de famille, je ne parle pas seulement des époux et des enfants, je parle de la mère, du père, des frères et sœurs. Nous sommes des familles très unies. Et toute la société est basée sur la famille (femme, 41 ans).

La famille étendue constituait une unité centrale dans la structuration de la société libanaise et la socialisation des enfants :

Les enfants ne sont pas juste les enfants des parents, ils sont les enfants de la grande famille. Les grands-parents, les tantes interviennent dans leur éducation. Ma sœur qui habite à Miami et ma sœur qui habite au Liban travaillent toutes deux à l'extérieur, mais ma sœur au Liban a été capable d'étudier, de travailler et d'avoir trois enfants : elle les envoyait chez ma mère. Mon autre sœur a été obligée de tout faire parce qu'elle ne pouvait pas envoyer ses enfants ailleurs (femme, 44 ans).

La famille élargie a été remise en question par les courants de modernisation et la guerre au Liban, et elle s'est encore transformée au Québec avec la diminution ou la disparition de l'autorité des figures dominantes de la famille étendue. Les liens entre les adultes, surtout entre frères, se sont cependant maintenus, tandis que la polygamie, pour les musulmans, disparaissait.

Toutefois, la famille nucléaire continuerait à maintenir sa cohésion, malgré des tensions internes. La nucléarisation de l'unité familiale aurait eu aussi pour conséquence d'améliorer la communication dans le couple où l'épouse a la tâche d'assurer le bien-être de son mari et de ses enfants :

> Il y a toujours quelqu'un de fort dans la famille, que tout le monde respecte et que l'on va voir pour un problème ou pour une opinion, un conseil. On n'a plus ce recours ici, et c'est bien. Maintenant, les deux seuls membres de la famille qui peuvent arriver à une décision, c'est la femme et son mari. Cela fait beaucoup de bien à la famille libanaise de venir ici toute seule : elle commence à exister en tant que couple (femme, 41 ans).

Cette autonomisation du couple s'accompagnera d'un refus de l'intervention des instances familiales, contribuant à la remise en question des modèles traditionnels de résolution des conflits. Chez les musulmans chiites, l'imam peut, par contre, intervenir pour préserver l'unité familiale.

La question de la violence conjugale n'est pas un thème abordé publiquement au Liban. Lorsqu'elle se pose, elle est très mal vue par l'entourage. Tant dans le milieu chrétien que musulman le divorce resterait encore rare, mais il serait en augmentation.

En situation d'immigration, les modalités d'identification obéissent à des tendances contradictoires. Pour certains, « l'expérience de l'Occident » provoque une prise de conscience de leur identité religieuse, alors que pour d'autres, c'est l'identité arabe qui deviendrait prédominante, par-delà l'appartenance religieuse (musulmane ou chrétienne).

Le sentiment religieux est encore très fort dans le groupe d'origine libanaise. L'Église orthodoxe a joué un rôle central dans l'organisation de la communauté libanaise à Montréal, contribuant à la transmission de l'identité libanaise. Même si la pratique n'est pas toujours régulière, surtout parmi les plus jeunes de la troisième génération, qui recevraient une faible éducation religieuse, plusieurs s'impliquent et participent aux activités de l'église.

Centre social et culturel, l'église organise aussi les activités communautaires et aide à la résolution des problèmes sociaux. La mosquée joue un rôle important dans l'intégration des réfugiés et des nouveaux arrivants musulmans, en offrant sensiblement les mêmes services d'aide matérielle que le secteur orthodoxe (recherche d'emploi, réseaux d'entraide), sans toutefois être aussi bien établie, faute de ressources et d'un leadership bien organisé. Les églises et les mosquées tiennent aussi de lieux de ralliement pour les nouveaux arrivants qui pourront tisser des liens avec les autres membres de la communauté, même si la pratique se réduit aux fêtes annuelles par la suite.

La tradition religieuse intervient dans la définition de certaines valeurs et de code de comportement chez les hommes et les femmes musulmans. Refusant les valeurs occidentales, les femmes porteront le hijab soit par obligation, soit par décision personnelle. Elles profiteront ainsi de nombreux avantages que leur accorde l'islam :

> Il y a de l'intégrisme chez celles qui portent le hijab, mais pas chez toutes. Beaucoup cherchent à retrouver leur identité. Ce sont des femmes qui ont refusé l'Occident, qui sont très éduquées (médecins, avocats, etc.) et qui veulent montrer qu'elles ne sont pas occidentales. Et puis elles ont la paix : elles peuvent marcher dans la rue, personne ne les dérange. Elles s'affichent comme des femmes sérieuses. Il y a aussi des femmes qui portent le hijab par obligation, à cause de leur mari ou de leur famille. C'est malheureux, parce que ce n'est pas leur choix. Dernièrement, au Liban, en période de crise économique, il y a des femmes qui portent le hijab parce qu'on les paie, et elles ont des promotions au travail parce qu'elles portent le hijab. Cela assure de la publicité aux fondamentalistes. Enfin, il y a une catégorie de femmes qui

choisissent le hijab parce que l'islam leur donne beaucoup d'avantages : elles peuvent étudier, travailler, s'exprimer. En retour, elles disent qu'elles portent le hijab au nom de l'islam qui leur a donné ces avantages (femme, 44 ans).

Selon Abu-Laban[17], la diversité religieuse entre les différents groupes confessionnels libanais, même si elle existe toujours, serait peut-être moins importante qu'une nouvelle forme d'expression de la diversité qui se construirait à la suite des contacts entre l'ancienne et la nouvelle immigration. On assisterait alors à l'apparition de tensions importantes, surtout entre le groupe maronite et les autres groupes migratoires, en particulier ceux de la dernière vague, qui ont connu la guerre et les problèmes intercommunautaires qui déchirent le Liban depuis plus de quinze ans. Les préjugés entre les groupes amplifient ces tensions. Ainsi, certains se nourrissent de la symbolique négative associée à la langue ou à la culture arabe et de visions politiques contradictoires quant à l'avenir du Liban. Les chrétiens se battraient pour un Liban avec ses frontières bien définies et selon une conception de l'État-nation occidentale. Les musulmans, quant à eux, auraient une conception panislamique[18] :

> Pour le musulman, la véritable patrie n'est pas le pays où il est, mais les frontières. La patrie, c'est la patrie islamique, c'est le grand croissant fertile, c'est l'islam. C'est la première patrie. Pour le chrétien, qui est occidentalisé, la patrie c'est le sol que tu foules, c'est le pays où tu es (femme, 54 ans).

---

17. B. Abu-Laban, *The Lebanese in Montreal*, Communication présentée au Center for Lebanese Studies, Conference on Lebanese Emigration, St. Hugh's College, Oxford, 1989.

18. B. Aboud, *Community Associations and their Relations with the State. The Case of the Arab Associative Network of Montreal*, Montréal, université du Québec à Montréal, département de sociologie, 1992.

Les tensions entre ces deux groupes ont aussi une dimension linguistique dans la mesure où l'arabe, surtout utilisé par les musulmans, dénote à la fois une origine sociale et religieuse :

> Si une personne ne connaît pas le français, il y a plus de chances qu'elle soit musulmane que chrétienne. Parce que, malheureusement, c'était coupé comme ça, les missions culturelles françaises c'était chrétien, les missions arabisantes c'était musulman. Ça a coupé l'identité des gens entre eux (femme, 44 ans).

La langue serait en outre un mécanisme de différenciation socioéconomique. Ainsi, chez les « Libanais riches », le français prime l'arabe, contrairement aux « Libanais pauvres », chez lesquels l'arabe est plus répandu. Les influences du monde occidental sur les chrétiens et du monde arabe sur les musulmans ne sont pas non plus sans provoquer des accusations réciproques : « Les musulmans reprochent aux chrétiens d'être trop proches de l'Occident, et les chrétiens reprochent aux musulmans d'être trop proches des Arabes. » Ces conflits se prolongent au Québec et peuvent aller jusqu'à des prises de position tranchées de la part d'une très petite minorité de leaders qui critiqueront l'instauration de cours sur le Coran pour les enfants musulmans dans les écoles francophones, ce qui à leurs yeux risque d'inciter à l'intolérance et au fanatisme. L'immigration musulmane serait aussi problématique, car les musulmans, libanais ou non, s'intégreraient moins bien que les catholiques.

Certains leaders font état de tensions communautaires à l'intérieur même du groupe musulman, entre la majorité chiite et la minorité sunnite. La représentation politique au sein du groupe libanais tout comme le choix des organismes de charité auxquels doivent aller les contributions constituent une autre zone de friction.

Comme dans les autres groupes ethnoculturels, les jeunes éprouvent des problèmes d'identité qui proviennent des contradictions entre les modèles proposés par la société d'accueil et ceux de la culture d'origine, ce qui provoque des conflits de génération marqués :

> Ils ne savent pas s'ils sont canadiens, ils ne savent plus quoi penser. Pour la plupart, ce sont des enfants qui vont peut-être une fois par an, une fois tous les deux ou trois ans au Liban, donc ils n'ont plus vraiment d'attaches sentimentales envers le pays. Toute la famille est là. Et pourtant ils ne sont pas canadiens parce qu'ils ne vivent pas comme les Canadiens, ils ne réfléchissent pas comme les Canadiens. Il faut les aider dans ce domaine-là parce qu'on est en train de créer une confusion et ils sont perdus (femme, 41 ans).

Ces contradictions se retrouvent aussi entre les jeunes immigrants libanais qui sont beaucoup plus attachés à la religion que ceux nés au Québec, plus matérialistes et plus enracinés dans la culture nord-américaine, ce qui contribue à maintenir entre eux une distance difficile à combler.

La construction d'identités ethniques obéit, comme on le voit, à des paramètres multiples, d'ordre sociohistorique ou socioculturel, dont la complexité varie selon les groupes. Ceux-ci sont traversés par des lignes de clivage, tensions intra-communautaires liées à des différences de classe, de période de migration, de langue et de culture, de religion ou de génération qui contribuent à fragmenter les spécificités identitaires en processus d'acculturation. Ces reconstructions semblent affecter en particulier les jeunes générations dont l'identité est plus problématique, écartelée entre des référents contradictoires.

Référents identitaires des Québécois d'origine canadienne-française

La façon dont les leaders définissent l'identité des « Canadiens français » ou des « Québécois francophones » et leur culture intègre à la fois des éléments sociohistoriques et psychoculturels qui présentent des convergences assez marquées, mais aussi des nuances importantes.

La langue française, la spécificité historique et l'affirmation nationale apparaissent pour l'ensemble des leaders des éléments centraux dans la construction de l'identité ou de la culture d'origine canadienne-française. Langue moulée par les aléas de l'histoire, le français joue un rôle de marqueur dominant :

> Pour moi, il n'y a pratiquement qu'un seul dénominateur commun chez les Québécois francophones, la langue. Pour le reste, ce sont des Américains (homme d'origine haïtienne, 42 ans) ;

> La langue est un facteur prédominant parce qu'elle permet de nommer les choses. Mais je trouve que la langue, ici au Québec, risque d'atrophier les autres éléments de culture (femme d'origine haïtienne, 40 ans) ;

> J'identifie une culture québécoise, c'est clair, c'est, comme dit la chanson, une langue de France avec des accents d'Amérique. C'est clair que c'est une culture d'origine latine et française, mais qui à travers les siècles s'est personnalisée. Elle a dû évidemment s'adapter aux conditions de ce pays, elle a subi à cause des vicissitudes de l'histoire une influence qui n'est pas naturellement la sienne (homme d'origine libanaise, 54 ans).

La résistance à l'assimilation et les revendications nationales constituent un autre trait de cette identité que relèvent les leaders d'origine haïtienne et italienne :

> Le Québécois, c'est quelqu'un qui s'attache à la culture française et qui ne veut pas du tout s'assimiler à la culture anglo-saxonne. Et le Québécois est fier de son passé et se considère comme une nation, une société distincte (homme d'origine haïtienne, 49 ans) ;

> Le peuple québécois, c'est un peuple qui s'affirme. Quand j'essaie de définir le Québécois, je le fais malheureusement à partir du nationalisme. C'est peut-être une mauvaise façon de définir les gens, mais c'est un peuple aussi, au niveau culturel, fidèle, fier de

ses chansons, de sa poésie, de sa musique, etc. Et c'est un peuple assez combatif (homme d'origine haïtienne, 42 ans) ;

Je vois les Québécois comme un peuple patient, réceptif, qui ne s'exprime pas ouvertement, mais qui écoute (homme d'origine haïtienne, 44 ans) ;

La culture québécoise pourrait se définir par sa perspicacité et par sa fierté nationale. Un peuple qui est aujourd'hui composé d'un peu moins de sept millions de personnes, qui a su pendant trois cents ans se serrer les coudes et se maintenir vivant, ne pas être assimilé et faire respecter ses droits, moi, je lui dis chapeau (homme d'origine italienne, 22 ans).

D'autres font référence à des particularités alimentaires et des formes de culture populaire (Saint-Jean-Baptiste, carnaval de Québec, etc.) dont on trouve des parallèles dans la culture italienne ou haïtienne.

La transformation rapide de la société québécoise — avec la révolution tranquille — constitue aussi un trait distinctif sur lequel les leaders d'origine italienne et juive insistent. Les processus de modernisation et de laïcisation qui ont profondément modifié le Québec, en le faisant passer d'une société à prédominance rurale et agricole à une société urbaine et industrielle, se sont accompagnés du développement de l'esprit d'entreprise et l'accession à l'ère technologique influencée par les États-Unis :

Le Québécois d'aujourd'hui est très différent, du point de vue culturel, d'un Français. Les Québécois ont certes hérité la culture de la vieille France, mais ils ont été en contact avec les Anglais qui ont installé la démocratie en Amérique du Nord. Puis ils ont été exposés à la pression de l'impérialisme américain. C'est le résultat de ces influences que nous appelons aujourd'hui les Québécois. Surtout ceux d'après la révolution tranquille. Je crois d'ailleurs qu'ils sont plus proches des Juifs du point de vue de la structure sociale que des anglos (homme ashkénaze, 61 ans).

241

Pour plusieurs, la révolution tranquille a surtout contribué à la désintégration des valeurs familiales et religieuses et, du point de vue politique, à la fermeture des Québécois francophones sur eux-mêmes :

> Ce que je n'aime pas, c'est la dislocation de la famille, parce que je sens ce que les enfants souffrent quand il y a la séparation des parents. La femme libanaise est tolérante, elle accepte certaines choses pour ne pas faire souffrir ses enfants de la séparation de la famille et du fait de vivre avec un tel ou un tel. J'oserais dire qu'il y a un certain individualisme de la part soit des pères, soit des mères. Je ne veux pas dire que c'est la mère seulement. C'est ce qui fait que la famille tombe, se sépare, se déchire. Et c'est vraiment déplorable pour les enfants. Parce que vous n'avez jamais des enfants à problèmes si vous avez une famille unie (femme d'origine libanaise, 58 ans) ;

> Il y a des choses très charmantes dans la culture québécoise francophone, tout ce qui a trait à l'histoire, même s'il y avait des côtés négatifs en termes d'emprise un peu trop grande de l'Église sur les familles. Et par la suite, avec la révolution tranquille, il y a des choses extrêmement intéressantes avec ce sursaut, cette prise en charge de soi-même. Mais il n'y a pas que des côtés positifs. Et il y a une chose qui m'attriste profondément, cette espèce de déchet de la révolution tranquille, la perte des valeurs familiales et la perte de la foi. On a confondu le pouvoir de la structure religieuse avec la religion comme foi et comme rapport à Dieu. Du point de vue politique, à l'heure actuelle, ce que je trouve très destructeur, c'est une forme de ghettoïsation. Des étudiants, par exemple, refusent de lire des livres sous prétexte qu'ils sont en anglais (femme d'origine libanaise, 61 ans).

Si on avance certains noms pour illustrer l'activité économique et politique (René Lévesque, Louis Laberge, Bombardier, Lavalin, etc.), on souligne aussi la créativité artistique et littéraire :

> On a quelques grands noms, Michel Tremblay, Hubert Aquin, Antonine Maillet, et quelques autres, quelques grands comédiens,

242

il n'y en a pas beaucoup. La culture, elle est dans ce qui vient des racines. La culture, c'est Vigneault pour moi, un grand poète et un grand homme. Il a ses petits défauts. Et Félix Leclerc. La vraie culture, c'est Félix Leclerc. C'est lui qui a porté l'idée, avec Vigneault, de continuité, de racines, d'identité, de nation. D'idéal, un vent, un souffle, un pays. C'est cela la culture, ce n'est pas le reste. Ce sont les chants du pays, ce qui a été gardé dans les danses, la musique, c'est ça la culture québécoise (femme d'origine libanaise, 54 ans).

Plusieurs insistent sur l'ouverture d'esprit, la chaleur, la simplicité des gens et de leur habitat, l'honnêteté, l'esprit de liberté et d'hospitalité, l'aptitude au bonheur et le plaisir de vivre, la générosité, et, encore, la créativité :

> Je les vois comme des gens très vivants, créateurs, qui ne sont pas figés justement. Ce sont des gens qui aiment vivre, qui ont la joie de vivre. Nous aussi on a la joie de vivre comme insulaires, mais c'est une autre affaire. C'est une joie créatrice de la jeunesse, c'est ça que je vois, la jeunesse du Québec (femme d'origine haïtienne, 54 ans) ;

> Le Canadien français, c'est la même chose que le Libanais. Ce sont des gens chaleureux. Je préfère avoir un ami canadien-français parce qu'il a bon cœur. Ce sont des amis intimes. Ce n'est pas comme les Anglais d'ici. Vous pouvez avoir un ami canadien-français comme ami intime, l'Anglais est ami avec toi pour la seule raison qu'il a besoin de toi. Mais un Canadien français, c'est une personne douce, simple, de bon cœur (femme d'origine libanaise, 52 ans) ;

> À quels signes on reconnaît un Québécois, au fond ? À son accent. À sa mentalité aussi. Il y a une tradition d'accueil, du moins c'est mon expérience personnelle. Et j'apprécie énormément la tolérance à mon égard (femme d'origine libanaise, 33 ans).

Cette spécificité des comportements et des attitudes est d'ailleurs, pour certains, plus visible à l'extérieur de Montréal, les gens des régions du Québec ayant conservé des qualités de sociabilité particulières :

Quand je regarde le Québécois francophone à Montréal, je ne vois pas sa culture. Mais quand je vais au Lac-Saint-Jean par exemple, ou en Gaspésie, je peux dire que ces gens-là ont une culture. Ils se définissent comme les Haïtiens, par un réseau d'entraide, par l'ouverture ; quand tu peux rentrer chez des gens et leur parler, c'est vraiment de bons vivants. Mais quand on me parle de culture québécoise à Montréal, je dis non, il n'y a pas de culture québécoise à Montréal, il y a une culture pluriethnique à Montréal (femme d'origine haïtienne, 38 ans) ;

Dans sa façon d'agir, dans ses attitudes, un Québécois est égalitaire et respectueux. Aux États-Unis, les gens sont plus froids, plus individualistes. Et ça fait partie de la culture. Certainement, à Montréal, c'est dilué. Mais à Mont-Laurier, c'est plus fermé encore qu'à Montréal, et les gens sont chaleureux, sympathiques. Et il y a beaucoup de ressemblances avec la culture libanaise dans leur chaleur, leur générosité. C'est ça qui m'a attirée ici (femme d'origine libanaise, 44 ans).

L'appréciation des traits culturels attribués aux Québécois d'origine canadienne-française s'accompagne d'ambivalences profondes et de critiques sur des aspects considérés comme plus problématiques. Les conflits de valeurs quant à l'éducation des enfants — liberté sexuelle excessive des filles, manque d'autorité des parents, éclatement de la famille et manque de solidarité familiale, absence de valeurs religieuses, féminisme exacerbé, violence envers les femmes, non-respect des aînés, français déficient, individualisme, etc. — sont mis en avant par des leaders de tous les groupes.

Les éléments de repli sur soi et d'insécurité culturelle constitueraient des éléments centraux de l'identité québécoise d'origine canadienne-française sur lesquels se greffent des carences profondes : faible niveau de scolarisation et de formation personnelle, nombre élevé d'assistés sociaux, manque de raffinement lié à la subordination politique, attitude défensive trop préoccupée à protéger la langue, accueil ambivalent des immigrants — qui peut aller jusqu'à l'exclusion.

Une tendance à la victimisation expliquerait certains problèmes identitaires qui parcourent le tissu social :

> La culture québécoise est fondée sur un sentiment de trahison, de non-appartenance, de dépossession, une attitude victimaire. Et même si aujourd'hui il y a un pouvoir québécois, il y a une tendance victimaire chez les Québécois, qui, comme chez toutes les victimes, se traduit par du rejet. La religion, on l'a remplacée par le nationalisme et on s'est aperçu que le nationalisme n'était pas suffisant pour compenser le besoin d'appartenance, le besoin d'identité. Ce que je remarque, c'est qu'en ayant rejeté le religieux ils ont rejeté le sacré. Et je crois que la transcendance d'une langue n'est pas suffisante. La langue n'est pas suffisante (homme séfarade, 46 ans).

L'intolérance et le nationalisme, l'imposition du français, l'appréhension d'être éventuellement obligés de quitter le Québec après la séparation d'avec le Canada contribuent au malaise face à la majorité francophone.

La représentation de l'identité d'origine canadienne-française de la part des leaders obéit en somme surtout à des paramètres liés à la langue et aux revendications nationales. Tout en attribuant aux Québécois d'origine canadienne-française un ethos marqué par des qualités jugées positives, les leaders tendent à déconsidérer certains des aspects de leur culture ou de leur identité nationale qui apparaît, aux yeux de plusieurs, ne pas posséder suffisamment d'atouts pour constituer un pôle d'attraction solide, en particulier en ce qui touche le domaine des valeurs familiales dont l'expression va à l'encontre des modèles privilégiés par les groupes ethnoculturels. On remarque par ailleurs que les leaders associent facilement Québécois et Canadiens français, réduisant ainsi le Québec à son groupe majoritaire et de ce fait s'en autoexcluant[19].

---

19. Voir, à ce sujet, G. Caldwell, *La question du Québec anglais*, Montréal, Institut québécois de recherche sur la culture, 1994, et J. Bauer, *Les minorités au Québec*, Montréal, Boréal, 1994.

Ethnocentrisme et racisme

Si l'on rapporte des tensions entre les groupes ethniques et la majorité francophone, les avis divergent quant à leur signification. On parle à cet égard de racisme, d'intolérance, d'ethnocentrisme ou de xénophobie.

Plus de la moitié des leaders d'origine haïtienne établissent une distinction entre racisme et ethnocentrisme. « C'est le pouvoir qui distingue le racisme de l'ethnocentrisme », dit une femme leader. Pour un autre, le racisme est « le fait de ne pas accepter quelqu'un à cause de sa couleur ou de sa race », alors que l'ethnocentrisme consiste à « se fixer sur son ethnie ». Le terme de racisme est « embêtant » pour un troisième, qui constate plutôt « une espèce d'égoïsme lié à un espace qu'on ne veut pas donner » et qui peut amener à confondre facilement racisme et égoïsme, égocentrisme et ethnocentrisme. S'il est souvent difficile de distinguer racisme et xénophobie, c'est cette dernière qui serait davantage répandue au Québec et qui s'exprimerait par un fort ressentiment face aux étrangers :

> Dans la société québécoise, on est beaucoup plus xénophobe que raciste. Il y a un fort ressentiment face aux étrangers qui relève plus de la xénophobie que de la discrimination raciale. Ce qui ne veut pas dire qu'il n'y a pas de racisme. Il y a des gens qui sont racistes, et on le voit couramment chez les propriétaires qui ne veulent pas louer à des Noirs. Évidemment quand on leur demande pourquoi ils ne veulent pas louer à des Noirs, ils vont faire intervenir des choses qui sont culturelles : le fait de moins entretenir les appartements, de ne pas respecter la propriété privée. Le racisme, c'est de généraliser à l'ensemble des Haïtiens ou des Noirs ces comportements-là. À ce moment-là cela devient de la discrimination (femme, 40 ans).

L'absence d'un passé colonisateur du Québec expliquerait la faiblesse du racisme : « Je ne pense pas que ce soit un peuple raciste », « c'est le peuple blanc le moins raciste que j'aie connu », dira-t-on, ce qui apparaît plus clairement lorsqu'on compare la situation à celle des États-Unis. Le racisme n'est pas « quelque chose d'établi, de généralisé » ; il n'est pas institutionnalisé sous la forme de pratiques discriminatoires officielles en matière d'emploi ou de logement :

> J'ai vécu aux États-Unis. Au Québec ce n'est pas la même chose. Il y a un racisme individuel, mais pas social. Il ne faut pas généraliser... Au Québec, nous avons une autre culture avec une autre formation. En général, les Québécois sont très ouverts et acceptent tout le monde (homme, 49 ans).

L'existence du racisme serait, à l'inverse, démontrée par la discrimination raciale qui a cours sur le marché du travail, à l'école ou dans le secteur du logement, mais qui s'exprime aussi par des conduites individuelles ou des propos tenus par des Québécois francophones à l'endroit des Québécois d'origine haïtienne. On cite, par exemple, des remarques à propos de la nourriture haïtienne qui « sent mauvais », ou l'ordre d'un professeur à ses étudiants d'ouvrir les fenêtres de sa classe, alléguant que « ça sent le Noir ». L'ampleur du racisme apparaît aussi dans les débats qui agitent la société québécoise, amplifiés par les médias :

> Je découvre de plus en plus de racisme, un racisme très sélectif. Dans la question de la dénatalité au Québec et l'immigration, les gens diront qu'il faut prendre des immigrants capables de s'intégrer. Qu'est-ce c'est qu'être capable de s'intégrer ? Et on se rend compte que les gens considérés comme ne pouvant pas s'intégrer, comme par hasard, ce sont les gens des minorités visibles, particulièrement les Noirs (femme, 49 ans) ;

> Quand de jeunes Haïtiens, de jeunes Noirs, commettent des délits, on a l'impression que c'est plus gonflé. Et on prend des mesures exceptionnelles pour faire face à cette situation qu'on considère comme mauvaise. On ne sait pas si le phénomène s'amplifie vraiment. Et les médias, tout en voulant défendre la liberté de presse, la liberté de parole, le droit des minorités, ne se

rendent pas toujours compte des conséquences de leurs articles sur la communauté (femme, 49 ans).

La prégnance de la question nationale et l'alignement de la plupart des immigrants ou des minorités ethniques sur les positions politiques de la minorité anglophone joueraient aussi un rôle non négligeable dans l'augmentation du racisme. Selon plusieurs leaders d'origine haïtienne, pour bien comprendre le racisme, il faut dépasser le simple cadre du Québec, et tenir compte des rapports de force internes au Canada et défavorables à la population québécoise, qui se trouve en concurrence avec ses minorités ethniques avec qui elle est obligée de partager les acquis de ses luttes. Les incertitudes de la majorité quant à son identité créent aussi un obstacle au dialogue. Cette insécurité marque l'ensemble des rapports sociaux et rend la majorité « très susceptible au niveau des rapports de races, de langues, de nationalités, donc d'immigration », explique un leader :

> Les Québécois en général vont penser qu'ils sont envahis. C'est un peuple qui cherche son identité, et son identité est confrontée à l'identité anglophone sur son propre territoire, à l'identité nord-américaine. Sur le terrain de l'immigration, il est en confrontation avec d'autres cultures qui arrivent et qui font le choix d'aller du côté anglophone ou du côté francophone (homme, 45 ans).

Les immigrants sont « pris dans la crise » qui traverse le Québec, explique un leader, et la relation que la majorité établit avec eux, « basée sur la peur », est viciée. Or, fait-on valoir, les immigrants ne cherchent à prendre la place de personne et souhaitent au plus haut point s'intégrer à la société.

Dans le cas italien, la très grande majorité des leaders mentionnent qu'il a déjà existé et qu'il existe encore des rapports conflictuels entre les Québécois d'origine italienne et les Québécois d'origine canadienne-française. Certains évoquent la discrimination « ethnique » qu'ils ont connue à leur arrivée au

Québec de la part des francophones. Ce rejet touchait le logement, le marché du travail, l'école française. Tout comme les leaders d'origine haïtienne, ils sont divisés sur la question de l'ethnocentrisme, de la xénophobie ou du racisme. Si, au Québec, le racisme n'est pas aussi important que dans d'autres sociétés, on estime qu'il s'agit toutefois « d'une réalité grandissante ».

L'« ethnocentrisme » des francophones est attribué à « la crainte de la disparition de leur culture ». Pourtant, les minorités, vouées à l'assimilation, disent certains, seraient plus vulnérables que les francophones à cet égard. L'ethnocentrisme, embusqué derrière la défense de la langue et de la culture françaises, masquerait des formes de racisme. L'émergence de « groupes contre l'immigration », l'« extrémisme, le fascisme » de certains Québécois pour lesquels « l'ennemi commun, c'est l'immigrant », sont des preuves du racisme engendré par la « peur de disparaître ». Cependant, « les fascistes d'ici » ne manifestent pas ouvertement leurs positions et prennent plutôt des moyens détournés pour faire adhérer les autres francophones à leur cause. Ils jouent sur la question de la langue et de la culture plutôt que d'affirmer franchement leur haine envers les différents groupes d'immigrants : « Ça fait plus joli de parler de culture et de langue que de parler de racisme. » Le rejet des Québécois d'origine italienne serait, au contraire, pour certains leaders, plutôt limité à cause des ressemblances phénotypiques entre les deux groupes, ce qui rend difficile les distinctions, d'autant plus que l'acceptation du fait français est en progression chez les Italiens.

Les leaders juifs rapportent aussi des tensions attribuées surtout à l'insécurité culturelle des Québécois francophones, à la concurrence économique, à des enjeux politiques et à la méconnaissance réciproque des deux groupes. Ils rappellent que l'Église catholique a refusé les enfants juifs dans le réseau scolaire catholique et a, par là, entraîné leur anglicisation. Les textes de Lionel Groulx ou le mouvement pro-nazi d'Adrien Arcand et du Bloc populaire dans les années trente montrent à leurs yeux que les formes d'antisémitisme politique n'étaient pas absentes de la société québécoise. Même si ces formations ont disparu, il n'en demeurerait pas moins un antisémitisme diffus. Ainsi les Québécois francophones verraient tous les Juifs riches, associés à la puissance économique des anglophones, vivant en « ghettos » et fermés à leur égard :

> Il existe d'une manière non violente, par ignorance. Je crois que la conscience antisémite du Québécois est fondée sur son propre état victimaire par rapport à la société dominante anglophone. Et que le Juif a été mal perçu — parce que les vraies fortunes au Québec ne sont pas juives, elles sont protestantes. La richesse en Amérique du Nord n'est pas juive, elle est protestante (homme séfarade, 46 ans) ;

> La communauté juive est perçue par les Québécois francophones, à tort ou à raison je ne sais pas, comme amalgamée à l'élite anglo-saxonne, à cause de la langue, à cause du fait qu'il y a certains leaders de la communauté juive qui sont extrêmement riches. Il y a cette forme d'amalgame qui se retrouve également dans certains discours, chez certains nationalistes à l'égard de la puissance anglo-saxonne, donc la puissance juive (homme séfarade, 36 ans).

Si le racisme et l'antisémitisme ont évolué de façon variée — pour les uns ce sont des phénomènes mondiaux dont les manifestations les plus aiguës se situent en Europe, en particulier en Europe de l'Est, pour les autres, ils sont moins sérieux au Québec qu'en Europe ou qu'aux États-Unis, et même que dans le reste du Canada —, personne n'estime qu'ils seraient particulièrement accentués au Québec :

> Il y a de l'antisémitisme et du racisme au Québec, mais je ne crois pas qu'ils sont plus répandus qu'ailleurs. Je ne crois pas que la communauté juive soit moins bien accueillie ici que dans d'autres pays. Bien au contraire, je pense que le Québec, particulièrement

au cours des vingt, vingt-cinq dernières années, a été très accueillant et très ouvert (homme ashkénaze, 43 ans).

L'antisémitisme primaire, peu politisé, basé sur la méconnaissance des Juifs, se distinguerait clairement de celui du Front national français. Néanmoins, selon certains, il pourrait dans certaines circonstances devenir plus politique, avec la crise économique et la situation au Moyen-Orient :

> Le racisme et l'antisémitisme à l'égard des Juifs sont toujours en progression lorsqu'il y a un problème avec Israël. Et les temps sont durs là-bas. Aussi l'antisémitisme, le racisme, la bigoterie augmentent. Et nous sommes dans une période économiquement difficile (femme ashkénaze, 50 ans) ;

> L'antisémitisme des francophones est probablement nourri par certains désaccords que les journalistes ont avec les politiques israéliennes, ce qui se traduit régulièrement par une forme d'antisémitisme. Je crois fondamentalement que le monde non juif ne fait pas la différence entre les Israéliens et les Juifs (homme ashkénaze, 61 ans).

Les comportements racistes ou antisémites violents, comme l'attaque de jeunes d'une école juive orthodoxe d'Outremont par des skinheads ou la profanation de cimetières, sont aussi considérés comme un phénomène certes encore marginal, mais qui risque d'annoncer d'autres turbulences qu'on ne saurait éviter sans une constante vigilance associée à une campagne d'éducation :

> Il y a certaines manifestations concrètes d'antisémitisme et de racisme qui sont très inquiétantes, qui sont violentes, et c'est nouveau, c'est importé. Ça ne veut pas dire que ça n'existait pas, mais le fait de l'organiser, le fait d'importer une certaine idéologie et de faire de l'entraînement des jeunes et de les envoyer en gangs attaquer les gens, c'est nouveau (femme ashkénaze, 41 ans) ;

> Il faut comprendre, admettre qu'il existe au Québec un terreau où pourrait se développer facilement ce racisme-là et s'en inquiéter. Il

ne faut pas oublier quand même les chemises brunes du temps. Est-ce que dans toute société il n'y a pas un peu de ça ? Peut-être. Mais il faut être très attentif. Et je suis inquiet quand je vois des montées d'intolérance, de racisme, de xénophobie (homme séfarade, 48 ans).

L'intégration moins poussée des Juifs ashkénazes à la société québécoise serait pour plusieurs leaders séfarades l'une des sources de malentendus entre la majorité francophone et la communauté juive. La tendance à l'autonomie institutionnelle très forte accentuerait cet isolement qui est plus marqué au Québec qu'en France ou qu'aux États-Unis, même si la multiplication des contacts avec des personnalités du monde politique et des médias québécois aurait contribué à réduire la distance entre les deux groupes. Le sentiment d'incertitude identitaire chez les Québécois francophones empêcherait un véritable accueil de l'autre :

Quand les gens ne sont pas sûrs d'eux et qu'ils sont encore à se chercher des racines, il est très difficile d'accepter les étrangers. Je ne blâme personne, mais c'est un fait (femme ashkénaze, 45 ans) ;

Si on compare avec la France, par exemple, on peut dire que la société québécoise est très ouverte. Mais c'est encore une société frileuse. Et c'est encore une société qui a peur de l'autre, qui est un peu xénophobe. Plus on va dans l'est et plus on le sent. Pour les Québécois de vieille souche, tant qu'ils resteront centrés sur eux-mêmes, ils auront peur de regarder ce qu'il y a en face et autour d'eux, le reste fera menace. Ils n'arriveront pas à composer avec l'ensemble de ces éléments. Et j'ai l'impression que c'est ce qui est marquant ici pour l'ensemble des Québécois, c'est ce peu d'intérêt que nous avons à regarder autour de nous, à être en contact avec d'autres groupes que notre propre groupe d'origine, notre groupe de pairs ou notre groupe d'appartenance (femme séfarade, 29 ans).

Selon les leaders d'origine libanaise, le racisme s'exercerait plus contre les minorités dites visibles qu'envers les Québécois d'origine libanaise. Plusieurs rapportent des préjugés ou des attitudes discriminatoires de la part des Québécois d'origine canadienne-française à leur égard, qu'ils attribuent à des formes d'ethnocentrisme et de xénophobie liées à l'affirmation et à la préservation d'une culture, aux phénomènes de dénatalité, ainsi qu'à une concurrence socioéconomique importante. Ces facteurs donneraient lieu à des attitudes d'exclusion et de rejet envers les immigrants, créant un climat de malaise qui, pour une minorité de leaders, renvoie à du véritable racisme. Ces attitudes sont d'autant moins bien comprises que les Libanais, francophones, devraient être considérés comme « des supporteurs naturels ». Quelques leaders soulignent, au contraire, la faiblesse du sentiment raciste au Québec, insistant plutôt sur la générosité des Québécois d'origine canadienne-française :

> Je trouve qu'il n'y a pas de racisme au Québec, parce que ça ce sont toutes des paroles du monde qui met des idées dans la tête des gens. Moi je ne trouve pas, parce que j'ai des amis qui sont des Canadiens français, ils viennent ici chez nous, on mange ensemble, on n'a jamais dit : vous, vous êtes québécois, moi je suis libanaise. On ne pense même pas à ça (femme, 52 ans).

Il n'y a pas non plus unanimité dans l'évaluation de l'étendue du racisme dans la société québécoise. Pour certains, il s'agirait plutôt de xénophobie, alors que pour d'autres le racisme serait en augmentation, en particulier dans le cas des immigrants d'origine haïtienne confrontés à des formes de discrimination sur le plan social et du logement. Ces tendances ne s'articulent cependant pas à une idéologie politique, ce qui les distingue des mouvements racistes européens.

Quant aux rapports avec la minorité anglo-québécoise de tradition britannique[20], ils sont plutôt faibles. La méconnaissance de la minorité d'origine anglo-britannique du Québec,

---

20. G. Caldwell, *op. cit.*

l'inexistence de réseaux primaires et secondaires de contacts contribuent à maintenir les distances. Si, selon plusieurs leaders d'origine haïtienne, il y a plus d'ouverture aux groupes ethniques à la Commission des écoles protestantes du Grand Montréal qu'à la Commission des écoles catholiques de Montréal, les rapports qu'entretiennent les membres de leur groupe avec la majorité québécoise francophone, tant sur le marché du travail qu'en termes de vie sociale, seraient beaucoup plus importants qu'avec la minorité anglophone.

Et même si le discours dominant veut que les immigrants italiens aient toujours été mieux acceptés dans le système scolaire anglo-protestant, cette acceptation n'aurait eu que des fondements sociodémographiques. Les anglophones penseraient surtout à défendre leurs propres droits (surtout des droits linguistiques) et leurs relations avec les groupes ethniques, placés en porte-à-faux, ne seraient donc qu'un élément d'une stratégie complexe visant à augmenter la proportion des anglophones dans la province :

> Les groupes ethniques sont comme un ballon que les deux équipes se jettent un peu par ici, un peu par-là. Ce n'est pas gai pour un groupe ethnique ou pour les immigrés d'être considérés comme ça. Évidemment ils n'ont pas un mot à dire. Ils ont choisi le Québec, ils doivent prendre un parti eux-mêmes, ils doivent choisir leur camp. Chez les Italiens, vous allez trouver ceux qui sont pour les francophones et ceux qui sont pour les anglophones (femme d'origine italienne, 52 ans).

Les leaders juifs anglophones précisent dans le même sens que leurs rapports avec les Anglo-Britanniques, considérés comme des gens rigides, imbus de leur supériorité et fermés à la société québécoise, sont plus distants qu'on ne le suppose ou même inexistants. À part la langue commune, il y aurait peu d'affinités entre les deux groupes, ce que confirmerait l'antisémitisme subtil dans les institutions anglo-saxonnes : « Ils vous acceptent dans le club, mais vous excluent d'une autre manière. » Des tendances semblables se retrouvent dans le groupe libanais où l'on compare volontiers les Canadiens français aux gens du Liban (chaleureux, « bon cœur », doux, simples) pour mieux les opposer aux « Anglais », froids et qui ne se lient que par intérêt, rendant difficiles les relations d'amitié.

Les contacts avec la minorité anglo-britannique ne semblent donc pas, pour l'ensemble des leaders, s'ouvrir sur des rapports conviviaux profonds et en ce sens révèlent le caractère non sociologique de la catégorie « anglophone ».

Rapports intergroupes

Selon quelques leaders d'origine haïtienne, les préjugés racistes envers le groupe haïtien et lesdites minorités visibles seraient le fait en particulier de personnes d'origine européenne : « Il y a du racisme de la part de certains immigrants blancs à l'égard des immigrants noirs. L'ethnocentrisme, ça sera plus les Québécois de vieille souche. » Des citoyens d'origine juive ou italienne feraient ainsi preuve de préjugés ou d'attitudes racistes ou ethnocentriques envers les citoyens d'origine haïtienne, ce qui se manifesterait par des pratiques discriminatoires dans l'emploi et le logement, ou par des formes plus publiques, comme des graffitis sur les murs, et par l'arrogance de certains jeunes anglophones d'origine italienne à leur égard. Les préjugés ne seraient pas à sens unique, puisque des membres du groupe haïtien auraient aussi recours à des stéréotypes « faciles » pour décrire le comportement des Juifs, des Italiens, des Chinois ou des Arabes.

Les tensions et les préjugés entre les Québécois d'origine haïtienne et les Québécois de la « communauté noire anglophone » sont attribuables à la barrière linguistique, au sentiment qu'ont les anglophones d'être désavantagés sur le marché du travail et aux alignements politiques.

Des comportements discriminatoires et racistes de certains Québécois d'origine italienne, du reste le fait de « toutes les communauté blanches contre les autres communautés », sont corroborés par les leaders d'origine italienne. Ces comportements se manifesteraient dans l'emploi et le logement :

> J'ai connu beaucoup d'Italiens qui étaient racistes. Il y en a beaucoup qui sont propriétaires de maisons à logements, mais ils ne voulaient pas louer leur maison à des Noirs, parce qu'ils avaient peur, ce n'était pas propre (femme, 36 ans) ;

> Quand ils ont commencé à émigrer ici, déjà j'étais propriétaire de beaucoup d'appartements. On ne faisait aucune discrimination de race, et on a loué des logements aux Haïtiens. Tu loues un logement à deux ou trois personnes, tu vas là, ils sont quinze, vingt personnes. Quand ils quittent, tu dépenses de l'argent pour remettre l'appartement en ordre. Brisées les portes, ou même enlevées complètement. Les murs, passés de bord en bord. Les Haïtiens, non, réellement là, ce n'est pas un cadeau (homme, 55 ans).

De telles attitudes suscitent la réprobation de certains leaders, car elles vont à l'encontre des rapports de convivialité et de solidarité qui devraient sous-tendre les relations entre les groupes :

> Et ils pensent à ceux qui n'ont pas fait fortune comme à des gens qui n'ont pas voulu travailler. Je trouve ça étonnant. Et on les entend dire : « Bon, qu'est-ce qu'ils veulent ? Ils ont le bien-être social, ils n'ont pas envie de travailler ! » Ils ne pensent pas à la malchance, à la situation économique, à l'environnement, à la société, tout ce qu'on veut et qu'on peut évoquer comme explication... Le sens de solidarité envers les autres, envers le différent, ils l'ont un peu perdu (homme, 57 ans).

On souligne également les conflits entre entrepreneurs italiens et juifs dans le domaine commercial et plus particulièrement celui de la construction, champ de concurrence dans lequel les Italiens surpasseraient actuellement les entreprises juives. Par contre, l'unité et l'entraide dont font preuve les Juifs font l'admiration de plusieurs qui y voient un exemple à suivre dans le développement de leurs propres institutions.

Peu de leaders juifs font état de tensions entre groupes ethniques. Certains rapportent des préjugés racistes semblables à ceux que l'on retrouve chez les membres d'autres groupes envers les Noirs. Les stéréotypes vis-à-vis des autres groupes ethniques, en particulier ceux d'origine italienne ou haïtienne seraient aussi présents, mais les immigrants asiatiques seraient mieux considérés. Des réactions négatives seraient notables chez les enfants fréquentant des écoles juives mis en contact, dans le cadre de programmes de jumelage pluriethnique, avec des enfants d'autres origines ethniques, certains refusant de se mêler à des enfants noirs et de mener des activités communes :

> La communauté noire, on ne l'a jamais vue et, si on l'a vue, on n'a jamais eu l'occasion de s'asseoir avec un enfant et de dire : finalement, il est comme nous, il est différent, mais il est comme nous. On voit la réaction des enfants et je la trouve grave. Ils sont beaucoup trop ghettoïsés, même au niveau de leurs idées ; c'est très enclave juive (femme séfarade, 29 ans).

Les leaders d'origine libanaise notent les tensions entre le groupe ethnoculturel libanais et le groupe juif qui seraient surtout le sous-produit du conflit au Moyen-Orient. La guerre de propagande opposant, dans une université montréalaise, étudiants arabes et étudiants juifs en serait l'expression la plus visible, selon un leader. L'appui aux politiques israéliennes sur le continent nord-américain aurait pour corollaire une perception négative des Arabes, ce qui pourrait affecter les immigrants arabes arrivés récemment au Québec :

> La communauté arabe du Canada, particulièrement les nouveaux immigrants, est très sensible à la présence et à l'influence sioniste, à l'appui aux positions politiques israéliennes en Amérique du

Nord. Par exemple, aux États-Unis, partout, au parlement, au Congrès, dans les médias, on donne une image négative des communautés arabes (homme, 37 ans).

La création du Parti Égalité, qui constituerait un groupe de pression au Québec en faveur du fédéralisme, aurait d'ailleurs, selon certains, comme objectif de faire valoir uniquement les intérêts du groupe juif :

> Même s'ils sont cachés sous le nom de Equality, ce sont des Juifs. Ils ont donné un nom extérieur pour couvrir leur face, mais ce sont des Juifs. Et c'est un groupe ethnique qui est arrivé à former un fédéralisme au Québec (homme, 58 ans).

Les leaders s'accordent donc pour reconnaître des tensions entre groupes ethnoculturels. Elles prennent leur source dans des préjugés réciproques, dans la concurrence économique, dans le racisme inégalitaire et de type colonial, ou dans les conflits extérieurs qui viennent colorer les rapports locaux, confirmant de nouveau l'influence des rapports de force internationaux sur la structuration des identités ethnoculturelles.

Intégration et rapprochement entre les groupes

En dépit des tensions entre les groupes ethniques eux-mêmes et avec la majorité québécoise francophone, la plupart des leaders relèvent des signes de rapprochement et d'échange. C'est le cas de plusieurs leaders d'origine haïtienne qui sont optimistes quant à l'évolution des rapports entre groupes :

> Souvent les Haïtiens ont l'impression d'être proches des Italiens. Ce qui n'est pas faux. À certains égards. Je dirais au niveau de la socialisation primaire. L'Haïtien a globalement une forme de sympathie pour l'Italien, sympathie qui n'est pas forcément réciproque (femme, 40 ans) ;

> Les relations ne sont pas si mauvaises. Au-delà de tout ce qu'on peut dire et voir, quand ils sont en petits groupes, les gens se com-

prennent, quand les groupes s'élargissent et les groupes se parlent davantage. Les Québécois et les Haïtiens se ressemblent (homme, 44 ans).

Malgré les conflits qui dérivent des conditions historiques, de la concurrence économique et de divergences d'ordre politique et linguistique, la solidarité des Québécois d'origine haïtienne et les Québécois des communautés noires anglophones apparaît fondamentale : « C'est une solidarité qui est demandée et qui est nécessaire », dit une interviewée, et plusieurs autres soulignent qu'elle est la résultante d'une identité africaine commune ou d'une expérience similaire de discrimination.

Le développement d'une perspective interculturelle plus affirmée semble aussi essentielle. Basée sur le dialogue entre les groupes, elle nécessite l'intégration sociopolitique des Québécois d'origine haïtienne et l'élimination du racisme :

> Ça va être très difficile dans les prochaines années s'ils ne sont pas mieux formés et s'ils ne s'impliquent pas davantage à tous les niveaux. On parle beaucoup mais on s'implique peu. Il faut qu'il y ait une intégration quelque part. L'intégration politique, l'intégration au niveau décisionnel (homme, 44 ans).

L'avenir des relations entre les citoyens d'origine haïtienne et la majorité francophone apparaît positif, mais plusieurs conditions y sont attachées, comme l'importance de s'assurer que les groupes ethniques n'iront pas à l'encontre de l'émancipation souhaitée par cette majorité :

> S'assurer que l'immigration n'est pas un obstacle au destin national, en ce sens que les immigrants ne vont pas être toujours contre les Québécois qui veulent s'émanciper, qui veulent devenir un pays indépendant, ou enfin qui ne veulent plus du statut actuel, et que les immigrants, par conformisme, par paresse, par peur de l'inconnu, etc., se trouvent satisfaits du statu quo (homme, 44 ans).

Même si la convergence culturelle apparaît lointaine, pour certains, il reste à mieux définir la place des groupes ethniques, en particulier dans la perspective d'une indépendance qui nécessite la clarification des objectifs d'un projet de société commun.

Plusieurs leaders d'origine italienne voient de façon plutôt problématique les rapports entre leur groupe et les autres groupes ethnoculturels, mais certains remarquent que des efforts sont faits pour améliorer les choses. Ils semblent plutôt optimistes quant à l'avenir, à la condition, selon certains, que les groupes s'intègrent à un projet québécois de société et qu'ils s'impliquent davantage au niveau politique et économique, ce qui demandera des efforts de part et d'autre, surtout à cause du problème d'ethnocentrisme qui affecte tous les groupes. La représentation des groupes ethniques à tous les paliers économiques et gouvernementaux aiderait à atteindre cet objectif :

> Pourquoi un fils d'Italien ne serait pas président de telle compagnie, ou pourquoi dans tel département ce ne serait pas un fils ou une fille d'Italien qui serait responsable ? Et pourquoi même dans le gouvernement, il n'y aurait pas plusieurs personnes de diverses ethnies qui occuperaient des ministères ou des charges de députés ? Si ces gens-là travaillent pour un but commun, parfait. Et c'est comme cela que je vois de plus en plus l'intégration : faire partie intégrante de la vie québécoise. Dans un ministre, je vois une personne compétente, non un Italien, ou un Chinois, ou un Québécois, ou un Juif ou un Anglais (homme, 22 ans).

C'est donc à la condition que les groupes ethniques aient ce sentiment d'inclusion qu'ils pourront « faire front commun » avec les francophones pour que le Québec puisse garder sa spécificité dans une Amérique du Nord anglophone, ce qui nécessite une information explicite sur l'apport des immigrants et des groupes ethnoculturels à la société québécoise :

Il y a un gâteau à partager, ils ne viennent pas juste manger une tranche. Ils viennent ajouter la crème sur le gâteau, puis ensuite ils prennent leur tranche aussi. Ça n'appauvrit pas la nation d'avoir des immigrants. Si on donne ce message, tous les immigrants d'après moi peuvent s'intégrer. Je refuse qu'on dise qu'il faut les prendre en France pour qu'ils s'intègrent mieux. Je refuse qu'on dise non à Einstein parce qu'il ne parle pas français, parce qu'il n'a pas un job, et puis on prend un raciste français qui vient ici travailler à Radio-Canada puis qui suscite le racisme chez nous. L'immigrant parfait n'existe pas, ça ne sert à rien d'aller l'acheter ailleurs : il n'existe pas. Donc ce qu'il faut faire c'est de lui donner la possibilité de s'intégrer. Et le jour qu'on aura l'information de base, je suis sûre que les gens auront une attitude plus positive. L'immigrant qui arrive ici et à qui on a donné la possibilité de se sentir chez lui, et qu'on n'a pas reçu à coup de bâton, il va faire front commun (femme, 44 ans).

Plusieurs estiment cependant que les groupes ethniques connaissent peu la culture de la majorité québécoise et font un constat d'échec en matière d'intégration des minorités :

Malheureusement, selon moi, on peut parler d'échec d'intégration. C'est que dans ma communauté, il n'y a pas deux pour cent des gens qui connaissent Gilles Vigneault, que ce soit chez les jeunes ou chez les plus vieux. L'échec de l'intégration, c'est que pour l'ensemble des communautés, il n'y a pas de référence à cela. Je me souviens, on parlait entre nous au moment de la mort de Félix Leclerc. Pour les communautés culturelles, ça pouvait être n'importe qui, on ne se posait pas la question : pourquoi tant d'émoi au Québec au sujet d'un individu qui vient de mourir ? Mais c'est ça la culture québécoise (homme, 43 ans).

Pour d'autres leaders d'origine italienne, la culture québécoise ne doit pas être réduite à celle de la majorité, mais inclure aussi celle des groupes ethniques qui ont influencé son développement et sa spécificité :

La nouvelle spécificité québécoise, c'est la cohabitation avec les immigrants. Ça, ce n'est pas encore intégré chez vous, c'est encore conflictuel. Quand on isolait les immigrants dans des écoles anglaises, ce n'était pas intégré non plus. Mais de plus en plus, surtout pour la moitié de la population québécoise qui vit dans la région de Montréal, ça va devenir une de vos dimensions culturelles. Parce que vous êtes interpellés, vous devez constamment réagir à cette présence (homme, 43 ans).

La notion même de culture québécoise « de souche » serait d'ailleurs en voie de disparition. De nouvelles interrogations président à la redéfinition identitaire, à une québécitude territoriale et non ethnique :

> La culture québécoise sera un mélange. Si par culture québécoise, on entend blanc, francophone de souche qui s'appelle Papineau, Tremblay... Ceux qui crient à la disparition de la culture québécoise ont raison, elle est en train de disparaître. Elle est mourante même. Mais il faut voir ce qu'on entend par culture québécoise. Moi, j'entends les gens qui habitent dans un lieu, le Québec, les gens qui évoluent, mettent leurs énergies dans le Québec. Que ces gens-là aient pris le bateau avant ou après, ces gens-là sont des Québécois, ils sont des Québécois à leur façon, ils sont des Québécois avec des accents différents, ils sont des Québécois avec des couleurs différentes. La culture québécoise, vue sous cet angle, n'a jamais été aussi florissante qu'aujourd'hui (femme, 44 ans).

Cependant, cette culture de convergence risque de se retrouver essentiellement à Montréal, alors que dans le reste du Québec se maintiendra une culture traditionnelle coupée de ces influences :

> D'un certain côté, on s'en va vers une culture de convergence dans la région métropolitaine qui ne sera peut-être pas la culture de convergence que les francophones de vieille souche attendent. Je suis convaincu qu'il va se créer deux Québec. C'est même inévitable compte tenu de la progression de l'immigration. On risque de se retrouver dans une culture extrêmement intéressante de langue française, mais assez différente de ce qu'on connaît aujourd'hui dans la région métropolitaine. Ailleurs au Québec, la

problématique est tout à fait différente. On va vraiment avoir deux mondes (homme, 41 ans).

Si plusieurs leaders juifs soulignent également la faible capacité d'intégration de la société québécoise, d'autres témoignent d'une identité ou d'une culture québécoise en constante évolution, enrichie de l'apport des groupes ethnoculturels. Dans une dizaine d'années, croit l'un d'eux, l'identité nationale québécoise se fondera sur le sentiment d'appartenance des divers groupes :

> J'ai toujours pensé que la richesse d'un pays, c'est la composition de toutes ses communautés. Et le Québec est peut-être un des pays qui risquent de devenir très riches à ce niveau. Chacune de ces communautés devrait tout faire pour conserver son identité et en même temps tout faire pour s'intégrer et développer ce sentiment d'appartenance à un pays qui est le Québec. Mais tout reste à faire ou presque. En ce sens-là, on ne pourra plus parler dans dix ans de Québécois de vieille souche, à moins d'avoir raté tout l'exercice dont je vous parle. Parce qu'il y aura des Québécois et il y aura des communautés culturelles qui ne seront même plus des minorités culturelles, mais qui seront des communautés culturelles composant la mosaïque québécoise (homme séfarade, 48 ans).

Les leaders libanais et juifs soulignent les progrès considérables accomplis au Québec depuis quelques décennies. La société est plus mûre, plus tolérante qu'auparavant, reconnaît un leader. Les groupes ethniques devront travailler ensemble, tant sur le plan économique que politique, afin d'éliminer la discrimination et améliorer la cohésion de la société québécoise :

> Nous, les Juifs en général, on doit avoir une sensibilité pour les Juifs, mais on ne peut pas l'avoir que pour eux, il faut l'avoir pour la société des six millions d'autres zouaves qui vivent ici et qui se battent comme des fous dans un continent où il y a deux cents millions de Nord-Américains (homme séfarade, 46 ans).

Face aux aspirations nationalistes au Québec, la prochaine génération juive devra, comme l'ont fait les Juifs en France, relever le défi de la francisation, mouvement d'ailleurs amorcé à la fin des années soixante-six et facilité par le rapprochement entre Québécois d'origine canadienne-française et Québécois juifs séfarades qui partagent des référents culturels et linguistiques :

> Depuis 1976, il y a cette tentative, il y a ce désir de mieux comprendre ce que les Québécois attendent des Juifs. Ou comment ils les voient. En 1978, il y a eu un premier programme qui s'appelait le projet action-rapprochement, qui s'occupait uniquement des adultes. Il s'agissait pour la communauté juive d'établir des groupes de discussion entre Québécois francophones et Juifs anglophones (homme séfarade, 36 ans).

Les alliances et les coalitions avec d'autres groupes sur des questions d'intérêt commun, et les activités d'éducation interculturelle qui se déroulent dans des écoles catholiques et juives peuvent contribuer à corriger et à prévenir les préjugés réciproques.

En résumé, malgré les tensions entre les groupes, les leaders constatent un léger progrès dans les échanges. Ils attestent également, en majorité, de la faible capacité d'attraction et d'intégration de la société québécoise.

* * *

À propos de l'ethnicité, des référents identitaires, de la discrimination et du racisme, les témoignages recueillis révèlent une situation complexe, marquée par l'hétérogénéité des référents et des points de vue. À tous les égards, la définition de l'identité d'origine obéit à des formes de bricolage qui s'appuie à la fois sur des éléments des pays d'origine et des configurations en rupture avec les référents traditionnels. La reconstruction des identités qui prend place à la suite de l'expérience migratoire et de l'intégration à la société québécoise confirme les hypothèses sur la plasticité de l'identité des groupes ethniques soumis à des transformations et à des processus de reformulation de leurs composantes socioculturelles.

L'hétérogénéité des groupes d'immigrants liée aux phases migratoires complexes et les multiples configurations religieuses, socioéconomiques et linguistiques tendent à créer de véritables nébuleuses qui rendent malaisée toute définition précise de l'identité ethnique. En ce sens, le discours des leaders reflète les lignes de clivage qui démontrent le caractère circonstanciel et souvent contradictoire que peuvent prendre les expressions de l'identité ethnoculturelle. Celles-ci tendent à se concrétiser dans des processus de fission et de recomposition qui aident alors, par les oppositions qui apparaissent, à créer des frontières ethniques fluctuantes et sujettes à remodelage constant.

Cette délimitation des frontières ethniques basée sur un système d'oppositions apparaît évidente dans la perception et l'évaluation de l'identité et de la culture d'origine canadienne-française qui — bien qu'elle soit à certains égards considérée comme positive — ne paraît pas présenter de motifs d'attraction suffisamment forts pour permettre une assimilation, sinon une acculturation poussée. Que ce soit la qualité de la langue ou le système de valeurs, l'évaluation critique de la culture québécoise semble en fait inciter chaque groupe ethnique à réaffirmer ses normes et ses avantages culturels, ce qui lui permet de réaffirmer sa spécificité et son identité. Le même processus se répète en ce qui a trait aux relations entre groupes ethniques.

Contrairement à la situation européenne, les formes de discrimination et de racisme ne semblent pas obéir ici à des motivations politiques, mais surtout à des facteurs liés à la concurrence économique et aux contacts peu soutenus entre les groupes ethniques et la majorité francophone. Ce sont surtout les membres du groupe d'origine haïtienne qui semblent souffrir d'un processus d'exclusion plus systématique, ce qui rejoint les fondements d'un racisme plus explicite. Mais cette exclusion ne paraît pas faire consensus parmi les leaders dont plusieurs, au contraire, tendent à déceler des signes de rapprochement entre les groupes montréalais. Cela donne à penser qu'on assisterait à une recomposition du paysage québécois secoué par de multiples brassages qui reflètent la coexistence et les contacts entre des groupes dont les processus d'intégration obéissent à des rythmes et des formules variés.

5

ETHNICITÉ
ET POLITIQUE

La gestion étatique de la diversité ethnoculturelle obéit à des stratégies variables qui dépendent des prémisses sociopolitiques touchant la définition de la citoyenneté, les modalités d'intégration à la nation et le degré de reconnaissance de cette même diversité. À cet égard, on peut grosso modo opposer le modèle de l'assimilation, où les immigrants et les groupes ethniques sont encouragés à abandonner leur culture et leurs valeurs d'origine pour adopter le plus rapidement possible celles de la société d'accueil et en devenir citoyens à part entière, et celui de l'intégration, conçue comme un mécanisme par lequel les migrants adoptent progressivement les valeurs fondamentales de leur nouvelle société sans pour autant renoncer aux leurs.

On peut situer dans le premier cas de figure le modèle français, où les principes de laïcité et de non-reconnaissance des droits collectifs des minorités dans la sphère publique dominent, malgré les tensions qui se déclarent de nos jours[1]. À l'autre extrême, le multiculturalisme de pays comme la Grande-Bretagne, l'Australie, les Pays-Bas et les États-Unis reconnaît au contraire, à des degrés variables, l'expression de la diversité culturelle, les revendications collectives qui lui sont attachées et sa préservation, grâce à l'aide de l'État, dans les sphères culturelle, éducative, religieuse, etc.

Cette perspective politique est celle qui domine depuis 1971 au Canada également, et elle a pour objectif de faire la promotion du patrimoine ethnoculturel tout en mettant l'accent sur les relations interculturelles et la pleine participation à la société canadienne. Cette politique, attaquée depuis son adoption, a fait l'objet de critiques[2] qui en mettent en évidence les limites dans la résolution des tensions sociales et le développement d'une identité canadienne et, a fortiori, québécoise.

En effet, l'ambiguïté référentielle des stratégies étatiques (canadienne et québécoise) de gestion de la diversité ethnoculturelle soutient et renforce les divisions internes de la société québécoise. De plus, à partir de ses propres perspectives, le Québec a créé par l'institutionnalisation de la catégorie politique de « communauté culturelle » une frontière juridique et politique entre deux catégories de citoyens propageant ainsi « une idéologie différencialiste qui accompagne la fabrication étatique des communautés culturelles[3] ». On observe par

---

1. D. Schnapper, « Communautés, minorités ethniques et citoyens musulmans », dans B. Lewis, D. Schnapper, *Musulmans en Europe*, Arles, Actes Sud, 1992 ; D. Schnapper, *La France de l'intégration. Sociologie de la nation en 1990*, Paris, Gallimard, 1991.

2. Voir par exemple, N. Bissoondath, *Selling Illusions. The Cult of Multiculturalism in Canada*, Toronto, Penguin, 1994.

3. L. Fontaine, Y. Shiose, « Ni Citoyens, ni Autres : la catégorie politique "Communautés culturelles" », dans D. Colas, C. Emeri, J. Zylberberg (dir.), *Citoyenneté et nationalité. Perspectives en France et au Québec*, Paris, Presses universitaires de France, 1991, p. 442.

ailleurs une dissociation des référents « Canada » et « Québec » chez les élites politiques et l'extension progressive d'une quasi-citoyenneté québécoise qui recoupe la citoyenneté canadienne formelle[4]. Ainsi, l'intervention de l'État s'illustre dans la catégorisation des groupes, dans son action en tant que partenaire dans le mouvement associatif et dans la bureaucratisation des questions dites ethniques.

Les politiques deviennent alors source de confusion pour la compréhension, par les groupes ethniques, de la question nationale et entraînent une ambivalence dans leur identification à la société québécoise. De ce fait, leur intégration sociale et politique se voit ralentie[5]. Le culturalisme et l'égalitarisme

---

4. J. Crète, J. Zylberberg, « Une problématique floue : l'autoreprésentation du citoyen au Québec », *ibid.*

5. D. Gay, « Réflexions critiques sur les politiques ethniques du gouvernement fédéral canadien et du gouvernement du Québec », *Revue internationale d'action communautaire*, vol. 14, n° 54, 1985 ; M. Laferrière, « Les idéologies ethniques dans la sociologie canadienne : du conformisme colonial au multiculturalisme », dans T. Leconte, *Le facteur ethnique aux États-Unis et au Canada*, 1983 ; G. Godin, *Notes pour l'allocution de monsieur Gérald Godin ministre des Communautés culturelles et de l'Immigration*, Winnipeg, conférence fédérale-provinciale sur le multiculturalisme, 1985 ; N. Assimopoulos, J. E. Humblet, « Les immigrés et la question nationale : étude comparative des sociétés québécoise et wallonne », *Studi Emigrazione - Études migrations*, n° 86, 1987 ; M. Labelle, « Immigration, culture et question nationale », *Cahiers de recherche sociologique*, n° 14, 1990 ; *id.*, « Pluralité ethnoculturelle et pluralisme au Québec », dans A. Gagnon, F. Rocher, *Les obstacles à la souveraineté. Les réponses des experts*, Montréal, 1992 ; *id.*, « Politique d'immigration, politique d'intégration, identité du Québec », dans *Les avis des spécialistes invités à répondre aux huit questions posées par la Commission*, Québec, Commission sur l'avenir politique et constitutionnel du Québec, document de travail n° 4, 1991 ; D. Helly, « Politiques à l'égard des minorités immigrées », *Sociologie et sociétés*, vol. 26, n° 2, 1994 ; J. Bauer, *Les minorités au Québec*, Montréal, Boréal, 1994 ; M. Labelle, G. Beaudet, F. Tardif, J. Lévy, « La question nationale dans le discours de leaders d'associations ethniques de la région de Montréal », *Cahiers de recherche sociologique*, n° 20, 1993 ; L. Bissonnette, «Un choc de politiques », *Le Devoir*, 25 et 26 février 1995.

formel qui marquent ces politiques ont pour effet objectif le maintien de la prédominance de l'ethnicité dans le champ politique et non la mise en place de la citoyenneté réelle, démocratique et participative.

Le jeu combiné des politiques fédérales et provinciales a historiquement renforcé la constitution de deux blocs sociaux et régionaux antagonistes[6], l'un canadien, l'autre québécois, créant un espace politique au profit des groupes ethniques, qui s'alignent majoritairement sur les politiques fédérales. En effet, on relève « l'appui massif des anglophones, des non-francophones ou des allophones à un parti, le PLQ, et un rejet tout aussi massif de l'autre parti, le PQ. Ainsi dans un système politique surtout marqué par le bipartisme et l'alternance, un des deux acteurs n'apparaît pas comme une alternative souhaitable ou acceptable pour une partie de l'électorat, une partie dont le poids s'accroît, du moins dans la région montréalaise. Bien que les appellations varient, c'est un comportement ethnique que nous devons enregistrer au sein des divers groupes qui constituent l'autre Québec[7]. »

Selon plusieurs observateurs, on se trouverait en effet en présence, au Québec, d'un vote « ethnique » ou un vote « bloc », c'est-à-dire d'un vote qui « diverge, de manière significative, du comportement électoral du groupe majoritaire[8] », et qui indique « l'affiliation traditionnelle des mem-

---

6. G. Bourque, J. Duchastel, « L'État canadien et les blocs sociaux », dans G. Boismenu, G. Bourque, R. Denis, J. Duchastel, L. Jalbert, D. Salée, (dir.), *Espace régional et nation*, Montréal, Boréal, 1983.

7. R. Boily, A. Pelletier, P. Serré, *Bilan des connaissances : le comportement électoral des groupes ethniques dans la région de Montréal*, communication présentée dans le cadre du colloque de l'ACFAS, université Laval, 1990, p. 8.

8. N. Lavoie, *Les facteurs explicatifs des comportements électoraux des citoyens issus des communautés culturelles de la région de Montréal*, université de Montréal, département de science politique, projet de thèse de doctorat, 1994.

bres d'un groupe minoritaire donné à un parti politique[9] ». L'appui des groupes minoritaires aux partis fédéralistes suscite beaucoup de controverses au Québec[10]. Le groupe ou les groupes ethniques peuvent constituer « une masse critique » compte tenu d'un ensemble de « facteurs qui peuvent influer sur la participation d'un groupe ethnique lors d'élections générales : densité démographique, poids économique, homogénéité sur le plan religieux, degré de représentativité des élites perçu par les membres du groupe (légitimité) et niveau d'instruction[11] ». La faible intégration des minorités ethniques dans la société québécoise, la méfiance vis-à-vis du nationalisme, et les politiques linguistiques relatives à l'enseignement et à l'affichage expliquent la faible popularité du Parti québécois et de son option souverainiste au sein de cet électorat[12].

En dépit de la sous-représentation de certains groupes ethniques dans le système politique, notamment des minorités visibles, ainsi que du manque de candidats d'origine minoritaire[13], de nouveaux acteurs issus de certains groupes ethniques tenteront, au cours des années quatre-vingt et quatre-vingt-dix, de se faire une niche politique sur le plan municipal, provincial et fédéral.

Nous verrons dans ce chapitre comment les leaders définissent leurs références nationalitaires, évaluent la catégorisation

---

9. *Ibid.*

10. Voir, par exemple, P. Drouilly, « Réflexions sur le référendum de 1992 », *Cahiers de recherche sociologique*, n° 20, 1993, p. 225.

11. C. Simard *et al.*, « Les minorités visibles et le système politique canadien », dans K. Moodley, *Minorités visibles, communautés ethnoculturelles et politique canadienne. La question de l'accessibilité*, Toronto, Dundun Press, 1991, p. 194.

12. Voir R. Boily, A. Pelletier, P. Serré, *op. cit.*

13. C. Simard *et al.*, *op. cit.*

identitaire dans l'espace public, perçoivent les politiques et les idéologies d'intégration canadienne et québécoise, et commentent l'indépendance et le fédéralisme de même que les affiliations partisanes. Le sens accordé à la citoyenneté dans le contexte canadien et québécois complétera l'analyse des enjeux liés à la question nationale.

Références liées à la nationalité

Selon un sondage effectué en 1989 auprès de mille deux cents ménages montréalais, 94 % des personnes interrogées d'origine haïtienne, 78 % de celles d'origine arabe (incluant les Libanais), 68 % de celles d'origine italienne s'identifient exclusivement ou partiellement à leur groupe ethnique[14]. Par ailleurs, un sondage réalisé par le Parti québécois auprès des communautés ethniques indique « que la communauté haïtienne se définit comme québécoise pour 35% de ses citoyens et canadienne pour 27% d'entre eux ». Dans le cas italien, 71% des citoyens s'identifient comme canadiens, 17% comme québécois ; dans le cas arabe, les proportions sont de 43% (canadiens) et 30% (québécois)[15]. Enfin, rappelons que la Commission d'étude sur les affaires afférentes à l'accession du Québec à la souveraineté a constaté que si le visage du Québec actuel est de plus en plus pluriethnique, le « pourcentage d'anglophones et d'allophones se disant "Québécois" stagnait à un niveau très bas : 9 % dans le premier cas et 5 % dans le second ; près de 60 % des membres des deux groupes se

---

14. G. Deschamps, *Les communautés culturelles : identification ethnique, rapports avec la société francophone et compétence et usages linguistiques*, Québec, ministère des Communautés culturelles et de l'Immigration, direction des études et de la recherche, 1990.

15. Parti québécois, *Sondage sur les communautés culturelles*, 22 janvier au 2 mars 1990, sous la direction de M. Lepage, 1990, p. 49 et 64.

sentaient surtout "Canadiens"[16] ». L'opinion recueillie auprès des leaders semble étayer ces résultats.

Pour la majorité des leaders d'origine haïtienne, Haïti reste le premier pôle d'identification, tout en se conjuguant aux référents québécois et canadien, selon les situations :

> Je suis d'abord haïtien. Mais je suis canadien, je suis québécois de cœur. Je suis les deux, mais je penche pour le Québec. Si le Québec parvient à son indépendance, je n'aurai pas honte de m'afficher clairement québécois, dans la mesure où j'y ai ma place (homme, 56 ans) ;

> Je suis canadien, je suis québécois et je suis haïtien. Mais du point de vue appartenance au pays, je ne le suis plus à Haïti, parce que je suis identifié maintenant beaucoup plus au lieu où je vis. Je suis canadien parce que je suis un citoyen canadien. Je suis québécois parce que je suis francophone et, en tant que francophone, il y a certaines questions émotives. Il y a comme un triptyque, il y a ces trois pôles (homme, 42 ans) ;

> Je suis haïtien, mais maintenant je suis québécois, je partage toute la lutte du Québec. Et je suis prêt aussi à me faire accepter dans mon milieu. Je n'ai pas de racines en Haïti, je ne suis pas prêt à y retourner (homme, 44 ans).

Même phénomène parmi les leaders d'origine italienne, où la référence à l'Italie reste très forte. Certains se considèrent d'abord comme italiens et ensuite comme canadiens ou québécois, alors que d'autres se définissent comme québécois ou canadiens d'origine italienne :

> Quand je suis allée en Italie en 1987, j'ai réalisé que je ne suis plus italienne, ici je ne suis pas non plus une canadienne. Je me sens peut-être une nouvelle québécoise ou une nouvelle italienne, je ne

---

16. Commission d'étude des questions afférentes à l'accession du Québec à la souveraineté, *L'avenir politique et constitutionnel du Québec*, Assemblée nationale, 1990.

sais pas. Parce que j'ai toujours une grande fierté de mon origine, de la culture italienne (femme, 50 ans).

Les appartenances multiples n'apparaissent pas comme contradictoires. Ainsi, une interviewée se dit italienne, québécoise parce qu'elle vit ici, montréalaise parce qu'elle est attachée à la ville, et canadienne convaincue de l'avenir du Canada. Cette conjugaison d'axes identitaires ne suit pas un modèle simple. Certains redécouvrent leur italianité, d'autres leur québécitude, ou encore leur appartenance internationale : « Je deviens de plus en plus québécoise » ; « Je suis devenu un homme international, un Italo-Américain-Canadien vivant au Québec. »

Les hésitations du milieu à les accepter pleinement sont souvent un facteur déterminant dans leur identification ambivalente. Comme le soulignent des leaders, il ne suffit pas toujours de vouloir s'identifier comme québécois pour être reconnu tel :

> Mais si je dis que je suis québécoise, qui va me croire ? On va me dire : vous êtes née où ? Vous parlez quelle langue ? Un jour, à Paris, un monsieur m'a dit : ah ! vous êtes québécoise ! C'était la première fois dans ma vie qu'on m'avait appelée ainsi (femme, 34 ans).

Les Juifs apparaissent comme le groupe dont les valeurs culturelles et l'identité ethnique propre se maintiennent de la façon la plus vigoureuse génération après génération[17]. Ainsi le mémoire du Congrès juif canadien à la commission Bélanger-Campeau récuse l'opposition entre « Québécois pure laine » ou « Québécois de vieille souche » et « les autres », et insiste sur le fait que l'on peut « être Juifs, Québécois et Canadiens sans

---

17. R. Breton, W. Isajiw, W. E. Kalbach, J. Reitz, *Ethnic Identity and Equality*, University of Toronto Press, 1990.

difficultés et sans contradictions[18] ». Les leaders rencontrés confirment ces propos.

Après s'être définis comme juifs, les leaders ashkénazes placent l'identité canadienne en deuxième position, et certains n'acceptent pas d'être associés à la communauté anglophone :

> Je maîtrise l'anglais plus que le français, mais je ne me considère pas comme anglophone. J'ai appris l'anglais après le yiddish, à cause de la situation des écoles à l'époque. Ensuite j'ai fait un certain effort pour apprendre le français. Ce n'est pas la question de l'anglais ou du français qui fonde mon identité (femme ashkénaze, 41 ans).

En raison de leur implantation plus récente au Québec, les leaders d'origine séfarade attestent d'une identité en transformation. Tout en accordant une place centrale à la culture juive séfarade ou orientale, ils se réclament de diverses influences culturelles (espagnole, arabe, berbère, française, québécoise, canadienne, etc.). Ils se définissent aussi plus facilement comme québécois que les ashkénazes, soulignant la difficulté à se faire accepter : « Toute ma vie, je l'ai vécue ici, et il n'y a rien qui m'agace plus que quand on me dit que je ne suis pas Québécoise », dira une femme leader.

Pour les leaders d'origine libanaise, l'identité se construit aussi d'abord autour de référents nationaux, religieux ou ethniques du pays d'origine, selon des configurations variées : libanaise, arabo-islamo-libanaise ou libano-chrétienne. L'une dira : « Je suis d'abord libanaise ; la religion n'est pas importante pour me différencier des autres » ; un autre : « Je suis libanais arabe » ; un troisième qu'il est libanais, ensuite maronite, mais qu'il ne se sent pas arabe. Les variantes sont en

---

18. Commission d'étude..., *op. cit.*

somme nombreuses, même quand elles se rapportent au Québec et au Canada[19] :

> Sur le plan ethnique, je ne suis pas arabe. C'est difficile à dire parce que je me sens libanaise, je me sens un peu plus universelle. J'aime la poésie anglaise. J'aimais beaucoup l'italien. Je ne suis pas canadienne, ça c'est clair. Je ne peux pas dire que je suis d'abord libanaise, je suis francophone. J'ai une identité culturelle francophone (femme, 54 ans) ;

> J'aime m'identifier comme canadienne, parce que je n'aime pas séparer le Québec du Canada. Moi, j'ai souffert de la séparation au Liban, j'ai souffert de la guerre, d'avoir quitté mon pays. Je n'aimerais pas que le Québec soit séparé. J'aimerais que le Québec reste dans le grand Canada et que le Canada ait sa place dans le monde (femme, 58 ans) ;

> Maintenant je suis québécois. Je me sens engagé essentiellement dans ma société d'accueil, je me sens tout à fait à l'aise, je me sens québécois, je m'intéresse à tout ce qui touche le Québec. Cela n'empêche pas évidemment que je ne peux pas renier mes origines, je suis d'origine libanaise, je suis libanais. Mais avant tout, je me considère comme québécois (homme, 54 ans).

Pour d'autres, l'intégration est plus difficile, et ils se disent en transition, en porte-à-faux entre plusieurs cultures, faisant, dans certains cas, un retour à la culture d'origine sans l'avoir connue ou, au contraire, sont renvoyés à leur identité d'origine, alors qu'ils tentent d'être reconnus comme québécois :

---

19. Le mémoire déposé à la commission Bélanger-Campeau par l'Association canadienne syrienne libanaise du Québec rappelle que « dans une province qui depuis longtemps maintenant est une société multiethnique, multiraciale et multiculturelle, on doit continuer à reconnaître ouvertement et franchement que la désignation de "Québécois" doit s'appliquer à tous les citoyens de cette province, quelle que soit leur origine » (Association canadienne syrienne libanaise du Québec, *Mémoire soumis à la Commission sur l'avenir politique et constitutionnel du Québec*, Montréal, 1990, p. 12).

Je suis peut-être moins canadien et plus libanais aujourd'hui que je l'étais il y a cinq ans. Il y a des Libanais qui me disent que je suis plus pur, plus libanais qu'eux. J'essaie de retrouver la culture que je n'ai jamais connue, celle de mon grand-père, et de leur côté, les Libanais essaient de trouver la culture canadienne ou d'Amérique (homme, 51 ans) ;

On restera toujours libanais. Je suis très intégrée. Mais j'ai plus d'amis québécois que libanais. J'ai appris le français. J'ai vraiment lutté parce que je voulais apprendre le français, je voulais être ici. C'était vraiment un choix que j'ai fait. Et malgré cela, chaque fois que j'ouvre la bouche, les gens me disent : mais d'où tu viens ! Ils me rappellent que je ne suis pas québécoise (femme, 44 ans).

Pour la grande majorité des leaders interviewés, l'identification québécoise reste donc faible, ce qui résulte dans plusieurs cas de la résistance du milieu d'accueil à les considérer comme québécois. Elle se reporte plus facilement sur les référents nationaux du pays d'origine ou sur une canadianité plus diffuse.

Catégorisation et différenciation

La catégorisation identitaire, quand elle prétend fonder l'existence de communautés ethniques, ne renvoie pas simplement au choix d'un lexique adéquat, elle révèle les enjeux et les rapports de force qui sous-tendent la question nationale et la question ethnique. Elle permet de situer les facteurs d'inclusion et d'exclusion des groupes ethniques et le bricolage identitaire complexe qui en résulte. Ces notions définissent la relation avec l'autre et s'inscrivent dans une dynamique qui trahit les frontières symboliques entre les groupes.

Plusieurs leaders d'origine haïtienne soulignent la propension à la catégorisation qui caractérise les milieux gouvernementaux, surtout lorsqu'il s'agit d'appliquer des programmes d'accès à l'égalité en emploi :

Ces termes m'agacent tous à cause de la valeur absolue et définitive qu'on leur donne. Il est important de ne pas nier les spécificités de l'individu. Surtout dans le cadre de programmes. Il faut, lorsqu'on veut cibler certaines choses, avoir des objectifs, il faut qu'on diagnostique bien les choses. Ce qui m'embête, c'est lorsque l'on déborde ces programmes sociaux et que cela s'impose comme réalité. J'en ai marre d'être juste une minorité visible ou juste une communauté culturelle (femme, 40 ans).

Aux expressions habituelles (groupe ethnique, ethnie, communauté culturelle, communauté ethnique, race, groupe racial, Néo-Québécois[20]), les interviewés préfèrent le concept de « Québécois d'origine... » qui met l'accent sur l'insertion dans le Québec. On dénonce l'hypocrisie qui entoure les références ethniques, et des leaders souhaitent l'élimination de toute une terminologie qui contribue au maintien de ghettos et des distinctions désuètes qui affectent les enfants nés au Québec, empêchant leur plein enracinement :

Quand quelqu'un commet un crime, c'est un Montréalais qui a fait un crime, point ! Pas un Montréalais d'origine haïtienne. Quand c'est juste un Montréalais, ça finit là ; quand ce n'est pas bon, ça devient un Montréalais d'origine haïtienne. C'est ça que je n'aime pas (homme, 44 ans).

D'autres insistent par contre sur le « besoin de nommer la réalité » et, donc, sur la nécessité de catégories, comme celle de « minorité visible[21] », qui renvoient à la discrimination vécue,

---

20. Pour la définition officielle des communautés culturelles voir Comité d'implantation du plan à l'intention des communautés culturelles (CIPAC), *Rapport annuel* 1981-1982 ; et Gouvernement du Québec, *Au Québec pour bâtir ensemble. Énoncé de politique en matière d'immigration et d'intégration*, ministère des Communautés culturelles et de l'immigration, 1990. Pour une discussion critique voir J. Bauer, *op. cit.*

21. Le ministère canadien de l'Emploi et de l'Immigration définit les minorités visibles comme des « personnes autres que les autochtones qui ne sont pas de race blanche ou qui n'ont pas la peau blanche et qui se

la traduisent ou la rappellent : « Les termes de "minorité visible", c'est juste la traduction d'une réalité. Comment on considère cette minorité, ça c'est autre chose », estime un leader.

La manipulation de ces termes peut aussi obéir à une stratégie de revendications personnelles ou collectives : « Minorités visibles, c'est un concept, c'est du jargon administratif. Je l'utilise quand ça fait mon affaire, quand je fais des réclamations. »

Pour des leaders d'origine italienne, le lexique utilisé dans les débats actuels met en relief les contradictions entre l'égalité de droit de tous les citoyens et le maintien de différences basées sur l'origine ethnique, une réalité qu'il convient certes de nommer, mais qui est toujours en constante reconstruction dans la sphère publique :

> Une année, on est des Néo-Québécois, une autre année on est des minorités visibles, une autre année, on est autre chose. Et ça démontre le peu d'importance de ce qu'on est, parce qu'on peut nous appeler n'importe comment. La question, c'est comment les autres nous appellent, comment ils nous définissent. Ça ne vient jamais de nous (femme, 36 ans).

On relève de même les contradictions du « discours officiel » qui prétend faire de tous des canadiens ou des québécois mais qui oblige, en toute « logique », à adopter des « mots qui identifient », qui différencient :

---

reconnaissent comme telles auprès de leur employeur ». Par ailleurs, dans une étude effectuée par le ministère du Multiculturalisme et de la Citoyenneté à partir des données du recensement de 1986 (*Les minorités visibles au Canada en 1986. Présentation graphique*, mars 1989), il est noté que les « groupes définis comme minorités visibles par la loi sont les Noirs et/ou les Antillais, les Chinois, les Sud-Asiatiques, les Arabes et les Ouest-Asiatiques, les Asiatiques du Sud-Ouest, les Latino-Américains et les individus originaires des îles du Pacifique ». En 1992, les Libanais ont été ajoutés à cet ensemble racisé.

Selon le discours officiel, nous sommes tous des Québécois, nous sommes tous des Canadiens. En même temps, on accepte une certaine différenciation basée sur le discours interculturel, multiculturel. Il faut alors des termes qui identifient et catégorisent (homme, 41 ans).

Certains termes et expressions leur semblent inacceptables. De manière générale, les références à la profondeur de l'enracinement ou à l'ancienneté de la « souche » sont particulièrement mal reçues. L'expression de « minorité visible » est « blessante ». Plutôt que d'« ethnie », certains préfèrent parler de « communauté culturelle » ou encore de « communauté d'origine... ».

La majorité des interviewés d'origine italienne acceptent avec une ferveur mitigée d'être identifiés comme « Québécois d'origine italienne », ce qui leur semble la meilleure solution. Cette expression leur paraît témoigner à la fois de la réalité complexe du Québec et de leur apport particulier à la société québécoise, dépassant le débat terminologique au sein du groupe italien lui-même où se sont opposés les « Canado-Italiens » et les « Italo-Canadiens » :

La réalité c'est que le Québec est formé — le Canada, l'Amérique — de gens qui proviennent de différentes nations ou pays. Pour quelle raison se cacher ? Au lieu de présenter ça en négatif, nous devons chercher à le mettre sur un plan positif. C'est-à-dire que le Québec, le Canada, ont la chance d'avoir tant de cultures mises ensemble. Alors je ne vois pas pour quelles raisons je dois me sentir blessée que quelqu'un reconnaisse que moi, avant d'être québécoise, j'étais italienne. Je suis très contente que les gens fassent la distinction. Moi, j'ai apporté ma culture italienne, mon savoir-faire italien, je l'ai offert au Québec (femme, 48 ans).

Quelques interviewés soulèvent des difficultés plus profondes. Ainsi les termes de « francophones » et d'« anglophones » sont particulièrement mal utilisés puisqu'ils lient de manière étroite langue et culture, éliminant du même coup les membres de groupes ethnoculturels dont la langue prédominante est le français :

> Ce qui m'agace, c'est que quand on dit communauté francophone, on parle seulement des Français. Or, communauté francophone veut dire communauté de personnes dont la langue maternelle est le français. Cela inclut les Haïtiens, les Marocains, beaucoup de gens qui ne sont pas canadiens-français. Quand on parle de Québécoises, très souvent on ne m'inclut pas. Qu'est-ce que je dois faire pour devenir québécoise ? (femme, 38 ans).

Les termes utilisés pour décrire les immigrants en général, et notamment les groupes ethniques, laissent aussi insatisfaits la plupart des leaders juifs. Certains insistent sur la nécessité de recourir à des termes plus neutres et d'éviter les analogies qui camouflent en fait l'exclusion :

> On peut passer d'immigrants à communautés culturelles et, à la limite, à Néo-Québécois. Je dis bien à la limite. Mais, est-ce qu'il peut y avoir un passage après, à Québécois ? Là, il y a un saut qualitatif, une rupture qui s'opère. C'est ça qui m'intéresse, comprendre pourquoi l'autre n'est pas reconnu à part entière. On me positionne, c'est un peu ça qui me fatigue (homme séfarade, 36 ans).

La politisation de la terminologie soulève aussi des questions, car l'adoption de nouveaux termes correspond à des modes dictées par les gouvernements. La signification de plusieurs termes est alors pervertie et récupérée par le discours politique :

> Le problème, c'est que certains mots étaient appropriés pour signifier certaines choses, et on a perdu le sens de ces mots. Par exemple, ethnique. Tout le monde a une origine ethnique, y compris les Canadiens français, les Anglo-Saxons... Or, le mot ethnique est devenu tout ce qui n'est pas anglais ou français (femme ashkénaze, 43 ans).

La thèse des deux peuples fondateurs suscite de vives réactions, car elle contribue à occulter l'apport des autres groupes à la construction du pays et à créer des citoyens de seconde classe :

> Comme si les deux soi-disant peuples fondateurs n'étaient pas des immigrants. Si un groupe se considère comme installé ici depuis toujours, et aux yeux de qui tous les autres sont admis ici par grâce, ou par privilège, il crée tout de suite des problèmes. Le fait d'accorder le droit d'installation, c'est très compliqué. Qui définit les règles d'immigration et sur quelles bases ? (femme ashkénaze, 41 ans) ;

> Sur la question des peuples fondateurs, j'ai l'impression que c'est toujours le vainqueur qui écrit son histoire. Mais sans récrire l'histoire, ne pourrait-on pas lui rajouter des pages ? Que le Canadien français ou le Québécois francophone dise qu'il a pétri ce pays depuis la Confédération, ça va. Mais ce qu'il a pétri, il ne l'a pas pétri seul. Ensuite, si le fait d'avoir pétri ce pays-là, c'est créer des citoyens de seconde zone, je ne suis pas d'accord (homme séfarade, 36 ans).

La complexité de la terminologie apparaît encore dans la polysémie des mots. Les points de vue à cet égard sont fort différents, sinon diamétralement opposés. La notion de « communauté culturelle » semble préférable à celle de « communauté ethnique », mais dans bien des cas, ces concepts évoquent une forme de ségrégation, une façon d'affirmer que les communautés culturelles se distinguent des autres composantes de la société. Pour d'autres, au contraire, l'idée de « communauté culturelle » apparaît trop limitative, car elle ne rend pas compte du statut de « minorité », évacuant aussi la dimension politique et sociale. La préférence semble aller à « groupe ethnique » ou « minorité ethnique ».

Plusieurs souhaitent qu'on remplace « allophone », « anglophone » et « francophone » par « Canadien » ou « Québécois ». Mais ce point de vue n'est pas partagé par tous, car beaucoup de séfarades tiennent à s'identifier en tant que francophones. « Néo-Québécois » et « Québécois de vieille souche » sont aussi peu prisés :

> Si on parle de Néo-Québécois, on devrait parler d'Archéo-Qué-
> bécois et donc de Crypto-Québécois et puis on ne s'en sort plus.
> Les gens qui habitent sur ce territoire qu'on appelle le Québec,
> peuvent-ils se définir un projet commun dans lequel se retrouver
> et se reconnaître ? (homme séfarade, 48 ans).

Certains voient pourtant dans la notion de « Québécois de vieille souche » la référence à une identité riche, dont les racines remontent à trois cents ou quatre cents ans. Elle peut même nourrir une légitime fierté à la condition cependant qu'elle ne serve pas à exclure les autres Québécois. Par ailleurs, à peu près tous les leaders rejettent les expressions à connotation racisante, notamment celles d'ethnie et de minorité visible, sans pouvoir pourtant proposer de concept de rechange. Néanmoins, dans le cas de la promotion de programmes d'accès à l'égalité les termes de « minorité visible » semblent utiles : ils font aujourd'hui penser « aux Noirs, aux Latinos, aux Asiatiques. Mais il y a cinquante ans, on pensait aux Grecs, aux Portugais, aux Italiens. Et puis, visibles, on est tous visibles par l'accent. »

Dans l'ensemble, les leaders d'origine libanaise rejettent tous les termes qui peuvent marginaliser ou ghettoïser les groupes ethniques. Le terme d'« importé » apparaît particulièrement insultant :

> Je vous avoue franchement que toutes les appellations, ethnique,
> multiculturalisme, convergence culturelle, etc., ça me dérange. Le
> fait de ghettoïser les gens par des dénominations et des déter-
> minations très précises ne favorise pas l'engagement dans l'en-
> semble de la société (homme, 54 ans) ;

> Je ne peux pas supporter qu'on dise ni Néo-Québécois, ni mino-
> rités culturelles, ni les ethnies ; j'ai toujours l'impression que ça
> fait partie d'un zoo (femme, 58 ans) ;

Je ne veux plus qu'on m'appelle immigrante. Cela fait dix-neuf ans que je suis ici, que je fais tout pour être comme tout le monde. On me dit : oui, mais vous venez ici pour étudier, puis vous travaillez, on vous donne des jobs... Je dis : ce n'est pas par charité. Il faut que les gens comprennent que les immigrants ne sont pas ici parce qu'ils ont de beaux yeux. On est ici parce qu'on est, économiquement parlant, profitables (femme, 44 ans).

La citoyenneté canadienne devrait à cet égard éliminer toute différence au plan social. Dans le même sens, plusieurs s'opposent à ce que la communauté libanaise soit considérée comme une « minorité visible », trouvant préférable une « politique d'intégration », mais sans contester par ailleurs l'utilisation de cette catégorie pour d'autres groupes qui ont de réels problèmes d'intégration :

Je pense qu'il est préférable qu'il y ait une politique d'intégration, d'unité, d'unification. C'est vrai qu'il y a certaines minorités visibles qui ont peut-être des problèmes. Les Noirs, par exemple, ont des problèmes d'intégration beaucoup plus graves que les autres. Le Libanais en général n'a pas de problème d'intégration. Peut-être parce qu'il a de l'ouverture, peut-être aussi parce qu'il parle français (homme, 53 ans).

En conclusion, si des leaders ne semblent pas avoir de position définie sur la terminologie, nombreux sont ceux qui dénoncent la catégorisation abusive basée sur l'origine ethnoculturelle ou religieuse telle qu'elle a cours au Québec et au Canada. Être considéré comme québécois à part entière semble un des défis sociaux pour l'avenir.

Idéologies et politiques de gestion de la diversité ethnoculturelle

Que l'on se réfère à la politique fédérale du multiculturalisme et du bilinguisme, à la politique de convergence culturelle du Parti québécois énoncée dans *Autant de façons d'être Québécois*, en 1981, ou à la politique québécoise plus récente d'intégration et d'interculturalisme formulée dans l'énoncé de politique en matière d'immigration et d'intégration adopté en 1990, la question des idéologies et des politiques ethniques proposées par les gouvernements soulève des problèmes fondamentaux.

Les leaders, dans leur ensemble, dénoncent la confusion et l'ambiguïté qui règnent en matière d'idéologies et de politiques de gestion de la diversité ethnoculturelle, dont les objectifs sont flous :

> J'entends ces termes dans différents discours, ça veut dire tant de choses différentes que finalement je n'arrive pas à y voir clair. Parfois je ne sais plus si les gens qui les utilisent savent de quoi ils parlent (femme ashkénaze, 41 ans).

Plusieurs distinguent d'ailleurs mal la politique du multiculturalisme et du bilinguisme du gouvernement fédéral et la politique d'intégration du Québec axée sur la notion d'interculturalisme. Quant à la politique de convergence culturelle, elle est encore moins connue.

Faisant pendant à la politique du bilinguisme, la politique du multiculturalisme, adoptée par le gouvernement fédéral en 1971, modifie les recommandations de la commission Laurendeau-Dunton sur la reconnaissance du caractère biculturel du Canada. Cette idéologie politique repose sur la conception d'un Canada formé de différentes cultures coexistant dans un cadre de bilinguisme officiel et qui ont toutes droit au respect : « Nous croyons que le pluralisme culturel est l'essence même de l'identité canadienne. Chaque groupe ethnique a le droit de conserver et de faire épanouir sa propre culture et ses propres valeurs dans le contexte canadien. Dire que nous avons deux langues officielles, ce n'est pas dire que nous avons deux cultures officielles, et aucune n'est en soi plus officielle qu'une autre. Une politique de multiculturalisme doit s'appliquer à tous les Canadiens sans distinction[22]. »

Selon un sondage de la revue *Multiculturalisme et Citoyenneté Canada,* il semble que « quatre personnes sur cinq sont d'avis que le multiculturalisme joue un rôle essentiel en favorisant l'unification du pays[23] ». Les positions officielles des groupes ethniques ne reflètent pas toujours cette conclusion. Ainsi, la Fédération de la presse italo-canadienne a soutenu devant la commission Bélanger-Campeau, que « sans s'en apercevoir, le gouvernement d'Ottawa a infiltré entre nous un virus camouflé sous le nom de multiculturalisme[24] » ; la Fédération ajoute aussi qu'Ottawa utilise sa politique pour diviser et ainsi mieux établir sa suprématie. De leur côté, le Congrès national des Italo-Canadiens et la FILEF ont demandé à la même commission que l'on assure pleinement la promotion des objectifs d'intégration et que l'on reconnaisse le Québec comme une société à caractère interculturel[25].

Les leaders des quatre groupes font aussi état de positions contradictoires sur le multiculturalisme. Pour plusieurs, la politique fédérale associée au droit de conserver sa culture et sa langue permet une intégration en douceur dans la société, contrairement aux politiques québécoises, plus rigides sur le plan linguistique. La notion de *melting pot* apparaît mal appropriée au contexte canadien où chaque groupe ethnique peut préserver son identité, ses traditions et sa langue.

---

22. P. E. Trudeau cité dans F. Hawkins, *Critical Years in Immigration. Canada and Australia Compared,* McGill-Queen's University Press, 1989, p. 219.

23. Multiculturalisme et Citoyenneté Canada, « Une enquête sur les attitudes », *Ensemble,* vol. 1, n° 2, printemps 1992.

24. Fédération de la presse italo-canadienne, *Mémoire pour la Commission sur l'avenir politique et constitutionnel du Québec,* 1990, p. 1.

25. Congrès national des Italo-Canadiens & FILEF, *Mémoire présenté à la Commission parlementaire sur l'avenir politique et constitutionnel du Québec,* 1990.

Certes à l'occasion, on a pu déplorer, comme le notent des leaders d'origine haïtienne, le « saupoudrage » de petites subventions aux groupes haïtiens et l'accent mis sur le « folklore » au détriment de la culture actuelle ou des activités sportives, pourtant plus proches des milieux visés. Ces critiques s'appliquent cependant aux deux gouvernements, et l'acceptation du multiculturalisme s'accompagne de la nécessité de s'intégrer à la « société d'accueil » ou à la « communauté québécoise » :

> On vous a accueillis dans un pays, vous devriez vous intégrer à sa culture, mais vous devriez aussi promouvoir la vôtre. Faire profiter la société d'accueil aussi (femme d'origine haïtienne, 41 ans) ;

> D'un côté, nos enfants sont des Québécois, nés au Québec et ils doivent s'intégrer dans la communauté québécoise. Mais il ne faudrait pas non plus qu'ils perdent le contact avec leur culture parce qu'il y a des choses que les parents n'accepteraient jamais que les enfants adoptent. Il y a certaines choses qui nous sont propres (homme d'origine haïtienne, 46 ans) ;

> J'aimerais qu'une ethnie n'oublie pas ses origines et qu'elle soit bien intégrée. J'aimerais bien que mes enfants parlent toujours leur langue. Parce qu'il y a quelque chose qui vous relie à votre pays, à vos racines. J'aimerais bien que ce soit respecté et que chaque ethnie maintienne sa langue. Mais que ce ne soit pas une différence entre Québécois. Que chaque ethnie parle sa langue, mais que cette langue ne crée pas de différences dans le fait même d'être québécois et canadien (femme d'origine libanaise, 58 ans).

La préservation des différences est saine, selon plusieurs leaders juifs, puisqu'elles permettent des contributions plus riches à la société, sans freiner pour autant la participation à « la société au niveau économique, politique ou religieux ».

Un leader d'origine italienne se dit favorable à la politique canadienne du multiculturalisme où il voit un « élan à fraterniser » et qui lui semble donner aux groupes « la possibilité de garder leur culture, leur langue, leurs coutumes » pour « encore une ou deux générations » et de s'intégrer « doucement ». Il se montre par contre très opposé à l'idéologie « du Parti québécois » qui lui paraît vouloir « tout de suite des gens qui soient québécois », ce qui aurait pour effet indirect de créer, par réaction, un « bloc immigrant ». Pour un militant de l'une des plus puissantes organisations politiques de la communauté italienne, le multiculturalisme apporte « un bénéfice aux communautés en général », mais s'il signifie que les Italiens ne « font affaire » qu'avec les Italiens et les Grecs avec les Grecs, il faut le rejeter.

Cette politique présente toutefois de nombreux inconvénients puisque, par ses effets pervers, elle n'encourage pas la pleine participation et l'intégration à la société québécoise. En entretenant la différence, elle la rappelle constamment, maintenant ainsi « certains mythes des origines » et les stéréotypes. Du reste, pour plusieurs, l'ethnicité devrait relever essentiellement de la sphère privée ; dans la sphère publique, « nous sommes tous des Québécois » :

> Sous mon toit, je peux manger libanais, je peux parler l'arabe, je peux écouter la musique qui me plaît. Mais quand je sors d'ici, je suis québécoise. À part entière. Dans la vie civile au Québec, nous sommes tous des Québécois, nous vivons en français, nous étudions en français et nous suivons le système politique, le système de l'État, et c'est ça que nous sommes (femme d'origine libanaise, 54 ans) ;

> Si on parle de préservation de la culture des immigrants, il ne faut pas tomber dans le folklore. Il ne faut pas non plus que cela devienne un *melting pot* comme aux États-Unis où tout le monde est américain avant tout, au détriment de sa culture ou de ses origines. À la maison, qu'ils maintiennent leurs traditions et leur culture, mais quand ils sont dans la rue ou qu'ils sont au travail ou qu'ils sont à l'école, ils font partie de la majorité francophone. L'un n'est pas incompatible avec l'autre (homme d'origine italienne, 22 ans).

Le multiculturalisme érige aussi des cloisons entre les groupes, ce qui les isole les uns des autres tout en les plaçant en position de rivalité :

> Vous êtes tous différents, vous appartenez à des cultures différentes, restez comme vous êtes. On subventionne les Grecs pour qu'ils restent avec les Grecs, les Italiens avec les Italiens... Restez bien dans votre culture, comme ça la culture dominante va pouvoir demeurer en place (femme d'origine italienne, 50 ans).

De plus, comme le patriarcat et le multiculturalisme sont, selon des femmes leaders, liés, les femmes ne peuvent pénétrer les associations masculines, subventionnées par le gouvernement fédéral. Cette stratégie affaiblit les groupes, les empêche de participer pleinement, car elle maintient « les communautés ethniques avec leurs propres élites » tout en empêchant « les élites ethniques de participer au pouvoir avec les autres élites ».

Politique dans l'impasse, le multiculturalisme serait un « débat dépassé », car les enjeux ne se situent plus sur le terrain de la culture et du folklore mais bien sur ceux de l'économie et de la politique, ce que l'évolution des « communautés culturelles » démontrerait :

> Les membres des communautés culturelles vont représenter un pourcentage important du produit national brut du Québec dans vingt ans. Ils vont représenter un pourcentage important des compagnies, des professionnels et autres. Et je pense que ces gens vont apprendre à travailler ensemble (homme d'origine italienne, 41 ans) ;

> Pourquoi continuer dans le bilinguisme national de Trudeau quand bientôt ces questions ne se poseront plus ? Une fois que le Québec sera français et le reste sera anglais, qui pensera au syndrome italien ? Le problème, c'est que le multiculturalisme, c'était l'opium des Canadiens, donné par les gouvernements, pour ne pas faire face à la réalité du Canada. On pouvait dire qu'on avait une

politique multiculturelle avec des budgets ridicules pour justement ne pas avoir de problèmes avec les francophones (homme d'origine italienne, 53 ans).

Cette philosophie politique affaiblit en outre l'unité et l'identité canadiennes. Ségrégationniste dans son fondement, elle met l'accent sur le maintien de l'ethnicité aux dépens de l'intégration nationale en insistant plus sur les différences que sur les similitudes :

> Les institutions politiques ne doivent pas être là parce qu'elles reflètent une réalité, mais parce qu'elles ont un but partagé par la société. Et si on va plus loin dans cette direction, c'est malheureux. Le Canada anglais, à mon avis, a fait certaines erreurs dans ses politiques, c'est une des raisons pour lesquelles le Canada anglais est tellement affaibli comme société distincte. Et le Québec doit se pencher sur cette question d'intégration des communautés culturelles, mais essayer d'éviter les erreurs anglo-canadiennes. Il y a des choses qu'on peut faire pour les groupes ethniques qui soient intégratrices. Il faut faire le choix entre donner un service nécessaire aux individus dans un groupe ethnique et les encourager à se ghettoïser (homme ashkénaze, 45 ans).

L'hégémonie de l'État, surtout dans le domaine éducatif pour assurer l'intégration et l'émergence d'un sentiment commun d'appartenance, apparaît donc nécessaire à quelques-uns :

> Laissez chacun préserver ce qu'il a à préserver. Mais à un moment donné, il faut qu'il y ait quelque chose de commun, et ça ce sont les programmes du ministère de l'Éducation qui vont le donner (homme séfarade, 55 ans).

Dans la foulée des principes de la politique de convergence culturelle, le gouvernement du Québec proposait en 1990 un projet d'intégration des immigrants et des groupes ethnoculturels axé sur l'idée de contrat moral, comme garant d'une intégration réussie « devant permettre aux Québécois de toutes origines de bâtir ensemble le Québec de demain ». Ce contrat moral suppose que la société d'accueil exprime ses attentes et assume ses obligations face aux immigrants ; il suppose aussi que, en retour des droits qu'ils obtiennent, les immigrants assument leur part de responsabilité dans le développement de la société d'accueil.

Trois principes dominent cette approche : premièrement, le Québec est une société distincte dont le français est la langue commune de la vie publique et il s'attend à ce que l'immigrant conjugue ses efforts aux siens pour maintenir et développer ce trait distinctif ; deuxièmement, le Québec est une société démocratique fondée sur la pleine participation de tous ses membres, il combat donc la discrimination et s'attend à l'implication des nouveaux citoyens dans tous les secteurs de la vie sociale ; troisièmement, le Québec est pluraliste et ouvert aux apports de cultures diverses mais s'attend à ce que les nouveaux arrivants contribuent à l'enrichissement commun dans le respect des valeurs démocratiques à travers l'échange intercommunautaire[26].

Même si une partie des leaders ont été interviewés avant que cette politique ne soit rendue officielle, les notions d'intégration et d'interculturalisme circulaient déjà dans la société québécoise en particulier dans le champ de l'éducation interculturelle.

L'interculturalisme semble rallier davantage les leaders qui évoquent, pour le définir, la capacité de « vivre ensemble dans une certaine union », la « communication », la « compréhension », la « tolérance ». Contrairement à « l'intégration forcée », c'est un mode d'échange qui permet la création d'une « culture nationale composée d'un ensemble de cultures », d'une culture québécoise « qui aurait une coloration francophone mais avec

---

26. Gouvernement du Québec, *Au Québec pour bâtir ensemble, op. cit.*

un apport multiculturel » dans toutes les dimensions de la vie collective.

Pour des leaders d'origine haïtienne, il est préférable de parler d'interculturalisme plutôt que de multiculturalisme, car l'« insécurité culturelle » empêche encore le peuple québécois d'être « ouvert aux communautés ethniques ».

Parmi les leaders d'origine italienne, paraphrasant Bernard Landry, alors vice-président du Parti québécois, une femme affirme que l'interculturalisme peut se résumer dans la formule : « Un Québécois est une personne qui vit au Québec et qui aime le Québec. » Cette perspective permet de prendre conscience des similitudes plutôt que des différences entre la culture québécoise et les cultures immigrées, dans le contexte scolaire par exemple :

> Pour qu'il y ait interculturalisme, il faut qu'il y ait au moins deux ensembles culturels ou deux cultures. Et c'est là que le concept de culture immigrée entre en jeu. Sans vouloir gaver ni les francophones de cultures immigrées ni les allophones de culture québécoise et de cultures immigrées à la fois, je crois que les deux cultures doivent être présentes dans nos institutions scolaires. C'est-à-dire qu'on doit enseigner la culture immigrée et la culture québécoise, par la géographie, etc., et c'est ça, selon moi, le sens de l'interculturalisme (homme, 43 ans).

Cette option aurait une portée économique internationale en faisant des « groupes ethniques » des « ambassadeurs » économiques du Canada dans leur pays d'origine :

> L'interculturalisme qui devrait remplacer le multiculturalisme du fédéral devrait consister à développer les possibilités et à tirer profit de la présence des immigrants. Prenons l'exemple des pays de l'Est. Ils vont passer à une économie mixte. De quelle manière allons-nous accéder à ce marché ? Les groupes ethniques au Canada pourraient jouer le rôle d'ambassadeurs (homme, 55 ans).

Pour d'autres, l'interculturalisme est un concept creux qui masque la nécessité de l'intégration à la culture de la majorité et ne tient pas compte de la réalité des rapports de force au sein des sociétés d'accueil :

> Il ne peut y avoir qu'une culture qui est influencée par la force des autres, mais c'est toujours une culture. Il n'y en a pas de pays bilingues parce que, tôt ou tard, il y en a une langue qui doit disparaître (homme, 43 ans).

En 1981 dans *Autant de façons d'être Québécois*, le gouvernement du Québec a proposé une politique de convergence culturelle qui se démarque de la politique du multiculturalisme. Il affirme que le Québec est une nation dont le caractère français est primordial ; il définit la culture française comme un foyer de convergence des autres cultures que, par ailleurs, il entend maintenir originales et vivantes partout où elles s'expriment. Le plan d'action s'appuie sur quatre principes : le caractère distinct du Québec au sein du Canada et la nécessité de préserver son caractère français ; le respect du principe de l'égalité des personnes ; le principe de l'épanouissement des communautés culturelles dans l'échange d'égal à égal et le rapprochement avec la communauté francophone ; le principe de la pleine participation des communautés à la vie nationale québécoise[27].

La majorité des leaders considèrent cette perspective comme inadéquate et illusoire car elle force le rythme d'intégration culturelle en voulant greffer l'ensemble des cultures sur un tronc commun, ce qui revient en fait à une politique assimilationniste à peine déguisée :

---

27. G. Godin, *Notes pour l'allocution de monsieur Gérald Godin ministre des Communautés culturelles et de l'Immigration*, Winnipeg, conférence fédérale-provinciale sur le multiculturalisme, 1985.

Et il faudra respecter le fait que les Grecs aient leurs églises, les sikhs leurs temples. C'est la seule manière de fonctionner. On ne doit maintenir ni l'idée d'assimilation, ni l'idée d'une greffe sur le français (femme ashkénaze, 53 ans) ;

On peut dire que les États-Unis c'est un *melting pot*, mais ça ne l'est pas vraiment. On regarde le Canada qui est multiculturel et on n'est pas un pays, on n'a pas encore décidé ce qu'on est parce qu'on a gardé cette distinction. La convergence ne va jamais se faire en poussant et en forçant, comme le voulaient les péquistes (femme ashkénaze, 45 ans).

Pour d'autres, si la notion de convergence culturelle est intéressante, celle de culture québécoise reste problématique dans son contenu :

La convergence culturelle en ce qui concerne le Québec, c'est quelque chose que je comprends et à la limite j'y souscris. Reste à savoir comment on définit la culture québécoise. Comment se mettre d'accord sur la culture vers laquelle les communautés doivent converger ? Si le Québec veut rester une société distincte en termes de pérennité de la culture francophone en Amérique du Nord, je crois qu'on n'a pas d'autre voie que la convergence culturelle, pour autant que la culture vers laquelle on doit tous converger ne soit pas exclusive et que les cultures dites minoritaires en soient aussi parties prenantes (homme séfarade, 36 ans).

En résumé, certains des éléments de la politique du multiculturalisme qui ne correspondent pas aux conditions socio-économiques et qui freinent l'intégration sont remis en question. Le projet de convergence culturelle soulève quant à lui des réticences. Le projet d'interculturalisme semble à l'heure actuelle présenter la perspective la plus intéressante. Cela dit, les leaders sont perplexes face à ces politiques étatiques et à la confusion, la politisation et l'ethnicisation qui les accompagnent.

La représentation politique

La représentation dans le système politique canadien et québécois touche deux aspects : un aspect quantitatif et un aspect qualitatif. Les groupes ethniques semblent absents ou sous-représentés dans le système politique canadien et québécois[28]. De plus, leur vassalisation vis-à-vis de l'État ou des partis politiques dominants empêche la libre expression de leur pouvoir.

L'ensemble des leaders d'origine haïtienne notent que leur groupe n'est presque pas représenté sur la scène politique et mentionnent comme facteurs pouvant expliquer cette sous-représentation les préoccupations face à la situation dans le pays d'origine qui détournent une partie des énergies d'éventuels leaders, le caractère récent de l'immigration et le manque d'unité communautaire, le non-engagement des intellectuels dans les partis politiques dominants, la faible prise de conscience de la force politique que pourrait constituer la communauté, et l'ignorance du milieu, des rouages et des centres de décision aux différents paliers de l'appareil politique. Il semble cependant que la question de la représentation politique des citoyens d'origine haïtienne commence à se poser plus sérieusement :

> Les Haïtiens ne participent pas encore de façon significative aux différentes instances politiques. Tout d'abord, simplement par méconnaissance. Ils ne savent pas que, compte tenu qu'ils sont cinquante mille à Montréal, ça pourrait représenter une grosse force politique. Les Haïtiens qui s'intéressent à la politique s'y intéressent plutôt en tant qu'individus et beaucoup moins en tant que collectivité (homme, 42 ans) ;

> Les Haïtiens ne sont pas bien représentés dans les instances politiques. Mais je ne crois pas que nous ayons à blâmer les dirigeants

---

28. Voir C. Simard *et al.*, article cité.

politiques pour cela, c'est là la partie que les Haïtiens doivent jouer, leur propre partie, en s'impliquant vraiment dans les organes existants : partis municipaux, provinciaux, etc. C'est une préoccupation qui commence à se manifester (homme, 42 ans).

La qualité de la représentation serait affectée par les « mauvais choix » que feraient les partis politiques. Cela expliquerait l'échec des tentatives récentes pour faire élire des candidats d'origine haïtienne souvent peu qualifiés :

> Les partis ne recrutent pas bien. Tous les partis, fédéraux, provinciaux, municipaux, font les mauvais choix. Ils vont chercher les gens les plus connus. Et très souvent ça ne reflète pas la réalité de la communauté haïtienne. Ils ne vont pas chercher les leaders des milieux populaires. Ils vont chercher un sociologue, un médecin, des gens comme ça. Il y a des personnalités qui sont mûres, ce ne sont peut-être pas toujours celles qui se présentent. Et j'ai peur qu'on se retrouve avec un vide de ce côté, qu'il y ait beaucoup de candidatures relativement farfelues, où n'importe qui sera là, parce que c'est un Haïtien, il faut faire bien, il faut faire nègre de service (homme, 44 ans).

La représentation politique du groupe d'origine italienne aux différents paliers de gouvernement (fédéral, provincial et municipal) suscite des points de vue à certains égards opposés. Dans leur mémoire à la commission Bélanger-Campeau, le Congresso et la FILEF soulignent qu'« après une période d'adaptation, la communauté italienne a maintenant une représentation politique à tous les niveaux gouvernementaux[29] ». Plusieurs leaders partagent ce jugement :

> C'est la seule communauté qui dispose de quatre députés d'origine italienne à l'Assemblée nationale. À l'hôtel de ville c'est la même chose. On a six conseillers d'origine italienne, il y a deux Grecs,

---

29. Congrès national des Italo-Canadiens (région Québec) & FILEF, *op. cit.*, p. 4.

c'est à peu près tout. Ce sont les deux communautés les plus importantes qui sont représentées (homme, 22 ans).

Un sondage commandé par le Parti québécois indique bien le poids de la communauté italienne au moment des élections ou lors d'un référendum. Les résultats permettent de voir qu'elle « détient le contrôle politique de six comtés et peut assurer la réélection du parti libéral dans neuf autres lorsque la lutte devient plus serrée[30] ».

L'influence des Québécois d'origine italienne se ferait sentir concrètement sur la scène politique dans l'est de la ville de Montréal où ils seraient plus fortement concentrés. Selon les leaders, cette représentation cache cependant des failles dans le fonctionnement du système politique. En effet, tous les élus d'origine italienne l'auraient été dans des quartiers à forte concentration italienne :

> C'est relativement facile de se présenter dans un quartier où la majorité des gens sont d'origine italienne. Ça devient plus difficile ailleurs. C'est là qu'on atteindra une certaine maturité politique (homme, 41 ans).

Les avis sont plutôt sévères sur la qualité des élus. Certains sont traités « d'incompétents ». Un des interviewés considère les élus d'origine italienne actuels comme des « porteurs d'eau » sans envergure intellectuelle :

> On aurait besoin d'intellectuels un peu dissidents, mais assez forts intellectuellement pour avoir un ministère ou pour avoir de l'audience. On peut être député libéral, et, tout en appuyant les grands projets du Parti libéral, faire ressortir intelligemment les particularités du Québec (homme, 45 ans).

On relève leur manque de charisme et on note la défense inadéquate des intérêts de leur communauté, que ce soit les

---

30. Parti québécois, *Sondage sur les communautés culturelles, op. cit.*

programmes de maintien des langues d'origine, et donc de l'italien ou les programmes d'accès à l'égalité en emploi. La sous-représentation féminine est une autre preuve de la faiblesse du système politique actuel.

La grande majorité des leaders juifs jugent que leur groupe est bien représenté au palier fédéral, surtout parmi les libéraux, où des Juifs occupent des postes prestigieux, et au palier municipal, grâce à leur concentration résidentielle, encore que, pour plusieurs, les conseillers municipaux juifs ne représenteraient pas la communauté juive comme telle. Au plan de la représentation politique provinciale, en revanche, on estime nettement insuffisant le nombre de députés du groupe. Le vote d'une partie de la communauté pour le Parti Égalité[31] aurait affaibli la représentation juive au sein du Parti libéral et remis en question sa crédibilité. Il semble d'ailleurs exister un certain malaise face au Parti Égalité dont la représentativité est remise en question.

La sous-représentation dans le système politique ne serait que l'image en creux de l'énorme implication dans les nombreuses organisations communautaires qui constituent le champ de l'insertion politique essentiel, ce que certains interprètent comme un manque d'intégration à la société québécoise globale. Le faible engagement politique direct des séfarades ne s'explique pas, selon des leaders, par le manque d'intérêt ou par des difficultés à pouvoir s'y consacrer. C'est plutôt dû au fait que la communauté n'a pas terminé sa phase d'expansion et que ses membres ne peuvent donc pas fournir l'investissement requis par la vie politique. Les énergies sont pour le moment canalisées dans la mise sur pied de structures communautaires plus complètes.

---

31. Rappelons que cette recherche a été effectuée avant les éléctions provinciales de 1994, qui ont balayé le Parti Égalité.

Le manque de programmes communautaires de sensibilisation à la chose politique, l'inexpérience, l'inexistence de structures d'accueil des groupes ethniques dans les partis politiques, l'absence de contacts et de ressources financières interviendraient aussi comme éléments de dissuasion. Les contradictions linguistiques qui traversent le groupe juif se traduiraient en outre par le rejet mutuel des candidats de chacun de ses segments. Certains décèlent pourtant une plus grande volonté de participation chez les jeunes, ce qui pourrait faire accroître à long terme la participation politique.

Les avis diffèrent cependant sur la fonction de l'ethnicité dans le processus politique. Une majorité de personnes seraient convaincues de l'importance de la représentation ethnique, catégorie politique ou groupe de pression. L'influence du groupe sur les décisions dépendrait donc du nombre de députés. D'autres, par contre, rejettent le principe de la représentation ethnique, qui favorise le repli des groupes sur eux-mêmes aux dépens d'une participation à titre de citoyens québécois. D'autres encore n'acceptent ce principe qu'en politique municipale.

Si la représentation politique est encore insuffisante, l'« accès » politique (*lobbying*) semblerait, lui, bien solide, et c'est lui qui permettrait de maintenir la communication entre le groupe juif et les instances politiques. À cet égard, les portes sont toujours ouvertes aux Juifs, dit-on, et cela jusqu'aux plus hauts échelons gouvernementaux. Ces contacts politiques, considérés comme cruciaux, passent le plus souvent par le Congrès juif canadien dont les réseaux d'influence permettent un accès direct aux cercles politiques, tant municipaux que provinciaux :

Nous avons le sentiment qu'à travers le Congrès juif canadien nous avons accès aux décideurs politiques. Nous croyons que nos convictions, nos préoccupations sont prises en considération. Nos propositions ne se traduisent pas toutes en politiques concrètes, mais nous continuons à travailler et nous avons l'impression d'être entendus. Il y a des Juifs qui jouent un rôle dans le processus de prise de décision politique. Mais pour moi la question la plus importante est celle de l'accès aux décideurs (homme ashkénaze, 43 ans).

Dans le cas libanais, selon l'Association canadienne syrienne libanaise du Québec, « plusieurs Québécois d'origine libanaise et syrienne occupent des postes de prestige à la fonction publique, ainsi que dans le domaine de l'éducation. Certains membres de [cette] communauté se sont impliqués en politique active aux niveaux fédéral, provincial et municipal, et dans bien des cas ils sont titulaires, élus ou nommés, de postes prestigieux[32]. »

Les leaders d'origine libanaise évaluent pourtant de façon contradictoire la représentation de leur groupe dans le système politique, même s'ils sont unanimes à souhaiter l'améliorer.

La faible représentation des leurs sur ce terrain s'expliquerait par la guerre civile dans leur pays d'origine qui aurait suscité la méfiance et même la crainte à l'égard de l'engagement politique : la « désaffection du politique » dans le groupe trouve sa « source dans les pressions et interventions des puissances étrangères dans l'arène politique libanaise ». La « politisation totale de la société libanaise pendant la guerre civile » a eu pour conséquence de marquer les activités quotidiennes du sceau du politique, ce qui a installé la méfiance à l'égard des partis :

Ils considèrent les partis politiques comme s'ils étaient de leur pays d'origine, parce que les partis politiques là-bas, c'est vraiment clérical. Ça veut dire qu'un communiste est condamné à ne jamais avoir un poste dans l'armée ou dans le gouvernement. Un phalangiste ne pourra pas travailler dans un endroit ou dans une usine

32. Association canadienne syrienne libanaise du Québec, *op. cit.*

où le patron est de gauche ou d'un autre parti. C'est cela la crainte (homme, 44 ans).

Les exigences de l'intégration sociale et économique au Québec laisseraient par ailleurs peu de temps pour un engagement politique significatif :

> La plupart du temps, chacun veut trouver du travail, il veut arriver. Et c'est la première des choses. Ce sont ceux qui sont déjà à l'aise, qui ont un travail sûr et qui sont vraiment très bien chez eux qui vont essayer de faire de la politique (homme, 58 ans).

La faiblesse des structures associatives et l'absence d'un organisme fédérateur empêcheraient de maximiser les ressources du groupe et de mieux assurer sa représentation. Une plus grande participation politique des Québécois d'origine libanaise permettrait, par ailleurs, une meilleure défense des intérêts arabes et palestiniens, tout en faisant contrepoids aux intérêts et au pouvoir de pression de la communauté juive.

La qualité de la représentation du groupe d'origine libanaise dans le système politique ne fait pas l'unanimité, ce qui s'expliquerait en partie par des différences entre les vagues migratoires. Les leaders issus de l'immigration libanaise de la fin du dix-neuvième siècle sont moins portés à critiquer la représentation libanaise actuelle aux différents paliers de gouvernement, contrairement aux leaders de la nouvelle immigration. Une femme leader refuse, par exemple, de reconnaître comme représentant du groupe libanais un sénateur canadien né au Canada. Un autre conteste l'efficacité des élus d'origine libanaise descendants des premiers immigrants, s'interrogeant sur leur sentiment d'appartenance et d'identification à la « communauté libanaise ». Un plus grand engagement politique d'immigrants récents serait nécessaire de manière à assurer une meilleure représentation du groupe libanais.

Parmi l'ensemble des leaders il semble se dégager un consensus : plusieurs candidats ne présentent pas des profils suffisamment remarquables pour assurer une bonne représentation. Cet état de choses ne favorise ni la concurrence à l'intérieur même des groupes ni la compétence du personnel politique, sans assurer non plus une véritable intégration politique.

Les groupes ethniques : troisième force politique ?

Le poids politique des groupes ethniques, selon leur nombre, peut atteindre une masse critique décisive dans plusieurs circonscriptions électorales de la région montréalaise. Comment les leaders évaluent-ils cette masse critique ? Peut-elle constituer une troisième force ou un bloc politique ?

Les leaders d'origine haïtienne se montrent plutôt sceptiques à l'égard du poids que les groupes ethniques peuvent avoir dans la conjoncture politique. Même si on reconnaît la force politique potentielle des groupes ethniques, on insistera davantage sur la diversité de leurs intérêts, même linguistiques :

> Cela pourrait former une coalition, mais ça donnerait quoi ? Ça donnerait quelque chose peut-être à Montréal... Mais les groupes ethniques sont relativement diversifiés, ce n'est pas un bloc. Pour faire un bloc, il faut se lever tôt et puis il faut travailler beaucoup. Ce n'est pas pour demain, il faudrait vraiment qu'il y ait une grosse menace qui pèse sur tout le monde (homme, 44 ans).

Au mieux, on pourrait voir surgir des alliances ponctuelles autour d'une question particulière ou lors d'une élection :

> Ils pourraient, si leurs intérêts étaient convergents, mais ils ne le sont pas. La question de la langue est bien différente pour les Haïtiens et pour les Grecs. Les alliances, c'est toujours ponctuel, par exemple, si des leaders se rendaient compte à un moment donné que pour certaines situations, pour certaines revendications, ils ont intérêt à faire alliance et à pousser sur la machine. Mais il y

a beaucoup de différences entre les communautés culturelles (femme, 40 ans).

Aussi il serait plutôt souhaitable que les groupes ethniques s'alignent sur les partis politiques existants afin de favoriser leur propre insertion :

> C'est vrai que les communautés ethniques peuvent constituer un certain bloc dans la mesure où elles ne se grefferaient pas à la communauté d'accueil ; une sorte de troisième bloc. Mais ce n'est pas ça que je souhaite. Je souhaite que les communautés ethniques se greffent à l'un ou l'autre des deux blocs existants, et que ces blocs aient beaucoup plus le souci de leur composante ethnique (homme, 42 ans).

Dans le cas italien, quelques leaders admettent que les groupes ethniques ont conscience de « l'importance de leur vote », mais qu'ils sont actuellement trop divisés pour constituer une force significative. Cela dit, la réalisation d'une certaine unité pourrait être en mesure d'« influencer fortement la politique du pays Québec et du pays Canada aussi ». Même si les efforts en sont encore au stade préliminaire, la possibilité d'unification politique des groupes ethniques semble réelle :

> Cela devra devenir une troisième force comme une vraie force, mais il faudra régler plusieurs questions entre nous. Et le problème, c'est vraiment d'avoir un programme autour duquel on pourra s'entendre. À l'heure actuelle, il n'y a pas un consensus parmi tous les groupes, parce que chaque groupe a son propre programme (femme, 38 ans).

Si cette force politique des groupes ethniques devait se concrétiser, on s'entend généralement pour admettre qu'elle pourrait être « énorme », comme le suggèrent la situation dans certaines circonscriptions où les groupes ethniques détiennent déjà la balance du vote ou la formation d'une coalition des communautés italienne, juive et grecque lors des discussions sur les accords du lac Meech. Cette force aurait déjà remplacé celle du groupe anglo-britannique dans la recomposition des rapports politiques qui iront en s'amplifiant :

> Dans la région de Montréal, il y aura une évolution lente mais sûre de la culture, dans son sens le plus global, une culture à caractère relativement intégrateur. Mais là, je fais abstraction de l'aspect linguistique. Et cette troisième force va jouer beaucoup plus sur le terrain politique et économique. Mais en français. Et il risque de se créer trois blocs au Québec, un bloc anglophone décroissant, un bloc qui, sur le terrain politique et économique, sera un bloc formé par les membres des communautés culturelles, et un troisième bloc de vieille souche. Mais où tout va se faire en français (homme, 41 ans).

Les leaders juifs ont des opinions partagées sur cette question. Si certains croient en la force politique des groupes ethniques, ils la situent surtout au niveau municipal où ceux-ci exerceraient déjà une pression incontournable. L'influence du vote ethnique au plan provincial serait en revanche limitée et ne s'exercerait que dans des circonscriptions précises où les groupes ethnoculturels peuvent détenir la balance du vote, d'où la cour que leur font les partis politiques. Ces pratiques constitueraient une preuve indirecte que l'intégration ne s'est pas réalisée :

> Je crois que le système politique a forcé les immigrants à se constituer en un troisième bloc, et cette situation est plus exacerbée au Québec qu'ailleurs. Si on n'arrive pas à s'intégrer dans une société, on cherchera des gens qui sont dans la même situation afin de définir une force politique. Mais si les gens ont le sentiment qu'ils sont acceptés et intégrés, leur force politique sera faible (femme ashkénaze, 42 ans).

L'action des groupes ethniques au sein même des structures politiques existantes serait donc nécessaire pour hâter l'intégration à la société québécoise.

L'émergence d'une troisième force politique se heurterait d'ailleurs à plusieurs obstacles : faiblesse des structures de

plusieurs groupes ethniques, rareté de contacts intercommunautaires, propension à se laisser manipuler par les partis
politiques, non-concertation sur des problèmes communs en
raison des divergences d'intérêts, différences de classe à l'intérieur de chaque communauté. La pression qui s'exerce sur
l'expression de l'ethnicité, sur son maintien dans le contexte
social ambiant, sur son utilisation comme force politique,
incite les groupes à développer plutôt une solidarité interne,
difficile à réorienter vers des objectifs transcommunautaires, ce
qui empêche l'apparition d'un leadership panethnique :

> Dans chaque communauté, il y a un problème de classes, d'idéo-
> logies. Il y a certains groupes de réfugiés qui sont plus ou moins
> tous d'une même tendance. Mais même à l'intérieur de ces
> communautés, il y a des différences politiques beaucoup plus
> importantes que peut-être souvent on n'en observe ici. Les gens ne
> s'en aperçoivent pas. Ici, il faut que les groupes soient solidaires
> face à l'extérieur, ils sont forcés d'être solidaires. Mais à l'intérieur
> des communautés, il y a des différences de classes et d'idéologies
> qui sont très importantes (femme ashkénaze, 41 ans).

Un front ethnique serait cependant possible si ces problèmes structurels et idéologiques étaient surmontés, ce qui ne
semble pas envisageable à court terme :

> Je ne suis pas sûre qu'ils peuvent le former. Mais si on doit dis-
> cuter de l'avenir du Québec sans avoir la voix des groupes
> minoritaires, ce serait dommage. Parce qu'il faut se définir comme
> québécois en incluant les Québécois comme moi-même, qui ne
> font pas partie de la vieille souche mais qui veulent rester au
> Québec et qui adorent vivre dans cette province (femme ashké-
> naze, 45 ans).

Cette troisième force devrait être positive, non menaçante
pour la majorité :

> Ces blocs-là ne peuvent pas fonctionner dans le vide et ils ne doi-
> vent pas être perçus par la majorité comme une menace ou

comme des opposants aux aspirations de la société québécoise, de la majorité. Il faut que ce soit une force positive. Mais il faut unir ces forces-là, sinon il n'y a pas de puissance. Il faut convaincre la majorité francophone qu'il y a une place pour tous ces groupes (homme ashkénaze, 41 ans).

Les contradictions politiques réelles non seulement entre les divers groupes ethniques, mais aussi à l'intérieur du groupe lui-même limitent, pour les leaders d'origine libanaise, le développement d'un tel alignement. Ainsi les citoyens d'origine libanaise n'auraient pas une structure de coordination comparable à celle qui a permis la coalition des communautés juive, grecque et italienne. De plus, ils préféreraient participer au débat de façon individuelle, en tant que citoyens et non en tant que membres de groupes. L'hétérogénéité des groupes ethniques, les tensions intercommunautaires et les conflits d'intérêts rendent par ailleurs impossible un tel projet politique, qui ne ferait que rendre plus complexe une situation déjà passablement problématique :

> C'est ça le danger de former des groupes avec les communautés culturelles. C'est cela le danger qui guette la définition de la société québécoise. À un moment donné, on a les problèmes des Premières Nations, les problèmes des Italiens, des Grecs, des Juifs. Si on veut commencer à faire des regroupements de minorités, on va vraiment à la catastrophe (homme, 44 ans).

En résumé, les leaders sont généralement défavorables à l'émergence d'une « troisième force » ou à de larges coalitions politiques basées sur l'appartenance ethnique, mais certains reconnaissent néanmoins l'influence possible du vote des groupes ethniques, au moins dans certaines circonscriptions. Mais si les alliances sont possibles, elles ne sont pas pour autant ni automatiques ni toujours très solides, compte tenu des divergences sociales et politiques entre les groupes.

Indépendance, fédéralisme, affiliations partisanes et participation

Les débats autour des accords du lac Meech et de la question constitutionnelle ont donné aux leaders l'occasion de se prononcer sur l'indépendance du Québec et sur le fédéralisme canadien.

Pour ce qui est de la participation politique, presque tous les leaders d'origine haïtienne reconnaissent que les membres de leur groupe ne participent pas encore très activement à la vie politique du Québec. Ils ne se sentiraient pas toujours impliqués et « n'investiraient encore que très peu dans les partis politiques ». Les facteurs prémigratoires liés à la question politique en Haïti pourraient cependant jouer à la fois pour motiver les sympathies politiques ou, au contraire, pour réduire l'intérêt envers la politique. Ainsi, l'histoire de ce pays, sa lutte pour l'indépendance a pu contribuer à rendre un grand nombre de Québécois d'origine haïtienne favorables aux revendications indépendantistes du Québec. Pour d'autres, l'appartenance à un pays démocratique amplifie l'intérêt pour la chose politique et l'exercice du droit de vote. L'influence des pasteurs protestants sur leurs fidèles semble aussi déterminante pour les orientations politiques dans la mesure où ces leaders religieux sont connectés à des partis politiques locaux.

Plusieurs reconnaissent le caractère fractionné des affiliations partisanes ou se disent incapables de décrire les tendances réelles. Quant au taux de votation, certains leaders le disent très bas, d'autres très élevé. Le vote haïtien, soumis à une propagande et à un chantage de certaines fractions du leadership dont les campagnes laissent planer des doutes sur la place des immigrants dans un Québec souverain, s'alignerait sur la tendance fédéraliste[33] :

---

33. Selon un sondage CROP, publié dans le journal *La Presse*, « seuls 5 % des Québécois de nouvelle souche se disent favorables à la souveraineté du

Probablement que l'option fédéraliste est encore légèrement majoritaire, soit par crainte de l'inconnu, soit parce qu'il y a une propagande selon laquelle les Québécois, une fois indépendants, vont mettre tous les immigrants à la porte, ou encore que les Québécois, une fois indépendants, seront maîtres chez eux, donc maîtres de nous aussi (homme, 44 ans).

La discrimination ou l'instabilité économique qui accompagneraient l'indépendance sont aussi avancées comme raisons de ce choix :

J'ai souvent entendu des commentaires comme celui-ci : on sait quel pays vous voulez, ça va être un pays de Blancs où les Noirs n'auront pas de place, la discrimination va continuer et vous ne respecterez pas les libertés. Le fait que le Québec fasse partie du Canada est vu comme la garantie des droits des minorités (femme, 40 ans).

Le fédéralisme apparaît dans cette perspective comme un garant du statu quo politique qu'il convient de ne pas critiquer ou de menacer par un vote inconsidéré, car ce sont justement les partis fédéralistes, surtout le Parti libéral, qui auraient favorisé l'arrivée des immigrants haïtiens au pays. Certains anti-indépendantistes militants n'auraient d'ailleurs aucun scrupule à recourir à des arguments culpabilisants de plus en plus agressifs pour dénoncer leurs adversaires : « Le Canada est venu vous chercher. Vous nous faites honte. Vous êtes un déshonneur. Vous ferez payer la communauté haïtienne. Vous cherchez à écraser le Canada. »

Québec », alors que 70 % se disent en faveur du fédéralisme et que 16 % sont indécis. Toutefois, pour la catégorie « Noirs francophones » (où l'on retrouve sans doute majoritairement des membres de la communauté haïtienne), le même sondage indique que 57 % des personnes interrogées se prononcent en faveur du fédéralisme, 12 % en faveur de la souveraineté et 16 % se disent indécis (*La Presse*, 16 juin 1992, p. 1).

Certains membres d'associations hésiteraient depuis longtemps à afficher des convictions indépendantistes de peur de
perdre les subventions, « leur rente fédérale », qui assuraient
leur survie. De plus, la politique étrangère canadienne à l'égard
d'Haïti et la contribution canadienne au développement de ce
pays modèrent les prises de position publiques des leaders.

D'autres pensent que les citoyens d'origine haïtienne se
sentent exclus de cette problématique :

> Ils ne discutent pas sur la place publique pour une simple et
> bonne raison : tout ce qu'ils peuvent dire peut être utilisé contre
> eux, parce qu'ils sont pris entre l'enclume et le marteau de toute
> façon. Il faut que la communauté ait déjà les reins solides pour
> pouvoir fonctionner, même quand elle dit des choses avec les-
> quelles la société québécoise ne serait pas trop d'accord. Sachant
> que dans le débat ils ne peuvent pas faire bouger les choses dans
> un sens ou dans l'autre, ils préfèrent ne pas prendre position
> (homme, 42 ans).

Pour certains, le vote haïtien aurait cependant connu
récemment une réelle évolution, en se diversifiant de plus en
plus, l'électorat étant de plus en plus sollicité par les partis
politiques. La candidature de certains leaders pourrait aussi
contribuer à une plus grande mobilisation, accentuée par les
transformations de la situation politique en Haïti de même que
par l'enracinement plus profond en sol québécois :

> Chez les Haïtiens il fut un temps où on votait beaucoup PQ. Mais
> je ne sais pas si c'était pour le PQ ou bien pour René Lévesque.
> Maintenant c'est un peu diversifié. On voit des Haïtiens qui
> votent conservateurs, qui votent pour le fédéralisme, libéral, le
> NPD, c'est vraiment varié (femme, 41 ans).

L'adhésion aux thèses du PQ continue d'être importante,
passant d'un vote de sympathie à un vote réfléchi et engagé. Ce
mouvement est favorisé par le dynamisme du parti et l'ancrage
objectif dans la société québécoise :

Je décèle un ancrage dans la société québécoise. En 1980, les gens qui étaient favorables au PQ ne l'étaient pas parce qu'ils appuyaient eux-mêmes le projet de souveraineté, ils étaient sympathiques aux Québécois, ils se disaient : aidons-les à faire ce qu'ils veulent. Mais ce n'était pas chez nous. Maintenant, il y a une forme d'ancrage dans la société québécoise. Les gens se considèrent comme québécois, ils veulent avoir leur mot à dire et je crois qu'on va assister dans les années qui viennent, de façon très rapide, à l'articulation de besoins précis. Actuellement, les Haïtiens sont un peu au plus offrant. Ils regardent ce qu'on leur dit, du côté libéral et du côté péquiste (femme, 40 ans).

Même s'ils reconnaissent les efforts du PQ envers les immigrants et se souviennent de ses gestes pour régler le problème des Haïtiens illégaux, des leaders, pourtant sympathiques à la souveraineté du Québec, expriment un ressentiment à son égard, lui reprochant de consacrer moins d'efforts, réels et constants, aux groupes ethnoculturels comparativement au Parti libéral :

Les électeurs haïtiens ont toujours voté majoritairement pour le Parti libéral, au fédéral. Mais tel n'est pas le cas maintenant, il y a beaucoup de gens qui votent pour le Parti conservateur. Et au provincial, traditionnellement on vote pour le Parti libéral, qui a toujours fait figure d'un parti plus ouvert aux minorités que le Parti québécois. Le Parti québécois n'a pas ce dynamisme d'aller chercher les gens des communautés. Je ne sais pas s'ils veulent faire figure de parti pur ethniquement, québécois pur, québécois de souche pure (homme, 48 ans).

Autre critique à l'égard du Parti québécois : son incapacité d'attirer des sympathisants ou des membres autres que des « petits bourgeois » ou des « intellectuels ». Quelques leaders ont aussi laissé transparaître un certain agacement de ne pas être reconnus comme de véritables québécois — malgré la langue commune, malgré une même sensibilité et une sympathie pour les revendications québécoises :

Mais nous, Haïtiens, on est là, on n'a pas de problème avec la langue ! Or nous sentons que nous ne sommes pas compris, nous ne sommes pas encouragés. Nous ne sommes pas considérés comme des alliés. Alors il faut que dans la charte, dans la constitution du PQ, il faut que ce soit senti. Moi je suis prêt à faire le saut dès que je saurai que je suis accepté comme membre à part entière du PQ (homme, 56 ans).

L'attribution, par certains dirigeants péquistes, de l'échec du référendum de 1980 au « vote immigrant » aurait contribué à cette désaffection :

J'ai entendu le raisonnement suivant : « Le Québec n'est pas indépendant et tu me dis que je devrais voter pour l'indépendance. Or maintenant qu'il reste dans le Canada, tu me dis que c'est à cause de nous. Mais si tu ne tolères pas que je sois contre, quand tu seras indépendant, tu me mettras à la porte. Et si tu refuses que je sois contre, tu me donnes des raisons de ne pas être pour. Maintenant en tout cas tu m'agresses parce que cela n'a pas marché » (homme, 44 ans).

Les leaders d'origine italienne, dont beaucoup sont engagés dans les partis ou ont occupé des postes politiques, considèrent que le taux de participation électorale de leur groupe est très élevé. Cela peut s'expliquer en partie par le caractère obligatoire du vote en Italie, ce qui se répercute dans le contexte québécois. De plus, l'importance accordée à l'exercice du droit de vote est un des éléments qui, à leur avis, ont amené un certain nombre d'immigrants d'origine italienne à demander la citoyenneté canadienne. L'influence des pratiques politiques du pays d'origine, tout comme le sentiment que, à l'instar d'autres groupes, le groupe italien constitue une sorte de population captive au plan électoral modulent les attitudes envers la politique canadienne et québécoise. Selon quelques leaders, la tradition politique italienne exerce toujours une certaine influence sur la communauté italo-montréalaise, en offrant surtout un terme de comparaison défavorable au modèle canadien dont le style politique est trop personnalisé et manque de substance :

> Ce n'est pas de la vraie politique. Ici on élit des vedettes, on n'élit pas des partis avec une tendance particulière, avec des objectifs. Ce que les libéraux peuvent crier aujourd'hui le sera demain par les conservateurs. Il n'y a pas vraiment une identité. Et comme les partis ne sont pas tellement distincts les uns des autres dans leurs politiques, on finit par voter pour la personne (femme, 50 ans).

L'influence du modèle italien se fait aussi sentir, selon une autre femme leader, dans la fidélité envers les partis libéraux, fidélité comparable à celle d'une partie de l'électorat italien envers la Démocratie chrétienne. Cependant, contrairement à la diversité des options politiques des groupes d'origine italienne d'Europe, on observe ici une très forte unanimité politique. La faiblesse de l'influence des idées de gauche constituerait un autre trait typique du groupe d'origine italienne, dans l'ensemble plus conservateur que l'électorat dans le pays d'origine. L'homogénéité du vote s'expliquerait par le fait que « les communautés culturelles fonctionnent par marchés captifs » et qu'« il suffit d'être italien, d'origine italienne pour avoir des votes. Ce n'est pas tellement le parti qui compte. »

Une femme leader insistera pour sa part sur la pression du groupe, affirmant que la plupart de ses membres votent suivant « la conviction générale » et que peu « ont le courage d'aller ouvertement à contre-courant ».

La conformité sociale, rattachée à la ghettoïsation relative du groupe italien, interviendrait aussi dans le vote en réduisant l'autonomie politique des électeurs. Celle-ci serait plus développée dans la communauté italienne de Toronto, moins refermée sur elle-même :

> Au Québec, la communauté italienne est plus ghettoïsée, car elle a rencontré beaucoup de résistance. L'Ontario a pu intégrer les

communautés culturelles beaucoup mieux. Question de politique scolaire, mais aussi de marché du travail et d'économie plus avancés qu'au Québec (femme 38 ans).

L'ensemble des leaders d'origine italienne soulignent donc la forte allégeance des leurs envers le Parti libéral, tant au niveau provincial que fédéral. Cette fidélité repose sur le fait qu'on associe parti libéral fédéral et politiques d'immigration favorables, parti libéral provincial et programmes sociaux généreux.

Si historiquement, dans les années soixante, le Parti libéral du Québec ne jouissait pas d'une telle faveur, la situation s'est transformée avec la disparition de l'Union nationale et la création du Parti québécois. La majorité des citoyens d'origine italienne de Montréal, farouchement anti-indépendantistes, selon les mots d'un leader, se sont ralliés au Parti libéral dont la plate-forme politique prenait le contre-pied de celle du Parti québécois que certains associaient au « terrorisme » et au « communisme[34] ».

Les stratégies politiques du Parti libéral ont aussi contribué à renforcer cette allégeance. En confiant à des membres d'origine italienne des postes de responsabilité dans le parti, en en nommant d'autres au Sénat ou encore en mettant sur pied des programmes précis de création d'emploi, il a solidifié cet

---

34. Rappelons que le mémoire du Congrès national des Italo-Canadiens et de la FILEF comme celui du CIBPA devant la commission Bélanger-Campeau expriment un soutien global à l'unité canadienne, tout en restant ouverts à des aménagements en faveur des intérêts du Québec (Congrès national des Italo-Canadiens & FILEF, *op. cit.*, p. 9-10 ; Association des gens d'affaires et professionnels italo-canadiens (CIPBA), *Un avenir prospère*, mémoire présenté à la Commission sur l'avenir politique et constitutionnel du Québec, 1990). Selon le sondage CROP déjà cité (*La Presse*, 16 juin 1992), 68 % des membres de la communauté italienne se montrent en faveur du fédéralisme contre 2 % en faveur de l'indépendance (25 % se disent indécis).

arrimage, mais sans nécessairement tenir compte de la compétence des personnes ou de leur capacité à représenter leur communauté :

> Le Parti libéral est un parti qui, à l'époque, a été très rusé. Vous prenez un quidam, vous le mettez en charge de n'importe quoi, et vous publicisez autour de cela. Alors ils ont pris un certain nombre d'Italiens, ils leur ont donné certaines charges, et il y a eu toute la propagande : le Parti libéral vous accueille, le Parti libéral est beau, le Parti libéral est gentil... C'est de la politique comme tout le monde peut en faire (homme, 22 ans).

Le groupe d'origine italienne, de l'avis de quelques interviewés, ne modifiera jamais son allégeance majoritaire au Parti libéral (de 75 % à 90 %, selon eux) et, au moment des grandes décisions politiques, il se ralliera derrière ce parti favorable à la stabilité et considéré comme plus ouvert aux groupes ethniques :

> La constitution du Parti libéral déclare que les communautés culturelles doivent être représentées au conseil d'administration du parti. Ce n'est pas le cas au Parti québécois (femme, 38 ans).

L'allégeance politique aurait cependant tendance à se diversifier, ce qui pourrait s'expliquer par une insatisfaction à l'égard du Parti libéral, comme le suggéraient les votes en faveur du Parti Égalité. Malgré cette insatisfaction, l'attachement au fédéralisme est tel que les Québécois d'origine italienne hésiteraient, selon certains, devant un vote de protestation si celui-ci devait entraîner la victoire du Parti québécois. Celui-ci recueillerait quand même un appui de la part d'un pourcentage minime de gens d'affaires, et, surtout, des jeunes plus favorables aux thèses indépendantistes et des crypto-péquistes peu enclins à rendre publique leur allégeance. L'opposition au Parti québécois de la part de larges fractions profondément attachées au régime fédéral est amplifiée par l'insatisfaction d'une partie des militants de gauche déçus de son virage vers le « nationalisme de droite ». Ces failles dans l'unanimité politique, bien que minces, indiquent néanmoins une certaine maturation politique :

> C'est bon de ne pas se rallier à un seul parti, pour qu'on ne dise pas que tous les Italiens sont libéraux ou tous les Italiens sont conservateurs. C'est bien de faire comme dans notre pays, où chacun avait son idée politique et puis se ralliait à un parti ou un autre. On ne sera pas automatiquement associés aux libéraux (femme, 50 ans).

Si l'option souverainiste crée moins d'anxiété qu'auparavant, les arguments économiques contre elle restent néanmoins dominants :

> Parmi les Québécois francophones de cinquante-cinq ans, il y en a qui disent : je vais être fier d'un Québec souverain, et je vais mettre le drapeau devant chez moi. Peut-être que l'italophone de cinquante-cinq ans dira : est-ce que ma maison va alors valoir la même chose ? (homme, 41 ans).

La souveraineté inspire par ailleurs d'autres craintes, comme les risques de violence, la peur de l'américanisation et l'incertitude de l'avenir :

> La plupart des personnes de la communauté italienne et la plupart des communautés ethniques sont prêtes à s'assurer que le fait français ait une vie vibrante au Québec. Mais on croit que c'est beaucoup plus facile à l'intérieur du Canada, pas seulement pour que le français survive, mais pour qu'on survive nous aussi très bien à l'intérieur du Québec (femme, 36 ans) ;

> Ce n'est pas drôle de voir que tout est chambardé en l'espace de deux ans, c'est quasiment le Canada qui est en train de se morceler. Ils sont très inquiets en ce sens qu'ils ne savent pas ce qui va arriver après. Eux, ils étaient venus ici pour fuir un peu l'instabilité de leur pays à l'époque. Pour les Québécois et pour des gens comme moi, on sait qu'il n'y aura pas de problème. La vie va continuer avec peut-être des ajustements et des adaptations à faire,

mais il n'y aura pas de problèmes. Il n'y aura pas d'émeutes dans la rue, ni de guerre civile ou quoi que ce soit, ce n'est pas vrai. Eux ne savent pas ce qui va arriver. Ça les inquiète (homme, 22 ans).

Les tensions entre les droits collectifs associés aux lois linguistiques et à la protection de la majorité et les droits individuels associés à la liberté de choix dans l'usage de la langue constituent aussi un sujet de préoccupation, certains ayant peur que dans le cadre d'une société indépendante, comme d'ailleurs dans le cas d'une société distincte et reconnue à ce titre dans la constitution canadienne, les droits individuels ne soient limités et le multiculturalisme (comme idéologie de reconnaissance) remis en question.

Cela dit, la question de l'indépendance du Québec a quand même connu une évolution, comme l'atteste l'éventualité de la modification du nom d'une institution qui regroupe des membres d'origine italienne :

J'ai dit : qu'est-ce qu'on fera s'il y a séparation du Québec ? Personne dans ce conseil n'a dit : ça ne se fera pas. Si j'avais posé la même question il y a dix ans, on aurait dit : de quoi tu parles ? t'es malade ! On a dit : bah ! peut-être il faudrait changer le nom de notre association ; les Québécois vont nous aimer pour avoir fait ça ; le ministère ne sera pas contre. Tout ça pour vous dire qu'il n'y en a pas un seul des douze qui m'ait dit : mais de quoi tu parles ! (homme, 53 ans).

Parmi les leaders juifs dont plusieurs sont politiquement actifs sur la scène municipale, provinciale ou fédérale, il semble y avoir consensus sur le fait que les Juifs québécois attachent une certaine importance à l'exercice du droit de vote, mais seraient plus tièdes face au militantisme politique.

Le taux de participation aux élections, traditionnellement élevé, connaîtrait une baisse attribuée au manque de leadership et au sentiment d'incertitude quant au statut des Juifs au Québec :

> Traditionnellement, les Juifs participent beaucoup au processus électoral, probablement plus que les autres, étant donné leur niveau d'éducation. Mais la tendance générale, qui les frappe aussi, est maintenant, partout en Amérique du Nord, à la non-satisfaction à l'égard de la politique. Il y a manque de leadership et les gens sont déçus. Au Québec, les Juifs se désintéressent des élections. Ils ne savent pas s'il y a une place pour eux dans le processus (femme ashkénaze, 42 ans).

Il semble par ailleurs que les leaders éprouvent une réticence certaine à prendre publiquement position lors des élections pour éviter de compromettre la liberté de vote. Une telle intervention serait jugée « coercitive et erronée ».

La question constitutionnelle est, de l'avis de la plupart des leaders juifs, celle qui suscite le plus vif intérêt au sein de la communauté, et qui est devenue, avec la création du Comité tripartite, réunissant le Congrès juif canadien, les Services communautaires juifs de Montréal et la Communauté séfarade du Québec, et la formation de la Coalition des communautés grecque, italienne et juive, un objet prioritaire de discussions. L'avenir du Québec y demeure une question fort conflictuelle, en raison des opinions et tendances qu'on y retrouve[35].

---

35. Dans son mémoire à la Commission sur l'avenir du Québec, le Congrès juif canadien a pris position globalement en faveur de l'unité canadienne, tout en se déclarant ouvert « à tout changement, à toute réforme du système fédéral ». En revanche « une réduction drastique, ou a fortiori l'élimination des liens constitutionnels avec le reste du Canada, ne trouverait que très peu de soutien au sein de la communauté juive » (*Mémoire présenté à la Commission sur l'avenir politique et constitutionnel du Québec*, 1990, p. 2). Un récent sondage du Congrès juif canadien auprès des ashkénazes et des séfarades du Québec, dont fait mention le journal *La Presse*, « a révélé que les premiers appuyaient la souveraineté dans une proportion de 1,4 % contre 17,1 % pour les seconds » (*La Presse*, 16 juin 1992, p. 1).

Évaluant les tendances du vote au sein de la communauté juive, une forte majorité de leaders notent que « la majorité des gens de notre communauté favorise des liens économiques avec le Canada dans un système politique fédéraliste », que « la communauté juive a toujours choisi le côté fédéraliste, et ça ne va pas changer », que le Canada est vu comme un « protecteur », que le nationalisme n'a pas été positif historiquement pour les Juifs et que « les Juifs ont un très fort sentiment d'être canadiens ». La communauté « se sent toujours vulnérable et a toujours besoin d'un sentiment d'ouverture », de tolérance. On appréhende par-dessus tout les déchirures politiques qui en résulteraient et la migration des Juifs. Pour une leader, l'indépendance est une « question terrible » :

> La question est terrible, pour les Juifs, mais aussi pour les autres. La perspective que cette province devienne un autre pays fait peur. Et les gens ne se rendent pas compte des conséquences économiques que cela aurait. Le nationalisme est en train de créer un isolationnisme dont on ne veut pas. Nous ne voulons pas que cela arrive. Nous avons un passé... Des choses comme ça se sont produites en Allemagne. Nous avons été massacrés. Il y a donc la peur, particulièrement chez les plus vieux, que les nationalistes ne deviennent violents. Il nous arrive de penser que si cela se passait aux États-Unis, par exemple, que des gens se mettaient en tête d'avoir une nouvelle constitution, eh bien ce ne serait pas long que l'État enverrait ses troupes pour régler le problème. Une chose comme celle-là serait absurde. Je n'ose y penser (femme ashkénaze, 50 ans).

Même des Juifs qui comprennent la situation culturelle du Québec partiraient si l'indépendance se produisait, soutient une femme leader :

> Il y a des gens qui disent qu'ils vont émigrer. Je pense que c'est l'expérience des Juifs, surtout l'expérience du vingtième siècle. Un parti nationaliste, moi, ça me fait peur, malgré tout mon libéralisme, malgré la profondeur avec laquelle je crois dans la coexis-

tence, la tolérance, l'acceptation. Quand j'apprendrai qu'un parti nationaliste est au pouvoir, je ne voudrai probablement pas rester ici (femme ashkénaze, 64 ans).

Des leaders ashkénazes estiment, à des degrés divers et en s'appuyant sur des arguments fort différents, que la communauté juive reconnaît la nécessité de « certains » changements au Québec. Ainsi, si les droits de la personne et les institutions juives sont assurés, l'indépendance du Québec provoquera peu de départs :

> La communauté juive reconnaît aujourd'hui que des changements doivent avoir lieu au Québec. Mais elle n'a pas un point de vue unique sur l'avenir constitutionnel du Québec. On se concentre plutôt sur la question des droits civiques, des droits de la personne. Et si ceux-là sont garantis, si une continuité est garantie à la structure communautaire juive, il y aura très très peu d'émigration (homme ashkénaze, 61 ans).

Certains admettent également la nécessité d'« une certaine reconnaissance du caractère distinct du Québec, de son histoire unique et de son environnement culturel » et que, « n'ayant plus aucune raison de manquer de confiance en eux-mêmes, les Québécois commenceraient peut-être à comprendre la nécessité de faire davantage pour les minorités ».

Un pourcentage relativement faible de l'électorat juif aurait voté pour le Parti conservateur lors des élections fédérales de 1988 et une fraction infime adhérerait depuis des années au Nouveau Parti démocratique.

Au niveau provincial, le vote est libéral, parti associé à la sécurité et à la stabilité politique. Néanmoins une partie de l'électorat anglophone, comprenant un nombre important de Juifs ashkénazes, se serait détachée de cette allégeance traditionnelle pour voter en faveur du Parti Égalité. Ce vote de protestation, géographiquement circonscrit, signalerait le mécontentement d'une fraction de la communauté juive, surtout ashkénaze, en faveur du libre choix absolu en matière linguistique. Les opposants se recruteraient surtout parmi des anglophones plus âgés, favorables entre autres à un rattachement de leurs circonscriptions au reste du Canada advenant l'indépendance du Québec. La plupart des leaders estiment que l'avenir politique de ce parti n'est pas assuré, car sa philosophie politique, jugée raciste par certains, ses politiques irréalistes et trop simplistes et les déclarations intempestives de son chef ne lui permettraient pas de survivre, même s'il est trop tôt pour prédire dans quelle mesure le phénomène est permanent ou passager.

En ce qui concerne les jeunes ashkénazes, ils feraient preuve d'une plus grande compréhension à l'égard des aspirations nationalistes des Québécois que les plus âgés, d'après un leader ashkénaze, qui estime que leur position se rapproche de plus en plus de celle des séfarades, alors que les « vieux », qu'il qualifie de « dinosaures », réclament un statu quo qui ne fait simplement pas l'objet de négociations :

> Il y a des gens dans la communauté juive qui sont étroitement associés au Parti québécois. Mon sentiment personnel, que je partage avec Victor Goldbloom, est qu'il n'est pas inconcevable pour la communauté juive de vivre et de prospérer dans un Québec indépendant (homme ashkénaze, 43 ans).

Une autre question fort controversée demeure celle des relations qu'entretient la communauté juive avec le Parti québécois. Les Juifs ne se sont pas ralliés à ce parti en dépit des excellents rapports qu'il a su tisser avec leur communauté : « Les relations entre le PQ et les organismes juifs étaient au meilleur niveau d'interaction et de coopération qu'on puisse imaginer », dit un leader.

L'éventail des affiliations partisanes serait plus vaste dans le segment séfarade, malgré tout majoritairement en faveur du Parti libéral :

Pourquoi la communauté séfarade francophone vote-t-elle majoritairement libéral ? Est-ce parce que les libéraux la rassurent ? Ou est-ce que l'indépendance du Québec réveille encore des craintes des nationalismes ? Il y a un peu de tout ça. Mais il n'y a certainement pas d'effort pour s'intégrer à la communauté québécoise, une compréhension de ce que sont les Québécois. C'est ça que je déplore le plus (homme séfarade, 48 ans).

Un telle allégeance comporte un aspect sécurisant : « Traditionnellement, c'est plus sécurisant de voter libéral, c'est une communauté traditionaliste dans ce sens », dit une femme leader. Les fondements du nationalisme québécois, par contre, suscitent certaines réactions de rejet :

Dans le nationalisme, c'est l'exclusion des autres qui fait problème. Le nationalisme français tel qu'il s'est établi sur les droits de l'homme était un nationalisme inclusif des autres. Au Québec également, à part un certain nombre de nationalistes ultra-orthodoxes, il y a un nationalisme très inclusif. Le problème, c'est le nationalisme exclusif. Et c'est de ça que les « allophones » ont peur (femme séfarade, 41 ans).

Un maigre pourcentage des voix seraient malgré tout acquises au Parti québécois, surtout chez les séfarades. Certains leaders évoquent d'ailleurs le rôle que pourraient jouer les séfarades francophones au sein du groupe juif.

On fait d'ailleurs état d'un changement de mentalité dans le groupe. Selon une femme leader, des membres séfarades appuient maintenant la politique linguistique du Parti québécois. Un autre ajoute que l'idéologie péquiste fait de moins en moins peur aux membres de son groupe : « On n'est certainement pas effarouchés comme les Juifs anglophones le seraient. » Une troisième estime que l'idée d'indépendance a gagné du terrain et qu'un nombre croissant de Juifs québécois croient que « l'indépendance est à [leur] avantage ». Le bilan du gouvernement dirigé par le Parti québécois s'est révélé très positif, se soldant par des gains importants pour sa communauté, ce qui la fait conclure à la nécessité de l'indépendance :

> Il y a quelques années, on a eu très peur également du Parti québécois parce que, l'histoire nous l'a enseigné, on a peur des extrémistes. Mais on s'est rendu compte, par le passage du Parti québécois au pouvoir, que ce n'est pas une si mauvaise chose. Au contraire. En tant que francophones, nous avons gagné énormément. C'est là que la majorité des séfarades ont pu faire leur place (femme séfarade, 41 ans).

Un des leaders, attaché à l'unité de la communauté juive, conçoit le comité tripartite de la communauté juive sur la constitution comme un moyen privilégié de dialogue entre les diverses parties de la communauté. Il croit que le débat doit se faire non pas avec « la société d'accueil » mais « entre Juifs » :

> Je pense que c'est un premier instrument, il en faudra d'autres pour changer les mentalités. Le débat n'est pas à faire avec la communauté d'accueil, il est à faire entre nous Juifs. On devrait discuter entre nous du sérieux de cette violation des droits de l'homme. Je l'ai dit d'ailleurs en atelier : montrez-moi, à part la question de la loi 178, des attaques. Qu'on les trouve, sinon il y a machination, ce sont des gens qui ne veulent pas s'intégrer ici qui battent le tambour (homme séfarade, 46 ans).

La question des droits de la personne et celle de la suprématie de la Charte canadienne des droits viennent en tête des préoccupations des leaders juifs. Les mémoires du Congrès juif canadien et de la Ligue des droits de la personne du B'nai Brith Canada déposés à la commission Bélanger-Campeau l'affirment explicitement. Le respect des droits de la personne implique, pour bon nombre de Juifs, la suprématie des chartes canadienne et québécoise des droits et libertés sur toute autre loi, comme le suggère le comité tripartite de la communauté juive sur la constitution. La notion de droits collectifs est assimilée à celle, plus abstraite, de « droits de l'État », qui s'opposeraient aux droits de l'individu. La communauté est donc très sensible à la manière dont les droits de l'État et ceux de la personne seront définis ainsi qu'aux distinctions qui seront établies entre ces droits, problème qui devrait concerner l'ensemble des citoyens, surtout en cas d'indépendance.

Selon les leaders d'origine libanaise, la participation de leur groupe à la vie politique canadienne et québécoise demeure encore inégale. L'engagement politique serait limité, d'autant plus que les immigrants récents ne peuvent encore voter. Peu informés, ils ne comprennent pas toujours le système politique canadien et ignorent les enjeux sociaux et politiques de la société d'accueil : « Ça va prendre du temps avant qu'ils comprennent la réalité québécoise et canadienne. » D'autres pensent que « les Libanais ne veulent pas s'impliquer, parce qu'ils sont satisfaits de leur façon de vivre de tous les jours », ou encore que le groupe n'est pas assez uni pour pouvoir compter sur des porte-parole communs, contrairement aux autres groupes ethnoculturels.

La majorité des citoyens d'origine libanaise seraient en faveur du fédéralisme canadien : « Les Libanais soutiennent l'unité canadienne » ; « majoritairement, les anciens [descendants d'immigrants] voient le Canada comme un pays unifié, comme un pays... tel qu'il est : fédéral ».

Les affiliations partisanes tendent à varier selon l'âge et le sexe, mais les partis en faveur de l'unité canadienne recueilleraient plus de voix[36]. Le groupe libanais serait majoritaire-

---

36. Dans son mémoire à la commission Bélanger-Campeau sur l'avenir constitutionnel du Québec, l'Association canadienne syrienne libanaise s'est prononcée en faveur d'une réforme du système « qui saura reconnaître les intérêts particuliers du Québec », mais en ajoutant que « cet exercice doit [...] amener à "réorganiser" le Canada, non pas à "balkaniser le pays" ». Par ailleurs, le mémoire fait allusion à la complexité du groupe libanais, laissant apparaître des différences, selon l'appartenance linguistique, dans la perception « des tensions qui peuvent parfois surgir dans les relations entre

ment libéral, bien que certains estiment qu'un pourcentage important, atteignant 25 %, se répartirait entre le Parti Égalité et le Parti québécois, qui serait en progression dans toutes les strates de la communauté. Les francophones d'origine libanaise et les jeunes seraient proches du Parti québécois, sans y adhérer nécessairement, mais il y a peu de chances que le projet indépendantiste convainque la majorité de la population libanaise :

> Je dirais que ce sont les nouveaux qui vont voter pour le Parti québécois, ceux qui sont arrivés au cours des quinze dernières années. Dans le Parti Égalité, c'est parce qu'ils croient au choix de l'homme. C'est l'ancienne immigration (homme, 67 ans).

Un leader estime que la tendance en faveur du Parti libéral se maintient, mais il note également la montée récente de tendances nationalistes dans tous les secteurs du groupe, autant musulmans que chrétiens ou druzes :

> Le vote est partagé. Il est peut-être encore un peu plus vers la tendance libérale. Mais depuis quelques années, il y a beaucoup de pro-nationalistes. Moi, j'ai recruté des musulmans, des chrétiens, des druzes, pour le Parti québécois (homme, 44 ans) ;

> Majoritairement, les Égyptiens ou les Libanais d'origine égyptienne vont voter fédéral. J'en suis très triste, mais c'est comme ça. Je vais vous dire pourquoi : parce qu'ils sont riches. Ils font de grosses affaires, ils veulent les faire avec le Canada, etc. Chez les Libanais francophones, les jeunes sont du Parti québécois. Et la plupart des jeunes, le fédéralisme, le Canada, ça ne les intéresse pas. Ce qui les intéresse c'est le Québec, le pays où ils vivent, et l'identité francophone du Québec. Ce n'est pas pour le parti qu'ils vont voter, ils vont voter pour un pays (femme, 54 ans) ;

Canadiens francophones et anglophones » (*ibid.*, p. 8). Selon le sondage CROP déjà cité, 76 % des membres de la communauté arabe se disent en faveur du fédéralisme, 4 % seulement en faveur de la souveraineté et 9 % se disent indécis ; 11 % ont refusé de répondre.

Je pense que les libéraux ont plus de succès. Le mot libéral est plus facile à comprendre. Alors qu'on doit faire un effort et penser pour comprendre le Parti québécois. Il y a toute une idéologie là-dedans. Le Parti libéral n'a pas une idéologie, le Parti libéral peut virer à gauche, à droite. Mais dans le Parti québécois, il y a une idéologie qu'il faut comprendre. Et déjà pour comprendre, il faut comprendre le français, il faut travailler, il faut s'intégrer, il faut lutter dans la vie quotidienne... Donc je ne pense pas que le Parti québécois va avoir un grand succès au sein de ces communautés, en particulier la communauté libanaise, parce que ce n'est pas facile du tout (homme, 30 ans).

L'appartenance au Canada procure aussi des avantages qu'il serait futile de remettre en question :

Il y en a beaucoup qui parlent d'indépendance, parce qu'ils ont vécu une guerre, beaucoup de problèmes d'identité. D'autres ont peur de l'indépendance pour des raisons économiques ; ils vont plutôt être fédéralistes. Les options politiques des Libanais ici ne sont pas pareilles, ça dépend de chaque cas, ce n'est pas un bloc (femme, 44 ans) ;

J'ai une amie qui a un fils unique, et ce garçon, on lui a tout donné, mais alors tout, affection, attention, argent, voyages, tout ce qu'il désirait dans la vie, au point qu'il a fait une dépression. Et je pense que les Canadiens, c'est la même chose. Parce qu'on a tout, on ne sait plus quoi faire de nos possessions, on commence à créer des problèmes. Au lieu de jouir de ce que votre pays vous donne, au lieu de dire : Dieu merci, je vis dans un pays qui est civilisé, on est en train de nous dire : moi je suis Français, toi tu es Anglais... Je pense que c'est une perte de temps, c'est une perte d'énergie (femme, 41 ans).

Malgré une certaine sympathie pour la question québé-coise, beaucoup sont inquiets de la ghettoïsation du Québec qui suivrait l'indépendance et de l'intégration du reste du Canada aux États-Unis. Le Québec, perdu dans une mer anglo-saxonne, aurait alors une capacité de survie plus mince :

Il est probable que le Québec, une fois indépendant, sera tout petit, ça va être comme un petit poisson face au crocodile nord-américain anglais. Et peut-être le crocodile va finir par le manger. Et moi je pense que c'est préférable de garder l'unité canadienne pour une raison bien simple : si le Québec se sépare, il y aura beaucoup de complots contre lui (homme, 53 ans).

Néanmoins, on juge important que le débat entourant cette question, auquel les groupes ethniques doivent participer, se fasse selon des procédures démocratiques :

> Le débat doit se faire d'une façon vraiment saine, et non par chantage. Et ce chantage n'est pas seulement le fait des communautés, mais aussi des grandes corporations canadiennes, des Québécois. Rappelez-vous la campagne du référendum, ce ne sont pas tellement les groupes ethniques qui ont fait la bagarre. Je préférerais un langage plus serein (homme, 54 ans).

Les leaders dans leur ensemble favorisent plutôt le maintien du fédéralisme ou un fédéralisme renouvelé. On note cependant des nuances dans les positions des divers groupes ethniques quant aux options politiques en présence.

La signification de la citoyenneté

La citoyenneté renvoie ici à la reconnaissance juridique de l'appartenance à un État, ce qui suppose l'acceptation des responsabilités liées au statut de citoyen et la reconnaissance par l'État de la protection des droits. Les leaders ont discuté trois volets de la question de la citoyenneté : le premier renvoie à la double citoyenneté, le deuxième à la signification de la citoyenneté canadienne et le troisième à une éventuelle citoyenneté québécoise.

Même si, de l'avis général, la plupart des immigrants d'origine haïtienne acquièrent la citoyenneté canadienne, la question a longtemps été un sujet difficile et délicat à aborder, ce qui est encore le cas aujourd'hui mais à un degré moindre.

Selon une femme leader, lorsqu'un Haïtien adopte la citoyenneté canadienne on le traite de blanc, ce qui incite à tenir secrète cette décision. La non-reconnaissance par la constitution haïtienne de la double nationalité pour les postes importants dans l'administration publique en Haïti interviendrait aussi.

> Immigrante reçue, avec ce que j'ai comme services, je ne vois pas ce que ça ajouterait d'être citoyenne, à part la question du vote. J'étais toujours déçue de ne pas voter, mais l'enracinement n'était pas fort au point où il fallait le faire (femme, 54 ans) ;

> Je n'ai jamais voulu être citoyen canadien, me naturaliser. Tout d'abord je considère que j'ai un pays, j'ai une nation, c'est Haïti. Alors se naturaliser, c'est tout simplement prendre un autre pays. Pour moi je suis haïtien et je veux le demeurer (homme, 45 ans).

Pour d'autres au contraire, le caractère instrumental et symbolique de la citoyenneté canadienne ne remettrait pas en question le rapport à Haïti. Les raisons de sécurité d'emploi, de facilité de voyage mais aussi de prestige sont autant de motifs de demande du passeport. La citoyenneté devient aussi le signe d'un plus grand engagement dans la société d'accueil, sinon d'une preuve de l'intégration véritable :

> Il y a des gens qui ont fait la demande pour avoir un emploi. Il y en a d'autres qui demandent la citoyenneté juste pour éviter des tracasseries administratives, par exemple quand ils veulent se rendre aux États-Unis. Et il y a des gens qui la demandent parce qu'ils s'intègrent, carrément : je suis québécois, je fais partie de la société, donc je ne veux pas être considéré comme un citoyen de deuxième zone et j'appartiens à ce pays (homme, 42 ans).

La même conception instrumentale intervient à l'égard d'une éventuelle citoyenneté québécoise qui ne soulèverait pas d'inquiétude majeure, même si certains font état de la peur, alimentée par des fédéralistes, d'être expulsés en cas d'indépendance :

Quand ils entendent « le Québec aux Québécois » à la télévision, ils ont peur, ils disent qu'on va les mettre dehors, ou bien qu'ils seront pris en sandwich entre les anglophones et les francophones (homme, 52 ans).

La double nationalité étant jusqu'à récemment impossible pour les Canadiens d'origine italienne[37], le choix de la citoyenneté canadienne a relevé la plupart du temps de considérations économiques plutôt que d'un rejet du pays d'origine surtout chez les personnes âgées :

> La double citoyenneté, c'est vraiment quelque chose à défendre. C'était très offensant quand le premier ministre d'Italie s'est adressé à ceux qui n'ont pas « répudié leur patrie », qui sont encore citoyens italiens. On était vraiment insultés, parce que si on vient ici ce n'est pas parce qu'on a « répudié » notre patrie. Pour la majorité, ce sont des questions économiques, pour d'autres c'était un choix mais ça n'enlève pas qu'on aime notre patrie, qu'on est fiers de nos origines (femme, 50 ans).

L'adoption par les immigrants italiens de la citoyenneté canadienne a constitué pour beaucoup la preuve de leur volonté d'intégration au pays d'accueil parce qu'ils ont « décidé de vivre ici, de participer à la vie du Québec et du Canada ». Les avantages de la citoyenneté sur le marché du travail, la possibilité d'obtenir plus de droits dont celui de participer à la vie politique explicitent ce choix plus instrumental que symbolique :

> Il y a un ensemble de conventions. Une de ces conventions est que la citoyenneté permet une plus grande participation à la vie du pays, donne plus de droits. Alors pour certains aspects, c'est aussi une question utilitaire. Une fois qu'on est accepté dans un pays,

---

37. Une nouvelle loi, adoptée par le Parlement italien le 17 août 1992, permet maintenant à toute personne ayant déjà eu la citoyenneté italienne de l'obtenir à nouveau et, aux émigrants d'Italie, de la conserver même s'ils obtiennent la citoyenneté de leur nouveau pays d'installation.

on a aussi le droit de participer à l'administration, à la gestion politique du pays. Et on ne peut participer si on n'est pas des citoyens (homme, 57 ans) ;

Ce n'est pas comme aux États-Unis, par exemple, où les gens sont vraiment fiers de devenir américains. C'est qu'il faut passer par là, c'est comme la reine, elle est là parce que c'est un symbole, on vit avec ça parce que ça a toujours été comme ça. Mais ce n'est pas important dans la vie de tous les jours, ça ne sert pas dans la vie de tous les jours. Ce n'est pas un instrument de fierté que les gens ont (femme, 36 ans).

Si le nationalisme québécois peut faire peur dans le groupe italien, l'éventualité de devoir adopter la citoyenneté québécoise ne soulève cependant pas d'inquiétudes particulières.

Presque tous les leaders juifs, indépendamment de leur pays d'origine, considèrent Israël comme leur patrie spirituelle, mais ils disent en même temps éprouver un profond sentiment d'appartenance au Canada. Cette position ne suscite pas de tensions particulières. Il existe à cet égard la profonde conviction qu'il est possible d'être de bons Canadiens tout en soutenant l'État israélien. Parmi les séfarades, l'identification au pays d'origine, surtout le Maroc, continuerait d'être plus vive, même si la grande majorité se considèrent comme canadiens. Pour la plupart, la citoyenneté n'a pas qu'une valeur fonctionnelle, instrumentale, mais une signification beaucoup plus profonde, car elle constitue le premier pas dans l'appartenance au pays, assurant la sécurité et l'égalité des droits politiques :

Les gens sont en général attachés à la citoyenneté canadienne. Ce n'est pas uniquement instrumental, c'est un peu plus profond. Ça fait quand même deux siècles que la communauté juive est là. Il y a effectivement un sentiment d'appartenance et d'allégeance au Canada. C'est un pays où il fait quand même bon vivre. Il n'y a pas de problèmes majeurs, il n'y a pas de drames. Un pays qui est riche, où l'on respecte les droits individuels (homme séfarade, 36 ans).

Pour la plupart des leaders juifs, les implications d'une éventuelle indépendance du Québec en termes de citoyenneté ne soulèveraient pas d'inquiétudes particulières pour autant qu'aucune discrimination ne s'exerce vis-à-vis des groupes ethniques, bien que plusieurs aient tenu à préciser qu'une forte majorité de membres de la communauté juive se définissaient avant tout comme canadiens.

Le Liban permettant la double citoyenneté, le cumul de passeports n'apparaît pas comme une trahison du pays de naissance. Dans ces conditions, la citoyenneté canadienne ne pose aucun problème particulier ; c'est « un papier comme les autres », dira même une interviewée. Pour d'autres, cependant, le passeport canadien présente des avantages certains en procurant une réelle sécurité, surtout depuis que la guerre civile a rendu les Libanais suspects sur la scène internationale. Grands voyageurs, ils opteraient donc pour le passeport canadien, plus acceptable aux frontières. Les nouveaux immigrants ont tendance à garder leur nationalité d'origine, même si beaucoup, marqués plus profondément par la guerre civile, se coupent de leur patrie en adoptant la citoyenneté canadienne, gage de sécurité. Dans ces conditions, tout ce qui pourrait remettre en question ce sentiment, comme une éventuelle souveraineté du Québec, suscite des craintes, moins vives cependant chez les plus jeunes.

On note à la fois des convergences et des divergences tant sur la question de la citoyenneté canadienne que sur celle de la citoyenneté québécoise. La perception de la citoyenneté canadienne dépend de l'attachement au pays d'origine, de ses politiques et des politiques canadiennes à leur égard. Sa valeur plus instrumentale que symbolique semble confirmer de ce point de vue la faiblesse des référents rattachés au pays d'accueil.

La question d'une éventuelle citoyenneté québécoise est étroitement liée à celle du nationalisme québécois et à son respect des droits de la personne et des minorités. Mais la majorité des leaders semblent privilégier, advenant la souveraineté du Québec, le maintien d'un lien significatif avec le Canada.

* * *

La question de l'ethnicité au Québec apparaît donc, pour une part, comme la résultante d'une stratégie politique fédérale qui s'efforce d'inscrire le peuple québécois dans une vision multiculturaliste et encourage les groupes ethniques à affirmer leurs particularismes. Confortées par l'échec du référendum de 1980, les fractions au pouvoir des groupes ethniques les mieux insérés dans la structure économique du Québec s'alignent pour la plupart sur les forces dominantes régionales alliées au bloc au pouvoir (canadien) et se mobilisent en créant des associations et des fédérations dont le discours politique est conforme à cette perspective. La fonction politique de l'ethnicité au Québec se pose donc dans le contexte des rapports de force démographiques, économiques et politiques canadiens et québécois[38].

Les groupes ethniques se répartissent dans les différents partis politiques avec leurs contradictions de classe et leur sensibilité variable à la question nationale[39]. Si la majorité épouse la politique fédéraliste, une minorité s'aligne, avec une lente progression, entre 1980 et 1994, sur le bloc social de ten-

---

38. R. Breton, *The Governance of Ethnic Communities*, New York, Greenwood Press, 1991 ; C. Taylor, *Multiculturalisme. Différence et démocratie*, Paris, Aubier, 1993.

39. Cette sensibilité pourrait s'expliquer par les modalités de l'apparition ou de la non-apparition de l'État-nation dans leur pays d'origine, par les luttes de libération nationale ou contre des régimes dictatoriaux, ou des fractions de classe et des idéologies politiques des réfugiés qui ont composé les migrations au Canada et au Québec.

dance nationaliste. Ces tendances démontrent l'existence au sein même des groupes ethnoculturels d'intérêts contradictoires et fait la preuve de l'hétérogénéité des positions politiques. Les débats autour des accords constitutionnels de Charlottetown ont montré, par exemple, l'entrée en scène d'une coalition (la Coalition des communautés juive, italienne et grecque) qui se prononce pour un fédéralisme renouvelé et s'aligne sur le bloc social canadien dominant. On a assisté par ailleurs à l'émergence d'un Rassemblement des communautés culturelles pour le non qui, s'alimentant à même des fractions minoritaires plus progressistes de groupes anciens ou nouveaux (Québécois d'origine africaine, latino-américaine, haïtienne, etc.), souligne les réagencements ethniques à l'œuvre.

Les leaders témoignent du malaise face à la catégorisation ethnique et racisée dont ils sont l'objet dans le discours gouvernemental et dans l'espace public, dénonçant la confusion terminologique qui règne tant dans les orientations idéologiques et politiques que médiatiques.

Tout en souhaitant l'émergence d'une identité québécoise forte qui vienne pallier l'excès d'ethnicité, les leaders sont partagés, même si beaucoup s'en accommodent sans difficultés, entre la référence nationale associée au pays d'origine et la référence identitaire née de l'immigration et de l'ethnicisation qu'elle produit. Ce brouillage identitaire est d'autant plus fort que le concept de nation n'est pas central dans le lexique politique québécois. Certes les leaders demandent fortement à participer à la création d'une nouvelle identité québécoise, très différente de celle exclusivement associée aux « Canadiens français ». Mais paradoxalement, ils adoptent simultanément une vision ethnicisante des enjeux politiques québécois.

Le découpage ethnique semble retarder, à cause du fonctionnement des partis politiques, l'apparition d'une véritable démocratie ; il se produit en effet une forme de vassalisation et de captivité des groupes ethniques. Il leur est difficile de pénétrer le champ du politique et des appareils de l'État. Cela explique en partie la forte réticence à l'indépendance, comprise comme projet des seuls Canadiens français, et la méfiance à l'égard d'un État indépendant en particulier dans les groupes qui se considèrent comme des alliés, les Québécois d'origine haïtienne par exemple. En effet, ces derniers ont le sentiment que les groupes les plus sympathiques à l'indépendance du Québec sont en même temps victimes d'exclusion et de racisme.

Un autre facteur qui bloque l'accès au champ du politique est l'arène politique ethnique, elle-même fonction de la complétude institutionnelle. Source de pouvoir et de prestige, elle retarde pourtant le développement de perspectives politiques plus inclusives nécessaires à une véritable intégration.

Conclusion

Encore négligé dans la sociologie québécoise, le discours des leaders d'associations à caractère ethnique ou racisé constitue un angle privilégié pour comprendre la spécificité des questions liées à la pluriethnicité. Révélateur des enjeux centraux dans la conjoncture actuelle où dominent les débats sur la question nationale, les critiques du modèle multiculturaliste et les contraintes qui pèsent sur la création d'une culture publique commune ou d'une citoyenneté en mutation, il jette une lumière nouvelle sur une réalité sociale fort complexe.

La multiplicité des perspectives et des interprétations des problèmes politiques et sociaux tant entre les leaders des groupes ethniques qu'à l'intérieur de chacun de ces derniers apparaît comme l'un des résultats les plus intéressants de notre enquête et qui va à l'encontre des idées reçues au Québec sur les groupes ethniques. Loin de toujours présenter une vision monolithique de la réalité sociale et communautaire, les leaders rencontrés révèlent, au contraire, sur la plupart des problèmes, un kaléidoscope de points de vue, de positions, de stratégies ou de solutions, qui reflètent des éléments idiosyncrasiques, mais aussi les influences des sous-cultures du pays et des langues d'origine, de la période d'immigration, du sexe et de la position sociale.

Les fonctions classiques des associations volontaires (intégration, définition et reconstruction de la culture, et représentation politique) se conjuguent à celle de la solidarité avec les pays d'origine ou de référence. Contrairement à la perspective qui tend à analyser les associations ethniques strictement dans le contexte sociopolitique du pays d'accueil, il semble nécessaire de tenir compte de l'attraction culturelle, politique ou économique que les pays de référence continuent d'exercer sur les groupes ethnoculturels et qui intervient sur la définition de leur identité au Québec.

L'insertion économique révèle l'identification d'enjeux cruciaux : chômage des jeunes, détérioration des conditions de vie des travailleurs, vulnérabilité de certaines catégories de personnes, travail clandestin. Les leaders confirment les recherches plus quantitatives et montrent que le chômage tend à affecter surtout les groupes d'origine haïtienne et libanaise, en particulier les vagues migratoires les plus récentes. Certes, les facteurs prémigratoires comptent, mais la segmentation du marché du travail au Québec et autres barrières (dévalorisation des diplômes, fermeture des corporations professionnelles ou de la fonction publique aux immigrants) contribuent à exclure des membres des groupes ethnoculturels de certains secteurs économiques et à les surreprésenter ailleurs.

Malgré la diversification des structures occupationnelles et le développement de l'entreprenariat ethnique, les mécanismes de ghettoïsation occupationnelle persistent, selon les leaders, en s'appuyant sur la discrimination et le racisme. Sans qu'on croie qu'elles sont généralisées, ces pratiques retardent l'intégration économique et contribuent à la marginalisation de certaines couches sociales. Ces témoignages remettent donc en question les visions souvent idéalistes quant aux possibilités de

mobilité sociale qui, pour plusieurs, ne se réalise que difficilement.

À cause du double palier gouvernemental, les réponses
institutionnelles (accueil et formation de la main-d'œuvre,
programmes d'égalité en emploi) apparaissent insuffisantes et
se heurtent à des résistances variées qui semblent d'ailleurs se
prolonger dans les syndicats. En ce sens, il existerait une inac-
tion de la part du patronat, des syndicats et des institutions
étatiques qui aurait pour effet d'écarter des groupes minoritaires des sphères économiques les plus avancées et de maintenir les inégalités sociales. Il n'est pas sûr de ce point de vue
que le développement de l'entreprenariat ethnique évite
certains des problèmes de travail (exploitation intraethnique,
travail clandestin) malgré ses avantages au plan de l'autonomie
économique. La concurrence liée à la crise économique actuelle
n'est pas non plus sans amplifier les tensions ethniques et
freiner l'intégration.

Les contradictions qui traversent les groupes ethnoculturels
se font aussi sentir sur le plan linguistique. Le français n'apparaît pas toujours comme la langue nationale du Québec. Il est
tout au plus la langue de la majorité ou celle d'une société
distincte, qu'on peut certes respecter, mais non une langue
nationale qui assure l'intégration effective des citoyens de
toutes origines. Malgré les lois linguistiques acceptées parfois à
contrecœur (en particulier la loi 178), l'anglais constitue toujours par plusieurs aspects (continentalisation et internatio-
nalisation des échanges, influence de la culture américaine,
exigences du milieu économique, communication avec les diasporas) une langue essentielle dans les stratégies d'intégration et
d'avancement social. Ces avantages sont d'autant plus reven-
diqués que la norme du français parlé au Québec est loin d'être
perçue positivement, tout comme les mécanismes institutionnels qui permettent son apprentissage et sa transmission.

Le système scolaire actuel n'échappe pas non plus à la critique. La confessionnalisation apparaît comme obsolète, incapable de répondre aux défis de la société moderne, d'où la préférence pour un modèle éducatif laïque et public, plus à même de faciliter les rapprochements, la constitution d'une culture nationale dynamique et conviviale, et l'émergence d'un sentiment d'appartenance à la société québécoise. L'enjeu est encore plus grand dans le cas d'une société nationale à construire sur des bases démocratiques, participatives et qui tiendrait compte de l'aspect dynamique entre valeurs universalistes et valeurs particularistes. Néammoins, l'évaluation des commissions scolaires tend à dévaloriser les écoles francophones catholiques jugées moins habiles dans l'intégration ethnique et retardaires au plan pédagogique. Cette remise en cause du système scolaire catholique canadien-français peut être la résultante d'un ressentiment lié à l'exclusion historique de groupes ethnoculturels pour des raisons religieuses ou linguistiques et à leur auto-exclusion, actuelle ou passée.

La fragmentation et l'hétérogénéité qui sous-tendent la déconstruction et la reconstruction des identités — et des transformations qu'elles subissent dans leurs contacts avec la société québécoise et à partir de leur évolution interne — suggèrent un bricolage complexe lié à des facteurs multiples dont il est malaisé de cerner les interactions. Par contre, la perception de la société et de la culture d'accueil québécoises (entendue au sens large ou restreinte à la culture des Québécois d'origine canadienne-française) fait ressortir certaines constantes. Malgré les similitudes entre les modèles culturels des groupes et ceux de la société d'origine canadienne-française, les facteurs de prestige et d'attraction qui favoriseraient l'acculturation rapide sont encore faibles. En particulier, les écarts dans les valeurs familiales, sexuelles et intergénérationnelles sont dissuasifs et entretiennent des frontières ethniques solides, renforçant souvent le sentiment d'appartenance à un groupe plutôt qu'à un ensemble social plus grand.

Malgré des contacts en progression, les leaders témoignent que les relations entre groupes ethnoculturels s'accompagnent de stéréotypes et d'expressions d'ethnocentrisme et de discrimination. Certes, il n'existe pas de mouvements racistes déclarés, mais des formes de racisme plus pernicieuses, qui affectent certains groupes ethniques, traversent subtilement l'ensemble du tissu social, et cela par le recours à des processus de biologisation, de racisation et de différenciation, ou de lexicalisation ethnique, phénomènes auxquels l'État n'échappe pas.

Les politiques fédérales du multiculturalisme et la gestion gouvernementale de la question ethnique tendent, à travers la catégorisation des groupes ethnoculturels, à « ethniciser » les rapports sociaux au sein de la société québécoise, affectant la dynamique de l'intégration. Ces formes de sollicitude étatique — qu'elles soient fédérales ou provinciales — peuvent apparaître comme des stratégies valables (par exemple, pour aider à sauvegarder le patrimoine ou pour aider certaines minorités, dites visibles, désavantagées au plan socioculturel), mais elles favorisent aussi la multiplication des appareils bureaucratiques de gestion de la diversité ethnoculturelle (comités consultatifs, tables de concertation, formation d'experts et d'intervenants) qui, par le biais de solutions administratives, tendent à créer, à entretenir et à reproduire les problèmes. À cet égard, ces stratégies pourraient être considérées comme un moyen de marginalisation, « d'immigrisation », comme le note Martiniello pour la Belgique, ou même de vassalisation des groupes ethniques. Elles ont pour effet de les exclure des sphères du pouvoir politique réel. Dans ce contexte, l'« ethnicisation » sert à maintenir le champ politique global fermé au profit des jeux politiques internes aux groupes ethniques — le plus souvent sur une base sexiste et non démocratique —, ce qui écarte des acteurs sociaux importants des centres de décision politiques nationaux, tout en empêchant la mise sur pied de stratégies communes transethniques, tant les intérêts sont hétérogènes.

Le multiculturalisme, en tant que politique nationale, fait l'objet de jugements divergents et, pour plusieurs, n'apparaît plus adapté aux conditions socioéconomiques actuelles. Sans adhérer à d'autres voies, comme la convergence culturelle ou l'interculturalisme, des leaders semblent d'avis qu'une refonte du multiculturalisme — dont les modalités restent à débattre — s'impose afin d'accélérer un véritable enracinement dans la société québécoise et la participation pleine et entière de l'ensemble des citoyens.

La périphérisation politique des groupes ethnoculturels est aussi visible lorsque l'on envisage les rapports avec la question nationale. La référence à l'identité d'origine reste prégnante, tout en s'articulant selon des modalités variées à l'affirmation d'une citoyenneté québécoise ou canadienne. L'alignement très majoritaire des leaders et des groupes ethnoculturels sur des partis politiques qui défendent les positions fédéralistes semble indiquer, comme nous le suggérions plus haut, une forme de confinement politique, confirmé par la sous-représentation des élus issus des groupes ethnoculturels.

Cette monopolisation est évidente lorsque l'on considère l'attitude à l'égard du projet indépendantiste qui ne rallie objectivement qu'un faible pourcentage de voix dans certains groupes ethniques, malgré la légère progression depuis quelques années. Ce rejet est lié à plusieurs facteurs (excès du nationalisme ou du régionalisme dans les pays d'origine, peur des répercussions socioéconomiques en cas de séparation, avantages du nationalisme canadien peu contraignant, ambiguïtés et contradictions du projet indépendantiste encore trop imprécis, intérêts économiques, etc.) et suggère que le Parti québécois est encore trop fermé dans ses pratiques (recrutement, représentation, nominations) aux groupes ethnoculturels. Ces limites entravent la compréhension de son projet politique. Dans ces circonstances, l'attentisme qui semble dominer le discours des leaders face à l'indépendance proviendrait de cette marginalisation que les partis traditionnels et les élites politiques ont su imposer aux minorités.

Les leaders laissent donc entendre qu'il y a une ligne de fracture à l'intérieur de la société québécoise, et peut-être même canadienne, entre la population majoritaire et les populations immigrées et les groupes ethnoculturels plus anciens. Cette ligne de clivage qui traverserait l'ensemble des institutions économiques, politiques, scolaires, sociales et culturelles perdure à la fois pour des raisons internes, mais aussi à cause des caractéristiques du système fédératif canadien et des contradictions qu'il engendre. Cette analyse, qui demanderait à être élargie auprès des leaders d'autres groupes ethniques, suggère qu'il existe des blocages importants aux différents niveaux institutionnels qui empêchent l'accession à une véritable citoyenneté, organisée autour d'une égalité des droits et des devoirs des citoyens qui font partie d'un ensemble politique. Cela exige la redéfinition d'un contrat social qui passe par une réflexion commune dépassant certaines des pratiques étatiques et sociales qui freinent l'intégration véritable.

Les témoignages que nous avons recueillis ouvrent en tout cas des pistes de réflexion et d'intervention qui pourraient nourrir les débats actuels et en éclairer les enjeux.

L'intégration par l'emploi et la formation professionnelle constitue la garantie d'une insertion moins problématique, en particulier pour les jeunes et les nouveaux immigrants. La persistance des inégalités sociales, l'enfermement dans certains créneaux économiques de la main-d'œuvre immigrée bon marché et son absence dans d'autres secteurs du marché primaire du travail nourrissent un sentiment d'aliénation et freinent la mobilité sociale et la participation à la vie collective.

Repenser le système scolaire tant public que privé pour en faire un modèle laïque pourrait contribuer à recadrer les perspectives éducatives et à les orienter vers une culture publique commune et un sentiment plus affirmé d'appartenance à la société québécoise. De même, l'amélioration du français en tant que langue de culture et de communication publique et privée élargirait l'espace démocratique.

La lutte plus vigoureuse contre la discrimination et le racisme pourrait inspirer un projet de société mieux à même de protéger et de promouvoir les droits de la personne. Ce n'est pas parce qu'il ne semble pas y avoir d'idéologie politique raciste qu'on doit sous-estimer le racisme caché ou subtil et la discrimination systémique ou institutionnelle qui continuent de marquer les rapports sociaux.

La réévaluation des politiques liées à la question ethnique, en particulier celle du multiculturalisme et de la gestion administrative de l'ethnicité ainsi que ses répercussions sociales, la refonte du nom et des programmes du ministère des Affaires internationales, de l'Immigration et des Communautés culturelles pourraient également aider à abattre les frontières symboliques qui continuent de définir des catégories aujourd'hui obsolètes.

Mais l'image d'une société ne doit pas être que symbolique. Il appartient aux institutions gouvernementales et aux organismes publics de promouvoir l'adaptation institutionnelle à la diversité (programmes d'accès à l'égalité en emploi, formation du personnel, adaptation des services aux besoins des clientèles d'origines diverses, ajustements visant à tenir compte des croyances religieuses de la clientèle des services publics, formation des intervenants, partenariat avec les organismes communautaires et représentation des citoyens de diverses origines aux instances décisionnelles). Il est évident que d'autres acteurs comme les partis politiques et les entreprises privées pourraient prendre une place importante dans ce domaine.

Ces points de vue suggèrent que la société québécoise traverse une phase de transition importante où le repli sur des positions ethnoculturelles semble laisser la place à des aspirations nouvelles, celles d'une participation fondée sur la justice sociale et la pleine citoyenneté, ce qui nécessite la formulation d'un projet collectif plus clair et plus adapté aux défis que posent les transformations actuelles.

ANNEXE

DES GROUPES
ET DE LEURS LEADERS

La recherche qui est à la base du présent ouvrage a été effectuée entre février 1990 et mai 1991 dans la tradition de la méthode qualitative en anthropologie et en sociologie[1]. Nous avons alors rencontré quatre-vingt-quatre leaders des deux sexes, provenant de quatre groupes ethnoculturels : haïtien, italien, juif et libanais. Le choix des groupes a été fait en fonction de leur poids démographique, de leur durée d'implantation, de la composition et du caractère de leurs vagues migratoires, de leur visibilité phénotypique, de leur intégration linguistique et

---

1. Pour la présentation détaillée de la méthodologie, voir M. Labelle, *Problématique générale de la recherche « Ethnicité et pluralisme. Le discours de leaders d'associations ethniques de la région de Montréal »*, université du Québec à Montréal, département de sociologie, Centre de recherche sur les relations interethniques et le racisme, n° 1, 1993.

de l'existence au sein de chacun d'eux d'un mouvement associatif.

Notre base d'échantillonnage a été constituée des associations de la région métropolitaine de Montréal correspondant aux groupes choisis. Les associations à caractère ethnique sont définies comme des regroupements volontaires d'individus identifiés soit à un groupe ethnique donné, soit à un regroupement de communautés ethniques, ayant une structure organisationnelle, poursuivant des objectifs précis de représentation des groupes ethnoculturels, et étant reconnues dans leur communauté.

La majorité des leaders proviennent d'organismes communautaires monoethniques. Un certain nombre, dans chaque groupe, ont été choisis dans des associations pluriethniques. Nous avons, dans un premier temps, défini comme leaders des hommes et des femmes, définisseurs de situation et d'opinion, œuvrant comme membres actifs et influents au sein des conseils d'administration d'associations à caractère ethnique. À un certain point cependant il est apparu que cette définition était insuffisante dans la mesure où il existe un leadership informel de bénévoles ou de membres influents, absents des structures associatives, mais éminemment importants. Une trentaine de personnes ressources nous ont guidé dans le choix des groupes et des leaders.

Les quatre-vingt-quatre interviewés se distribuent comme suit : vingt leaders d'origine haïtienne (onze hommes, neuf femmes) ; vingt-deux leaders d'origine italienne (douze hommes ; dix femmes) ; vingt-cinq leaders d'origine juive (cinq hommes et huit femmes ashkénazes ; sept hommes et cinq femmes séfarades) ; dix-sept leaders d'origine libanaise (dix hommes, sept femmes).

Le groupe haïtien et ses leaders

Le groupe haïtien, constitué de 40 940 personnes au recensement de 1991[2], est issu de mouvements migratoires qui ont débuté vers la fin des années soixante, la plus grande proportion d'immigrants s'étant établis au cours des années soixante-dix et quatre-vingt. Son insertion linguistique est présumée francophone, mais la réalité est plus complexe étant donné la dominance du créole dans les couches populaires. L'immigration à la source du groupe est de nature politique. Dans les années soixante-dix et quatre-vingt, de larges secteurs de la population ont fui la misère engendrée par la dictature et par une économie sclérosée.

Défini comme minorité visible, le groupe haïtien, bipolarisé sur le plan socioéconomique, pose la question du racisme. Il a mis sur pied un réseau formé d'une cinquantaine d'associations, sans aucune fédération, où l'intégration socioéconomique, la lutte contre la discrimination raciale et la solidarité avec le pays d'origine constituent des dimensions importantes de son action. Son leadership est en voie de se renforcer sur une base ethnique et à identité racisée.

Selon les données du recensement de 1986 fondées sur l'origine ethnique, le ministère des Communautés culturelles et de l'Immigration considère que la population active d'origine haïtienne se répartit dans cinq grands secteurs[3] : industries manufacturières (42 %) ; services médicaux et sociaux (15,3 %) ; hébergement et restauration (6,4 %) ; commerce de détail (6,1 %) ; enseignement et services connexes (5,5 %) ; autres (5,8 %). Les principales professions étaient les suivantes : fabrication, montage et réparation (25,8 %) ; médecine et santé

---

2. Statistique Canada, Recensement de 1991, catalogue 93-315, 1993.

3. Gouvernement du Québec, *Profil des communautés culturelles du Québec*, ministère des Communautés culturelles et de l'Immigration, 1991.

(12,5 %) ; services (12,1 %) ; employés de bureau (10,5 %) ; travailleurs des industries de transformation (8,8 %). Le taux d'activité était de 65,3 % (62,8 % pour la population totale du Québec). Le taux d'activité des femmes était de 57,5 % (51,3 % pour la population active des femmes du Québec).

Selon le recensement de 1986, le taux de chômage des Québécois d'origine haïtienne était de 25,1 % (13 % pour la population du Québec, 11,3 % pour la population de la région de Montréal). En ce qui concerne les jeunes de 15-24 ans, le taux de chômage pour la région de Montréal était de 44,2 % (18,5 % pour l'ensemble de la population des jeunes de Montréal).

Les leaders interviewés proviennent en majorité de Port-au-Prince et des villes de province d'Haïti. Leur âge moyen est de 45,8 ans et ils vivent au Québec depuis 20,7 ans, en moyenne.

Dix-neuf d'entre eux ont au moins un diplôme universitaire. La plupart sont issus des couches précaires et aisées de la petite bourgeoisie mais certains sont d'origine paysanne ou de la bourgeoisie commerciale haïtienne. Ils œuvrent maintenant comme professionnels, dans le secteur public de l'enseignement et des services sociaux ou dans le réseau des organismes sans but lucratif. À l'exception d'un chômeur, ces leaders appartiennent aux couches variées de la petite bourgeoisie québécoise.

La majorité déclarent le créole comme langue maternelle. Treize parlent plus d'une langue à la maison : le français et le créole dans onze cas, le français et l'anglais dans un cas, et le français, l'anglais et le créole dans un autre cas. Quatre ont rapporté faire exclusivement usage du français à la maison, trois autres du créole seul.

Cinq leaders seulement n'utilisent pas le français dans leur milieu de travail : deux rapportent parler seulement créole, un dit utiliser l'anglais seulement et deux autres déclarent parler anglais et créole. Plusieurs ont plus d'une langue de travail : quatre parlent français et créole, deux parlent français et anglais, une parle français, créole et espagnol. Huit interviewés disent travailler en français seulement.

Treize des interviewés considèrent qu'il n'existe aucun lien entre leur travail et les questions ethniques, mais six autres estiment que les deux sont liés. Onze travaillent dans un milieu pluriethnique, cinq dans un milieu à dominante canadienne-française et trois dans leur communauté d'origine.

Le niveau moyen de rémunération s'élève à 41 700 $ par année (le revenu moyen des femmes est de 42 900 $, celui des hommes, de 40 800 $). Un homme a refusé de répondre à cette question.

Le groupe italien et ses leaders

Dans *Les Italiens au Québec*, Painchaud et Poulin datent de 1875 la fondation à Montréal de la première association italienne du Canada et de 1902, celle de la Société d'aide à l'immigration[4]. En dépit de son ancienneté, la communauté a longtemps entretenu l'idée du retour au pays d'origine. C'est peut-être ce qui explique la création relativement récente, dans les années soixante et soixante-dix, de la plupart des associations italiennes.

Le groupe italien est issu de migrations à caractère économique qui se sont surtout produites à partir du début du vingtième siècle, le mouvement le plus important se situant au cours des années cinquante. Selon les données du recensement de 1991, la population d'origine italienne unique compte plus de 174 525 personnes et celle d'origines multiples, 52 120

---

4. C. Painchaud, R. Poulin, *Les Italiens au Québec*, Hull, Critiques et Asticou, 1988.

personnes. Le groupe italien du Québec s'élèverait donc à 226 645 personnes[5]. Il a une insertion linguistique diversifiée, polarisé longtemps autour du choix de la langue française ou de la langue anglaise.

Ce groupe possède l'un des réseaux associatifs les plus denses et les plus diversifiés au Québec. Ce réseau, identifié pour une bonne part aux sources régionales de l'immigration italienne, comprendrait plus de quatre cents associations. La Commission Gendron a recensé soixante-dix des associations les plus importantes au début des années 1970, alors que l'étude de Painchaud et Poulin en a retenu soixante-quatre. Le groupe a un leadership bien établi, et se pose en groupe de pression à l'échelle provinciale et canadienne.

Selon les données du recensement de 1986 fondées sur l'origine ethnique, le ministère des Communautés culturelles et de l'Immigration identifie six des principaux secteurs d'activité de la population active occupée d'origine italienne[6] : industries manufacturières (30,4 %) ; commerce de détail (14,8 %) ; industries de la construction (9,5 %) ; industries de service (5,9 %) ; hébergement et restauration (5,5 %) ; commerce de gros (5,3 %). Les principales professions de cette population se répartissent comme suit : employés de bureau et travailleurs assimilés (18,4 %) ; fabrication, montage et réparation (17,9 %) ; services (10,8 %) ; directeurs, gérants, administrateurs (10,4 %) ; vente (10,2 %) ; travailleurs du bâtiment (8 %). Le taux d'activité était de 65,8 % (62,8 % pour la population totale du Québec), celui des femmes de 54,5 % (51,3 % pour la population active des femmes du Québec).

Selon le recensement de 1986, le taux de chômage des Québécois d'origine italienne était de 10,8 % (13 % dans l'ensemble de la population du Québec, 11,3 % dans la popu-

---

5. Statistique Canada, *op. cit.*
6. Gouvernement du Québec, *op. cit.*

lation de la région de Montréal). En ce qui concerne les jeunes d'origine italienne de 15-24 ans, ce taux, pour Montréal, était de 17,8 % (la moyenne était de 18,5 % dans l'ensemble de la population des jeunes de Montréal).

Les leaders interviewés sont originaires de villes ou de villages du centre et du sud de l'Italie, à l'exception de quatre personnes nées au Canada. Les personnes nées en Italie vivent au Québec depuis 24,2 ans en moyenne. La majorité se déclarent de langue maternelle italienne. Leur âge moyen est de 43,4 ans. Seize d'entre elles possèdent un diplôme universitaire. Elles sont issues de familles ouvrières ou paysannes (la moitié des cas) et de la petite bourgeoisie (petits commerçants, fonctionnaires, etc.). Elles ont bénéficié d'un net processus de mobilité sociale et œuvrent comme industriels, propriétaires ou cadres d'entreprises de services, enseignants, employés dans les services communautaires, religieux, etc.

Comme langue d'usage à la maison, dix des vingt-deux leaders interviewés rapportent parler exclusivement l'italien, six autres disent que l'italien est l'une des langues d'usage, cinq identifient le français seulement et un dernier déclare faire usage du français et de l'anglais. Au travail, dix-huit leaders utilisent le français et quinze font usage de l'italien ; près du tiers (sept) des leaders rencontrés font usage du français, de l'italien et de l'anglais alors que six d'entre eux n'utilisent professionnellement qu'une seule langue.

Quatorze considèrent qu'il n'existe pas de lien entre leur milieu de travail et les questions ethniques, contrairement à huit autres qui établissent de tels liens. Treize travaillent dans un milieu multiethnique, deux dans un milieu francophone d'origine canadienne-française et sept autres au sein de leur communauté d'origine.

Le niveau moyen de rémunération des leaders est de 57 160 $ par année ; cette moyenne ne tient pas compte des revenus annuels dépassant deux cent mille dollars déclarés par un interviewé. Un leader a refusé de répondre à cette question. Les femmes rapportent en moyenne un revenu annuel de 45 550 $, revenu moyen nettement inférieur à celui des hommes qui s'élève à 67 670 $.

Le groupe juif et ses leaders

Au recensement de 1991, le groupe juif du Québec compte 98 055 personnes (77 600 d'origine unique, 20 455 d'origines multiples)[7] et il se caractérise par sa composition interne variée. Comprenant en effet deux sous-groupes à identité religieuse et culturelle distincte, il est en fait un groupe multiethnique. Les ashkénazes (majoritaires), anglophones par tradition, d'immigration plus ancienne, s'insèrent différemment des séfarades d'Afrique du Nord, immigrés au cours des années soixante, francophones en majorité, ou des falachas d'Éthiopie, de rite séfarade, dont l'immigration est récente. Non défini comme minorité visible, le groupe juif a des assises communautaires solidement implantées et est réputé posséder le plus haut niveau de cohésion et d'organisation sociale en Amérique du Nord. Il a une forte tradition communautaire — près de quatre cents organismes —, un leadership bien établi et il se pose en groupe de pression, avec ses fédérations provinciales et canadiennes, dont la mobilisation identitaire varie : à titre de communauté juive, de communauté culturelle, de segment de la minorité anglophone, etc.

Selon le recensement de 1986, les six principaux secteurs d'activité de la population active juive sont les suivants[8] : industries manufacturières (20,2 %) ; commerce de détail (15,4 %) ; commerce de gros (14,1 %) ; services aux entre-

---

7. Statistique Canada, *op. cit.*
8. Gouvernement du Québec, *op. cit.*

prises (10,1 %) ; enseignement et services connexes (9,4 %) ; services médicaux et sociaux (9,4 %). Les principales professions de la population active occupée sont : directeurs, gérants et administrateurs (24,6 %) ; vente (20,6 %) ; employés de bureau et travailleurs assimilés (18,5 %) ; enseignants et personnel assimilé (7,4 %) ; médecine et santé (5,8 %). Le taux d'activité est de 60,1 % comparativement à 62,8 % pour la population totale du Québec, et le taux d'activité des femmes de 49,2 % (51,3 % dans la population active des femmes du Québec).

Le taux de chômage des Juifs québécois était de 8,8 %, en 1986, comparativement à 13 % pour l'ensemble de la population du Québec et à 11,3 % pour l'ensemble de la population de la région de Montréal. En ce qui concerne les jeunes juifs de 15-24 ans, le taux de chômage pour la région de Montréal était de 21,8 % (18,5 % pour l'ensemble de la population des jeunes de Montréal).

Les leaders ashkénazes et séfarades interviewés proviennent des régions urbaines des États-Unis, de Pologne, d'Autriche, d'Allemagne de l'Ouest, de Tchécoslovaquie, de France et du Maroc, à l'exception de six personnes nées au Canada dont les ancêtres provenaient d'Allemagne et d'Europe de l'Est. Leur âge moyen est de quarante-six ans.

Ceux qui sont nés à l'étranger vivent au Québec depuis 26,8 ans en moyenne. Vingt et un ont au moins un diplôme universitaire. La grande majorité sont issus de familles de la bourgeoisie industrielle ou commerçante (consolidée depuis plus d'une génération ou nouvelle) et de la petite bourgeoisie professionnelle. Ils sont maintenant cadres ou salariés dans le secteur de l'enseignement, dans les organismes sans but lucratif ou les institutions juives, ou professionnels, industriels, commerçants, propriétaires d'entreprises de services ou d'immeubles.

La majorité des leaders ashkénazes déclarent l'anglais comme langue maternelle, les autres rapportent l'allemand, le yiddish et le polonais. Plus de la moitié des leaders séfarades déclarent le français comme langue maternelle, suivi du judéo-arabe, de l'espagnol, ou du judéo-espagnol. Dix-huit des vingt-cinq leaders utilisent l'anglais comme l'une des langues d'usage à la maison. Plus précisément, on remarque que tous les leaders ashkénazes utilisent exclusivement l'anglais à la maison, que sept des douze leaders séfarades n'utilisent que le français, que quatre d'entre eux utilisent le français et l'anglais et qu'une dernière utilise le français, l'anglais et l'espagnol.

Dix-sept des leaders utilisent plus d'une langue de travail. Chez les ashkénazes, huit utilisent le français et l'anglais, trois exclusivement l'anglais. Une femme ashkénaze déclare faire usage du français, de l'anglais et de l'hébreu à son travail et une autre du français, de l'anglais, du polonais et du yiddish. Du côté des séfarades, cinq utilisent le français et l'anglais, quatre travaillent en français seulement, un seul (une femme) utilise l'anglais seulement. Un homme déclare aussi utiliser le français, l'anglais et l'espagnol et un dernier dit utiliser le français et l'hébreu.

Quatorze leaders établissent des liens directs entre leur milieu de travail et les questions ethniques et dix considèrent qu'il n'existe aucun lien entre les deux. Onze travaillent dans un milieu à dominante juive, huit dans un milieu pluri-ethnique et cinq dans un milieu à dominante canadienne-française.

Le niveau moyen de rémunération des leaders de la communauté juive s'élève à 63 333 $ par année ; cette moyenne ne tient pas compte du revenu annuel dépassant deux cent mille dollars déclaré par un leader. Une personne a refusé de répondre à cette question. On constate également une différence notable entre le revenu annuel moyen des femmes, établi à 53 181 $, et celui des hommes qui est de 74 500 $. Une différence importante existe aussi entre le revenu moyen des séfarades, évalué à 57 727$, et celui des ashkénazes qui s'élève à 69 500 $.

Le groupe libanais et ses leaders

Le groupe libanais de Montréal s'est constitué en plusieurs vagues d'immigration. Les premiers sont arrivés à la fin du dix-neuvième siècle. De récents mouvements migratoires en provenance du Liban sont venus revitaliser l'ancien segment.

En 1991, on recensait 38 460 personnes d'origine libanaise (origines unique et multiple confondues)[9], mais ce chiffre ne tient pas compte des Libanais nés à l'extérieur du Liban. Le réseau associatif de ce groupe, plutôt faible comparé à celui des trois autres étudiés, compte une vingtaine d'associations. Dans la plupart des cas, les regroupements tendent à refléter la complexité sociale, confessionnelle, culturelle et politique du Liban.

Au recensement de 1886, il y a six grands secteurs d'activité pour la population active occupée libanaise[10] : industries manufacturières (24,2 %) ; commerce de détail (20,4 %) ; hébergement et restauration (10,2 %) ; commerce de gros (7,1 %) ; services médicaux et sociaux (7,1 %). Les principales professions de la population active occupée sont : directeurs, gérants, administrateurs (22,6 %) vente (15,3 %) ; employés de bureau (11 %) ; fabrication, montage et réparation (11 %) ; services (9,9 %). Le taux d'activité est de 66 % (62,8 % pour la population totale du Québec) et celui des femmes de 51 % (51,3 % pour la population active des femmes du Québec).

9. Statistique Canada, *op. cit.*
10. Gouvernement du Québec, *op. cit.*

Le taux de chômage de la population active d'origine libanaise était de 12,5 % (13 % pour l'ensemble de la population du Québec, 11,3 % pour l'ensemble de la population de la région de Montréal). En ce qui concerne les jeunes d'origine libanaise de 15-24 ans, le taux de chômage pour la région de Montréal était de 22,9 % (18,5 % pour l'ensemble de la population des jeunes de Montréal).

Les leaders sont nés au Liban (douze), au Brésil (un cas), au Japon (un cas), en Israël (un cas) ou au Canada (deux cas). La plupart sont issus de la bourgeoisie (grands propriétaires terriens, grands commerçants, industriels) ou de la petite bourgeoisie libanaise. Ceux qui sont nés à l'étranger vivent au Québec depuis 16,4 ans, en moyenne, et leur âge moyen est de 49,7 ans.

Treize des leaders rencontrés déclarent l'arabe comme langue maternelle, les autres rapportent l'anglais, le français et le portugais. À la maison, le tiers parlent seulement français. Trois utilisent le français et l'arabe, trois l'arabe seulement, trois autres le français, l'anglais et l'arabe ; deux utilisent seulement l'anglais et un dernier parle l'anglais et l'arabe. Au travail, sept d'entre eux n'utilisent qu'une seule langue, le français (cinq cas) ou l'arabe (deux cas). Treize autres utilisent le français comme l'une des langues d'usage au travail, sept utilisent l'anglais et huit l'arabe.

Quinze détiennent au moins un diplôme universitaire. Au moment des entrevues, les leaders rencontrés œuvraient comme salariés dans les secteurs de l'enseignement, des organismes communautaires et religieux (la majorité des cas) ou étaient cadres ou propriétaires d'entreprises

Huit des seize leaders occupant un emploi rémunéré considèrent qu'il n'existe pas de lien entre leur milieu de travail et les questions ethniques, contrairement à huit autres qui établissent de tels liens. Six travaillent dans un milieu multiethnique, deux dans un milieu francophone d'origine canadienne-française et huit autres au sein de leur communauté d'origine.

Le niveau moyen de rémunération des leaders de la communauté libanaise s'élevait à 49 667 $ par année. Les femmes rapportaient en moyenne un revenu annuel de 50 833 $, légèrement supérieur à celui des hommes qui s'élève à 48 889 $. Un leader a refusé de répondre à cette question.

BIBLIOGRAPHIE

Abele, F. (dir.), *The Politics of Fragmentation : How Ottawa Spends 1991-1992*, Ottawa, Carleton University Press, 1991.

Abou Sada, G., Courault, B., Zéroulou, Z., (dir.), *L'immigration au tournant*, Paris, CIEMI, L'Harmattan, 1990.

Aboud, B., *Community Associations and their Relations with the State. The Case of the Arab Associative Network of Montreal*, Montréal, université du Québec à Montréal, Département de sociologie, 1992.

Abu-Laban, B., *The Lebanese in Montreal*, Communication présentée au Center for Lebanese Studies, Conference on Lebanese Emigration, St. Hugh's College, Oxford, 1989.

Alcindor, M., *La lutte contre le racisme au Québec et au Canada : stratégie d'intervention planifiée ou escarmouche contre l'innommé*, Notes pour une allocution présentée par Maryse Alcindor à l'université du Québec à Montréal le 5 novembre 1992.

Aldrich, H. E., Waldinger, R., « Ethnicity and Entrepreneurship », *Annual Review of Sociology*, vol. 16, 1990.

Anctil P., Caldwell, G., (dir.), *Juifs et réalités juives au Québec*, Montréal, Institut québécois de recherche sur la culture, 1983.

Anctil, P., « Double majorité et multiplicité ethnoculturelle à Montréal », *Recherches sociographiques*, vol. 25, n° 3, 1984.

Anderson, A. B., Frideres, J., *Ethnicity in Canada. Theoretical Perspectives*, Toronto, Butterworths, 1981.

Anderson, B., *Imagined Communities*, New York, Verso, 1991.

Anthias, F., « Race and Class Revisited. Conceptualizing Race and Racisms », *The Sociological Review*, vol. 38, n° 1, 1990.

Anthias, F., Yuval-Davis, N., *Racialized Boundaries*, Londres et New York, Routledge, 1993.

Assimopoulos, N., Humblet, J. E., « Les immigrés et la question nationale : étude comparative des sociétés québécoise et wallonne », *Studi Emigrazione - Études migrations*, n° 86, 1987.

Association canadienne syrienne libanaise du Québec, *Mémoire soumis à la Commission sur l'avenir politique et constitutionnel du Québec*, Montréal, 1990.

Association des gens d'affaires et professionnels italo-canadiens (CIBAP), *Un avenir prospère*, mémoire présenté à la Commission sur l'avenir politique et constitutionnel du Québec, 1990.

Audet, B., *Les caractéristiques socio-économiques de la population immigrée au Québec au recensement de 1981*, Québec, ministère des Communautés culturelles et de l'Immigration, 1987.

Bach, R., « Immigration : Issues of Ethnicity, Class, and Public Policy in the United States », *The Annals of the American Academy*, 485, 1986.

Balibar, E., « Y a-t-il un "néo-racisme" », dans E. Balibar, I. Wallerstein (dir.), *Race, nation, classe. Les identités ambiguës*, Paris, La Découverte, 1988.

Balibar, E., Wallerstein, E., (dir.), *Race, nation, classe. Les identités ambiguës*, Paris, La Découverte, 1988.

Banton, M., *Racial Consciousness*, Longman Group, 1988.

Bash, L., Glick Schiller, N., Szanton Blanc, C., *Nations Unbound*, Langhorne Gordon and Breach Science, 1994.

Bauer, J., *Les minorités au Québec*, Montréal, Boréal, 1994.

Bell, D., « Ethnicity and Social Change », dans N. Glazer, D. Moynihan (dir.), *Ethnicity, Theory and Experience*, Harvard University Press, 1975.

Berdugo, M., Cohen, Y., Lévy, J., *Juifs marocains à Montréal. Témoignages d'une immigration moderne*, Montréal, VLB, 1987.

Bissonnette, L., « Un choc de politiques », *Le Devoir*, 25 et 26 février 1995.

Bissoondath, N., *Selling Illusions. The Cult of Multiculturalism in Canada*, Toronto, Penguin, 1994.

Boily, R., Pelletier, A., Serré, P., *Bilan des connaissances : le comportement électoral des groupes ethniques dans la région de Montréal*, communication présentée dans le cadre du colloque de l'ACFAS, université Laval, 1990.

Bourque, G., Duchastel, J., « L'État canadien et les blocs sociaux », dans G. Boismenu, G. Bourque, R. Denis, J. Duchastel, L. Jalbert, D. Salée (dir.), *Espace régional et nation*, Montréal, Boréal, 1983.

Brass, P. R., *Ethnicity and Nationalism*, Londres, Sage Publications, 1991.

Brazeau, J., « Évolution du statut de l'anglais et du français au Canada », *Sociologie et sociétés*, vol. 24, n° 2, 1992.

Breton, R., Isajiw, W., Kalbach, W. E., Reitz, J., *Ethnic Identity and Equality*, University of Toronto Press, 1990.

Breton, R., *The Governance of Ethnic Communities*, New York, Greenwood Press, 1991.

Brym, R. J., Shaffir, W., Weinfeld, M., *The Jews in Canada*, Toronto, Oxford University Press.

Burgi, N. (dir.), *Fractures de l'État-nation*, Paris, Kimé, 1994.

Caldwell, G., *La question du Québec anglais*, Montréal, Institut québécois de recherche sur la culture, 1994.

Campani, G., *Les réseaux familiaux, villageois et régionaux des immigrés italiens en France*, Paris, texte ronéotypé, 1991.

—, *Pluralisme culturel en Europe. Cultures européennes et cultures des diasporas. L'exemple de la diaspora italienne*, Paris, texte ronéotypé, 1991.

Canada, *Le point sur le multiculturalisme*, Multiculturalisme et Citoyenneté, 1991.

—, *Loi sur le multiculturalisme. Guide à l'intention des Canadiens*, Multiculturalisme et Citoyenneté, 1990.

—, *Multiculturalisme : cimenter la mosaïque canadienne*, Ottawa, rapport du comité permanent sur le multiculturalisme, 1987.

Cappon, P., *Conflits entre les Néo-Canadiens et les francophones de Montréal*, Québec, Presses de l'université Laval, 1974.

Catani, M., Palidda, S., *Le rôle du mouvement associatif dans l'évolution des communautés immigrées*, Paris, FAS, DPM, ministère des Affaires sociales, 1987.

Chan, K. B., « Perceived Racial Discrimination and Response : an Analysis of Perceptions of Chinese and Indochinese Community Leaders », *Canadian Ethnic Studies*, vol. 19, n° 3, 1987.

Chan, K. B., Indra, D. (dir.), *Uprooting, Loss and Adaptation. The Resettlement of Indochinese Refugees in Canada*, Ottawa, Canadian Public Health Association, 1987.

Chicha-Pontbriand, M. T, « Les jeunes des minorités visibles et ethniques sur le marché du travail : une situation doublement précaire », *Identité et intégration. Rapport-synthèse de la Table ronde des jeunes des communautés cuturelles*, Conseil des communautés culturelles et de l'immigration du Québec, 1991.

Colas, D., Emeri, C., Zylberberg, J., *Citoyenneté et nationalité. Perspectives en France et au Québec*, Paris, Presses universitaires de France, 1991.

Comité d'implantation du plan à l'intention des communautés culturelles (CIPAC), *Rapport annuel* 1981-1982.

Commission d'étude des questions afférentes à l'accession du Québec à la souveraineté, *L'avenir politique et constitutionnel du Québec*, Assemblée nationale, 1990.

Congrès national des Italo-Canadiens (région Québec) & FILEF, *Mémoire présenté à la Commission parlementaire sur l'avenir politique et constitutionnel du Québec*, 1990.

Conseil des communautés culturelles et de l'immigration du Québec, *L'immigration et le marché du travail. Un état de la question*, 1993.

—, *L'immigration, les communautés culturelles et l'avenir du Québec*, avis à la ministre des Communautés culturelles et de l'Immigration, Québec, 1990.

Conseil économique du Canada, *Le nouveau visage du Canada. Incidence économique et sociale de l'immigration*, 1991.

Conseil supérieur de l'éducation du Québec, *Pour un accueil et une intégration réussis des élèves des communautés culturelles*, Montréal, CSEQ, 1993.

Costa-Lascoux, J. (dir.), *Logiques d'états et immigrations*, Paris, Kimé,1992.

Coulmas, F. (dir.),*With Forked Tongues : what are National Languages Good for ?*, Ann Arbor, Karoma, 1988.

Crète J., Zylberberg, J., « Une problématique floue : l'autoreprésentation du citoyen au Québec », dans D. Colas, C. Emeri, J. Zylberberg (dir.), *Citoyenneté et nationalité. Perspectives en France et au Québec*, Paris, Presses universitaires de France, 1991.

Dahan, S., Chokron, M., *Rapport de l'enquête sur la population sépharade de l'agglomération montréalaise*, Communauté sépharade du Québec, décembre 1989.

Delanoi, G., Taguieff, P. A., *Théories du nationalisme. Nation, nationalité, ethnicité*, Paris, Kimé, 1991.

Déloye, Y., « État, nation et identité nationale : pour une clarification conceptuelle », dans N. Burgi (dir.), *Fractures de l'État-nation*, Paris, Kimé, 1994.

Deschamps, G., *Les communautés culturelles : identification ethnique, rapports avec la société francophone et compétence et usages linguistiques*, Québec, ministère des Communautés culturelles et de l'Immigration, Direction des études et de la recherche, 1990.

Dorais, L. J., *Les associations vietnamiennes à Montréal*, Québec, université Laval, département d'anthropologie, 1990.

—, « Refugee Adaptation and Community Structure : the Indochinese in Quebec City, Canada », *International Migration Review*, vol. 25, n° 3, 1991.

Dorais, L. J., Chan, K. B., Indra, D., *Ten Years Later : Indochinese Communities in Canada*, Ottawa, Association canadienne des études asiatiques, 1988.

Driedger, L. (dir.), *Ethnic Canada*, Toronto, Copp Clark Pitman, 1987.

Drouilly, P. « Réflexions sur le référendum de 1992 », *Cahiers de recherche sociologique*, n° 20, 1993.

Drury, B., *Ethnic Mobilization : Some Theoretical Considerations*, Conference on Ethnic Mobilization in Europe in the 1990s, University of Warwick, Center for Research in Ethnic Relations, 1992.

Elazar, D. J., Waller, H. M., *Maintaining Consensus. The Canadian Jewish Polity in the Postwar World*, The Jerusalem Center for Public Affairs, University Press of America, 1990.

Elbaz, M., « D'immigrants à ethniques : analyse comparée des pratiques sociales et identitaires des Sépharades et Ashkénazes à Montréal », dans J. C. Lasry, C. Tapia (dir.), *Les Juifs du Maghreb. Diasporas contemporaines*, Montréal et Paris, Presses de l'université de Montréal et L'Harmattan, 1989.

—, « Les immigrants dans la cité : les sciences sociales et la question de l'Autre au Québec », troisième colloque du regroupement québécois des sciences sociales, Montréal, 1990.

Fase, W., Jaspaert, K., Kroon, S. (dir.), *Maintenance and Loss of Minority Languages*, Amsterdam, J. Benjamins, 1992.

Fédération de la presse italo-canadienne, *Mémoire pour la Commission sur l'avenir politique et constitutionnel du Québec*, 1990.

Finkielkraut, A., *La défaite de la pensée*, Paris, Gallimard, 1987.

Fishman, J., *Language and Nationalism : Two Integrative Essays*, Rowley Mass, Newbury House, 1973.

Fontaine, L., Shiose, Y., « Ni Citoyens, ni Autres : la catégorie politique "Communautés culturelles" », dans D. Colas, C. Emeri, J. Zylberberg (dir.), *Citoyenneté et nationalité. Perspectives en France et au Québec*, Paris, Presses universitaires de France, 1991.

Fyfe, A., Figueroa, P. M. E. (dir.), *Education for Cultural Diversity : the Challenge for a New Era*, Londres, Routledge, 1993.

Gagné, M., « L'insertion de la population immigrée sur le marché du travail au Québec. Éléments d'analyse de données de recensement », *Revue internationale d'action communautaire*, vol. 21, n° 61, 1989.

Gagnon, A., Rocher, F. (dir.), *Les obstacles à la souveraineté. Les réponses des experts*, Montréal, 1992.

Gay, D., « Réflexions critiques sur les politiques ethniques du gouvernement fédéral canadien et du gouvernement du Québec », *Revue internationale d'action communautaire*, vol. 14, n° 54, 1985.

Gilroy, P., *The Black Atlantic. Modernity and Double Consciousness*, Harvard, Cambridge University Press, 1993.

Giroux, H., McLaren, P., *Between Borders. Pedagogy and the Politics of Cultural Studies*, New York, Routledge, 1993.

Glick Schiller, N., *et al.*, « All in the Same Boat ? Unity and Diversity in Haïtian Organizing in New York », dans C. Sutton, E. Chaney (dir.), *Caribbean Life in New York City : Sociocultural Dimensions*, New York, Center for Migration Studies, 1987.

Godin, G., *Notes pour l'allocution de monsieur Gérald Godin ministre des Communautés culturelles et de l'Immigration*, Winnipeg, conférence fédérale-provinciale sur le multiculturalisme, 1985.

Goulbourne, H., « Varieties of Pluralism : the Notion of a Pluralist Post-Imperial Britain », *New Community*, vol. 17, n° 2, 1991.

Gouvernement du Québec, *Au Québec pour bâtir ensemble. Énoncé de politique en matière d'immigration et d'intégration*, ministère des Communautés culturelles et de l'Immigration, 1990.

—, *Autant de façons d'être Québécois. Plan d'action du Gouvernement du Québec à l'intention des Québécois des communautés culturelles*, Québec, Direction des communications, 1981.

—, *Profil des communautés culturelles du Québec,* ministère des Communautés culturelles et de l'Immigration, 1991.

—, *Violence et racisme au Québec,* Rapport du comité d'intervention contre la violence raciste, Commission des droits de la personne du Québec, juin 1992

Hannoun, H., *Les ghettos de l'école : pour une éducation interculturelle,* Paris, ESF, 1987.

Helly, D., « Politiques à l'égard des minorités immigrées », *Sociologie et sociétés,* vol. 26, n° 2, 1994.

—, « Politiques québécoises face au "pluralisme culturel" et pistes de recherche : 1977-1990 », dans Berry, J., Laponce, J. A. (dir.), *Ethnicity and Culture in Canada. The Research Landscape,* Toronto, University of Toronto Press, 1994.

Higham, J. (dir.), *Ethnic Leadership in America,* Baltimore et Londres, Johns Hopkins University Press, 1978.

Highman, J. (dir.), *Ethnic Leadership in America,* Baltimore et Londres, Johns Hopkins University Press, 1978.

Indra, D., « Bureaucratic Constraints, Middlemen and Community Organization : Aspects of the Political Incorporation of Southeast Asians in Canada », dans K. B. Chan, D. Indra (dir.), *Uprooting, Loss and Adaptation. The Resettlement of Indochinese Refugees in Canada,* Ottawa, Canadian Public Health Association, 1987.

Jacob, A., *Intervention avec les immigrants et les réfugiés,* Montréal Méridien, 1991.

—, *Le racisme au quotidien,* Montréal, CIDHICA, 1991.

Jain Harish, C., « Affirmative Action, Employment Equity and Visible Minorities in Canada », dans *Labour Relations in a Changing Environment,* Berlin, Walter de Gruyter, 1992.

Jenkins, R., Solomos, J. (dir.), *Racism and Equal Opportunity Policies in the 1980s,* Cambridge, Cambridge University Press, 1989.

Juteau, D., « L'État et les immigrés : de l'immigration aux communautés culturelles », dans P. Guillaume, J. M. Lacroix, J. Zylberberg (dir.), *Minorités et État*, Québec, Presses de l'université Laval, 1986.

—, « L'étude des relations ethniques dans la sociologie québécoise francophone », dans I. Simon-Barouh, P. J. Simon (dir.), *Les étrangers dans la ville*, Paris, L'Harmattan, 1990.

Juteau, D., McAndrew, M., « Projet national, immigration et intégration dans un Québec souverain », *Sociologie et sociétés*, vol. 24, n° 2, 1992.

Kepel, G., *La revanche de Dieu*, Paris, Points actuels, 1992.

Kymlicka, W., Norman, W., « Return of Citizen : a Survey of Recent Work on Citizenship Theory », *Ethics*, vol. 104, n° 2, 1994.

Labelle, M., « Femmes et migration au Canada : bilan et perspectives », *Canadian Ethnic Studies*, numéro spécial « The State of the Art », vol. 22, n° 1, automne 1990.

—, *Idéologie de couleur et classes sociales en Haïti*, Montréal, CIDHICA et Presses de l'université de Montréal, 1987 (2ᵉ éd.).

—, « Immigration, culture et question nationale », *Cahiers de recherche sociologique*, n° 14, 1990.

—, « Le rôle économique de l'immigration féminine dans la région de Montréal », dans G. Abou Sada, B. Courault, Z. Zéroulou (dir.), *L'immigration au tournant*, Paris, CIEMI, L'Harmattan, 1990.

—, « Nation, ethnicité et racisation. Perspectives théoriques à propos du Québec », *Entre tradition et universalisme*, Montréal, Institut québécois de recherche sur la culture, 1994.

—, « Pluralité ethnoculturelle et pluralisme au Québec », dans Gagnon, A., Rocher, F. (dir.), *Les obstacles à la souveraineté. Les réponses des experts*, Montréal, 1992.

—, « Politique d'immigration, politique d'intégration, identité du Québec », dans *Les avis des spécialistes invités à répondre aux huit questions posées par la Commission*, Québec, Commission sur l'avenir politique et constitutionnel du Québec, document de travail n° 4, 1991.

—, « Présentation. Ethnicité et nationalismes. Nouveaux regards », *Cahiers de recherche sociologique*, n° 20, 1993.

Labelle, M., Beaudet, G., Tardif, F., Lévy, J., « La question nationale dans le discours de leaders d'associations ethniques de la région de Montréal », *Cahiers de recherche sociologique*, n° 20, 1993.

Labelle, M., Meintel, D., Turcotte, G., Kempeneers, M., *Histoires d'immigrées. Itinéraires d'ouvrières colombiennes, haïtiennes, grecques, portugaises de Montréal*, Montréal, Boréal, 1987.

Labelle, M., Therrien, M., « Le mouvement associatif haïtien au Québec et le discours de leaders », *Nouvelles pratiques sociales*, vol. 5, n° 2, 1992.

Labelle, M., Therrien, M., Lévy, J., « Le discours des leaders d'associations ethniques de la région de Montréal », *Revue européenne des migrations internationales*, vol. 10, n° 2, 1994.

Laberge, H., « La culture nationale et les cultures ethniques », dans F. Ouellette, M. Pagé (dir.), *Pluriethnicité, éducation et société. Construire un espace commun*, Québec, Institut québécois de recherche sur la culture, 1991.

Laferrière, M., « Les idéologies ethniques dans la sociologie canadienne : du conformisme colonial au multiculturalisme », dans Leconte, T., *Le facteur ethnique aux États-Unis et au Canada*, 1983.

Lamotte, A., *L'adaption socio-économique des femmes immigrantes*, Montréal, ministère des Communautés culturelles et de l'Immigration, 1991.

Langlais, J., Laplante, P., Lévy, J., *Le Québec de demain et les communautés culturelles*, Montréal, Méridien, 1989.

Lapeyronnie, D., « Assimilation, mobilisation et action collective chez les jeunes de la seconde génération de l'immigration maghrébine », *Revue française de sociologie*, vol. 28, 1987.

—, *L'individu et les minorités. La France et la Grande-Bretagne face à leurs immigrés*, Paris, PUF, 1993.

Lasry, J. C., Tapia, C. (dir.), *Les Juifs du Maghreb. Diasporas contemporaines*, Montréal et Paris, Presses de l'université de Montréal et L'Harmattan, 1989.

Lavoie, N., *Les facteurs explicatifs des comportements électoraux des citoyens issus des communautés culturelles de la région de Montréal*, université de Montréal, département de science politique, projet de thèse de doctorat, novembre 1994.

Leblanc, G., « Seuls 5 % des immigrants en faveur de la souveraineté », *La Presse*, 16 juin 1992.

Leconte, Thomas, *Le facteur ethnique aux États-Unis et au Canada*, 1983.

Ledoyen, A., « Les jeunes des communautés culturelles : caractéristiques et situation sur le marché du travail », *Identité et intégration. Rapport synthèse de la Table ronde des jeunes des communautés cuturelles*, Conseil des communautés culturelles et de l'immigration du Québec, 1990.

Ledoyen, A., *Montréal au pluriel*, Montréal, Institut québécois de recherche sur la culture, 1993.

Legault, J., *L'invention d'une minorité. Les Anglo-Québécois*, Montréal, Boréal, 1992.

Lévy, J., « Analyse des facteurs qui peuvent influencer sur le développement d'une estime de soi normale chez les jeunes des communautés culturelles », *Identité et intégration*, Rapport-synthèse de la table-ronde des jeunes des communautés culturelles, Conseil des communautés culturelles et de l'immigration, 1991.

Lévy, J., Ouaknine, L., « Les institutions communautaires des Juifs marocains à Montréal », dans J. C. Lasry, C. Tapia (dir.), *Les Juifs du Maghreb. Diasporas contemporaines*, Montréal et Paris, Les Presses de l'université de Montréal et L'Harmattan, 1989.

Lewis, B., Schnapper D., *Musulmans en Europe*, Arles, Actes Sud, 1992.

Light, Y., « Disadvantaged Minorities in Self-Employment », *International Journal of Comparative Sociology*, vol. 20, n°s 1-2, 1979.

Linteau, P.-A., « Les Italo-Québécois : acteurs et enjeux des débats politiques et linguistiques au Québec », dans *Studi Emigrazione - Études migrations*, n° 86, 1987.

Lynch, J., Mogdil, C., Mogdil, S. (dir.)., *Cultural Diversity and the Schools*, Londres, Falmer Press, 1992.

Martiniello, M., *Leadership et pouvoir dans les communautés d'origine immigrée*, Paris, CIEMI L'Harmattan, 1992.

Miles, R., *Class, Culture and Politics : Migrant Origin Youth in Britain*, Conference on Ethnic Mobilization in Europe in the 1990s, University of Warwick, Center for Research in Ethnic Relations, 1992.

Miles, R., Phizaclea, A., « Class, Race, Ethnicity and Political Action », *Political Studies*, vol. 25, n° 4, 1977.

Miles, R., *Racism*, Londres et New York, Routledge, 1989.

Moodley, K., « The Predicament of Racial Affirmative Action », dans L. Driedger (dir.), *Ethnic Canada*, Toronto, Copp Clark Pitman, 1987, p. 395-407.

Multiculturalisme Canada, *Les travailleurs indépendants chez les groupes ethnoculturels. Faits saillants*, Ottawa, 1986.

Multiculturalisme et Citoyenneté Canada, « Une enquête sur les attitudes », *Ensemble*, vol. 1, n° 2, printemps 1992.

Ng, R., Muller, J., Walker, G., *Community Organization and the Canadian State*, Toronto, Garamond Press, 1990.

Ng, R., *The Politics of Community Services. Immigrant Women, Class and State*, Toronto, Garamond Press, 1988.

Noblet, P., *L'Amérique des minorités. Les politiques d'intégration*, Paris, CIEMI, L'Harmattan, 1993.

Noiriel, G., *Le creuset francais : histoire de l'immigration : XIXᵉ-XXᵉ siècles*, Paris, Seuil, 1988.

Novak, M. E., *The Rise of the Unmeltable Ethnics*, New York, MacMillan, 1978.

O'Barr, W. O., O'Barr, J. F. (dir.), *Language and Politics*, The Hague, Mouton, 1976.

Ohana, M., « Un rabbin francophone prend fait et cause pour le français », *La Presse*, 27 février 1990.

Ouellette, F., Pagé, M., *Pluriethnicité, éducation et société. Construire un espace commun*, Québec, Institut québécois de recherche sur la culture, 1991.

Pagé, M., « Intégration, identité ethnique et cohésion sociale », dans Ouellette, F., Pagé, M. (dir.), *Pluriethnicité, éducation et société. Construire un espace commun*, Québec, Institut québécois de recherche sur la culture, 1991.

Paillé M., « Choix linguistiques des immigrants dans les trois provinces canadiennes les plus populeuses », *International Journal of Canadian Studies, Revue internationale d'études canadiennes*, n° 3, 1991.

Painchaud, C., Poulin, R., « Italianité, conflit linguistique et structure du pouvoir dans la communauté italo-québécoise », *Sociologie et sociétés*, vol. 15, n° 2., 1985.

—, *Les Italiens au Québec*, Hull, Critiques et Asticou, 1988.

Parti québécois, *Sondage sur les communautés culturelles. 22 janvier au 2 mars 1990. Rapport*, (s.l.), 1990.

Portes, A., Walton, J., *Labor, Class and the International System*, London Academic Press, 1981.

Radecki, H., « Ethnic Voluntary Organizational Dynamics in Canada ; a Report », *International Journal of Comparative Sociology*, vol. 17, n°s 3-4, 1976.

Répertoire des organismes des communautés culturelles du Québec, Les Publications du Québec, Québec, 4e édition, 1990.

Rex, J., Joly, D., Wilpert, C., *Immigrant Associations in Europe*, Gower, 1987.

Rocher, F., Rocher, G., « La culture québécoise en devenir : les défis du pluralisme », dans F. Ouellette, M. Pagé (dir.), *Pluriethnicité, éducation et société. Construire un espace commun*, Québec, Institut québécois de recherche sur la culture, 1991.

Rodal, A., « L'identité juive », dans P. Anctil, G. Caldwell (dir.), *Juifs et réalités juives au Québec*, Montréal, Institut québécois de recherche sur la culture, 1983.

Schlesinger, A., *La désunion de l'Amérique. Réflexions sur une société multiculturlelle*, Paris, Nouveaux Horizons, 1993.

Schnapper, D., « Communautés, minorités ethniques et citoyens musulmans », dans B. Lewis, D. Schnapper (dir.), *Musulmans en Europe*, Paris, Actes Sud, 1992.

—, *La communauté des citoyens. Sur l'idée moderne de nation*, Paris, Gallimard, 1994.

—, *La France de l'intégration. Sociologie de la nation en 1990*, Paris, Gallimard, 1991.

Schoenberg, U., « Participation in Ethnic Associations : the Case of Immigrants in West Germany », *International Migration Review*, vol. 19, 1985.

Simard, C., *et al.*, « Les minorités visibles et le système politique canadien », dans K. Moodley (dir.), *Minorités visibles, communautés ethnoculturelles et politique canadienne. La question de l'accessibilité*, Toronto, Dundun Press, 1991.

Simard, J. J., « Droits, identités et minorités : à l'arrière-plan de l'éducation interculturelle », dans F. Ouellette, M. Pagé (dir.), *Pluriethnicité, éducation et société. Construire un espace commun*, Québec, Institut québécois de recherche sur la culture, 1991.

Simon, P. J., « Ethnisme et racisme ou "l'école de 1492" », *Cahiers internationaux de sociologie*, vol. XLVIII, 1970.

—, « L'étude des relations inter-ethniques et des relations raciales dans la sociologie française », dans G. Balandier (dir.), *Questions à la sociologie française*, Paris, PUF, 1976.

Solomos, J., *Black Youth, Racism and the State*, New York, Cambridge University Press, 1988.

—, *Race and Racism in Contemporary Britain*, Londres, Macmillan, 1989.

—, *Race Relations Research and Social Policy : A Review of Some Recent Debates and Controversies*, Coventry, University of Warwick, Center for Research in Ethnic Relations, n° 18, 1989.

Stasiulis, D., « Minority Resistance in the Local State : Toronto in the 1970s and 1980s », *Ethnic and Racial Studies*, vol. 12, n° 1, 1989.

—, « Symbolic Representation and the Number Games : Tory Policies on "Race" and Visible Minorities », dans F. Abele (dir.), *The Politics of Fragmentation : How Ottawa Spends 1991-1992*, Ottawa, Carleton University Press, 1991.

Stasiulis, D., « The Political Structuring of Ethnic Community Action : a Reformulation », *Canadian Ethnic Studies*, vol. 12, 1980.

Statistique Canada, *Recensement 1991*, catalogue 93-315, 1993.

Sutton, C. R., Chaney, E.M. (dir.), *Carribean Life in New York City : Sociocultural Dimensions*, New York, Center for Migration Studies, 1987.

Sutton, C. R., Makiesky-Barrow, S., « Migration and West Indian Racial and Ethnic Consciousness », dans C. R. Sutton, E. M. Chaney (dir.), *Carribean Life in New York City : Sociocultural Dimensions*, New York, Center for Migration Studies, 1987.

Taddeo, D., Taras, R., *Le débat linguistique au Québec*, Montréal, Presses de l'université de Montréal, 1987.

Taylor, C., *Multiculturalisme. Différence et démocratie*, Paris, Aubier, 1993.

Touraine, A. « Le racisme aujourd'hui », dans A. Wieviorka (dir.), *Racisme et modernité*, Paris, La Découverte, 1992.

Ungerleider, C.S., « Immigration, Multiculturalism, and Citizenship : The Development of the Canadian Social Justice Infrastructure », *Canadian Ethnic Studies*, vol. 24, n° 3, 1992.

Vorst, J., (dir.), *Race, Class, Gender : Bonds and Barriers*, Toronto, Socialist Studies, Between the Lines, 1989.

Waldinger, R., « Immigrant Enterprise. A Critique and Reformulation », *Theory and Society*, vol. 15, 1986.

373

Wallerstein, E., « La construction des peuples : racisme, nationalisme, ethnicité », dans E. Balibar, I. Wallerstein (dir.), *Race, nation, classe. Les identités ambiguës*, Paris, La Découverte, 1988.

Wallerstein, I., « Culture as the Ideological Battleground of the Modern World System », *Theory, Culture and Society*, vol. 7, 1990.

Weinfeld, M., « The Jews in Montreal », dans R. J. Brym, W. Shaffir, M. Weinfeld (dir.), *The Jews in Canada*, Toronto, Oxford University Press, 1993.

Wieviorka, M. (dir.), *Racisme et xénophobie en Europe*, Paris, La Découverte, 1994.

Wieviorka, M. (dir.), *Racisme et modernité*, Paris, La Découverte, 1992.

Wieviorka, M., *Ethnicity as Action*, Conference on Ethnic Mobilization in Europe in the 1990s, University of Warwick, Center for Research in Ethnic Relations, 1992.

—, *L'espace du racisme*, Paris, Seuil, 1991.

—, *La France raciste*, Paris, Seuil, 1992.

Williams, C. H., *Linguistic Minorities, Society and Territory*, Multilingual Matters, Clevedon, 1991.

Wood, C. H., « Equilibrium and Historical Structural Perspectives on Migration », *International Migration Review*, vol. 12, n° 2, 1982.

Wrench, J., Solomos, J., *Racism and Migration in Western Europe*, Oxford, Berg, 1993.

Young, C., *Ethnic Diversity and Public Policy : an Overview*, United Nations Research Institute for Social Development, 1994.

Yuval-Davis, N., « Nationalism and Racism », *Cahiers de recherche sociologique*, n° 20, 1993.

Zolberg, A. R., « Migration Theory for a Changing World », *International Migration Review*, vol. 23, 1989.

Rapports de recherche

Labelle, M., *Problématique générale de la recherche « Ethnicité et pluralisme. Le discours de leaders d'associations ethniques de la région de Montréal »*, université du Québec à Montréal, département de sociologie, Centre de recherche sur les relations interethniques et le racisme, n° 1, 1993.

Tardif, F., Labelle, M., *Profils socio-démographiques des leaders d'origine italienne, juive, haïtienne et libanaise interviewés dans le cadre de la recherche « Ethnicité et pluralisme. Le discours de leaders d'associations ethniques de la région de Montréal »*, université du Québec à Montréal, département de sociologie, Centre de recherche sur les relations interethniques et le racisme, n° 2, 1993.

Therrien, M., Labelle, M., *Vie associative et ethnicité. Le discours de leaders d'origine italienne de la région de Montréal*, université du Québec à Montréal, département de sociologie, Centre de recherche sur les relations interethniques et le racisme, n° 3, 1993.

Polo, A. L., Therrien, M., Labelle, M., *Vie associative et ethnicité. Le discours de leaders juifs de la région de Montréal*, université du Québec à Montréal, département de sociologie, Centre de recherche sur les relations interethniques et le racisme, n° 4, 1993.

Therrien, M., Labelle, M., *Vie associative et ethnicité. Le discours de leaders d'origine haïtienne de la région de Montréal*, université du Québec à Montréal, département de sociologie, Centre de recherche sur les relations interethniques et le racisme, n° 5, 1993.

Polo, A. L., Therrien, M., Labelle, M., *Vie associative et ethnicité. Le discours de leaders d'origine libanaise de la région de Montréal*, université du Québec à Montréal, département de sociologie, Centre de recherche sur les relations interethniques et le racisme, n° 6, 1993.

Labelle, M., Goyette, M., Paquin, M., *Intégration économique. Le discours de leaders d'origine italienne de la région de Montréal*, université du Québec à Montréal, département de sociologie, Centre de recherche sur les relations interethniques et le racisme, n° 7, 1993.

Labelle, M., Goyette, M., Paquin, M., *Intégration économique. Le discours de leaders juifs de la région de Montréal*, université du Québec à Montréal, département de sociologie, Centre de recherche sur les relations interethniques et le racisme, n° 8, 1993.

Labelle, M., Goyette, M., *Intégration économique. Le discours de leaders d'origine haïtienne de la région de Montréal*, université du Québec à Montréal, département de sociologie, Centre de recherche sur les relations interethniques et le racisme, n° 9, 1993.

Labelle, M., Goyette, M., Paquin, M., *Intégration économique. Le discours de leaders d'origine libanaise de la région de Montréal*, université du Québec à Montréal, département de sociologie, Centre de recherche sur les relations interethniques et le racisme, n° 10, 1993.

Tardif, F., Beaudet, G., Labelle, M., *Question nationale et ethnicité. Le discours de leaders d'origine italienne de la région de Montréal*, université du Québec à Montréal, département de sociologie, Centre de recherche sur les relations interethniques et le racisme, n° 11, 1993.

Therrien, M., Beaudet, G., Labelle, M., *Question nationale et ethnicité. Le discours de leaders juifs de la région de Montréal*, université du Québec à Montréal, département de sociologie, Centre de recherche sur les relations interethniques et le racisme, n° 12, 1993.

Tardif, F., Beaudet, G, Labelle, M., *Question nationale et ethnicité. Le discours de leaders d'origine haïtienne de la région de Montréal*, université du Québec à Montréal, département de sociologie, Centre de recherche sur les relations interethniques et le racisme, n° 13, 1993.

Beaudet, G., Tardif, F., Labelle, M., *Question nationale et ethnicité. Le discours de leaders d'origine libanaise de la région de Montréal*, université du Québec à Montréal, département de sociologie, Centre de recherche sur les relations interethniques et le racisme, n° 14, 1993.

Paquin, M., Labelle, M., *Ethnicité, racisme et intégration des jeunes. Le discours de leaders d'origine italienne de la région de Montréal*, université du Québec à Montréal, département de sociologie, Centre de recherche sur les relations interethniques et le racisme, n° 15, 1993.

Therrien, M., Labelle, M., *Ethnicité, racisme et intégration des jeunes. Le discours de leaders juifs de la région de Montréal*, université du Québec à Montréal, département de sociologie, Centre de recherche sur les relations interethniques et le racisme, n° 16, 1993.

Therrien, M., Labelle, M., *Ethnicité, racisme et intégration des jeunes. Le discours de leaders d'origine haïtienne de la région de Montréal,* université du Québec à Montréal, département de sociologie, Centre de recherche sur les relations interethniques et le racisme, n° 17, 1993.

Paquin, M., Labelle, M., *Ethnicité, racisme et intégration des jeunes. Le discours de leaders d'origine libanaise de la région de Montréal,* université du Québec à Montréal, département de sociologie, Centre de recherche sur les relations interethniques et le racisme, n° 18, 1993.

TABLE